La Déchirure

Robin Hobb

La Déchirure
Le Soldat chamane

*

Traduit de l'anglais par A. Mousnier-Lompré

ÉDITIONS FRANCE LOISIRS

Titre original : SHAMAN'S CROSSING
(The soldier son trilogy – Livre I) (Première partie)

L'édition originale est parue aux États-Unis, chez Eos,
une marque de Harper Collins Publishers.

Édition du Club France Loisirs,
avec l'autorisation des Éditions Pygmalion.

Éditions France Loisirs,
123, boulevard de Grenelle, Paris
www.franceloisirs.com

© 2005, Megan Lindholm.
© 2006, Pygmalion, département de Flammarion,
pour l'édition en langue française.
ISBN : 978-2-298-00830-2

A Caféine et Sucre,
mes compagnons de longues nuits d'écriture

1

Fer et magie

Je garde nettement le souvenir de la première fois où j'ai vu opérer la magie des Plaines.

J'avais huit ans et j'accompagnais mon père au poste avancé de Coude-Frannier avec le caporal Pars. Levés avant l'aube pour le long trajet, nous avions enfin aperçu le pavillon qui flottait au-dessus de l'enceinte, au bord de la rivière, alors que le soleil arrivait au midi. Jadis fort militaire implanté sur la frontière contestée entre les habitants des Plaines et le royaume de Gernie, Coude-Frannier se trouvait désormais très à l'intérieur du territoire gernien, mais il conservait des traces de sa superbe d'antan. Deux gros canons en gardaient les portes ; toutefois, les échoppes appuyées contre la palissade enduite de boue atténuaient leur aspect menaçant. La piste que nous suivions depuis Grandval rejoignait une route qui traversait des fondations en briques de boue séchée ; toits et murs disparus depuis longtemps, les vestiges d'habitations béaient au ciel comme les trous dans les gencives d'un crâne. Je les observai avec intérêt puis osai une question. « Qui vivait ici ?

11

— Des Nomades », répondit le caporal Pars d'un ton qui indiquait qu'il n'en dirait pas plus. Ce n'était pas un lève-tôt et je commençais à me demander s'il ne m'en voulait pas d'avoir dû quitter son lit aux aurores.

Je me tus quelque temps mais ma curiosité finit par l'emporter. « Pourquoi toutes les maisons sont-elles détruites ? Pourquoi les Nomades sont-ils partis ? D'ailleurs, je croyais qu'ils ne bâtissaient pas de villes ; en était-ce une ?

— Les Nomades ne bâtissent pas de villes, ils sont partis parce qu'ils sont partis et il ne reste que des ruines des maisons parce qu'ils ne savaient pas mieux construire que des termites. » Le murmure de Pars flétrissait la stupidité de mes questions.

Mon père avait toujours bénéficié d'une ouïe excellente. « Jamère ! »

D'un petit coup de talon, je fis avancer mon cheval pour me placer à côté de sa grande monture. Il me lança un coup d'œil, sans doute pour s'assurer que j'écoutais, puis déclara : « La plupart des Nomades n'érigeaient pas de villes permanentes, mais certains, comme les Bejawis, établissaient des villages provisoires. Coude-Frannier en faisait partie ; ils s'y rendaient avec leurs troupeaux pendant la saison sèche car ils savaient y trouver des pacages et de l'eau. Mais ils n'aimaient pas rester au même endroit trop longtemps, aussi leurs constructions n'étaient-elles pas faites pour durer ; à d'autres périodes de l'année, ils déplaçaient leurs bêtes sur les Plaines et les suivaient au gré de leur pâturage.

— Pourquoi ne s'installaient-ils pas définitivement ? Pourquoi ne pas bâtir des maisons solides ?

— Ils ne vivaient pas ainsi, Jamère. On ne peut pas prétendre qu'ils n'avaient aucun talent pour l'architecture, car ils ont érigé des monuments sur des sites auxquels ils accordaient de l'importance, or ces monuments ont parfaitement résisté à l'épreuve du temps. Un jour, je t'emmènerai voir celui qu'on appelle le Fuseau-qui-danse. Mais ils ne possédaient pas de villes comme nous ni de gouvernement central pour subvenir aux besoins de la population ; voilà pourquoi ils restaient dans la misère et l'errance, soumis aux attaques des pillards kidonas et aux caprices des saisons. Maintenant que nous avons sédentarisé les Bejawis et commencé à leur apprendre à construire des villages, des écoles et des réserves, ils vont découvrir les bienfaits de la prospérité. »

Je demeurai songeur. Je connaissais les Bejawis ; certains s'étaient installés près de la partie nord de Grandval, propriété de mon père. Le hameau, entassement de maisons sans rues distinctes, jonché de rebuts et d'ordures, ne m'avait pas fait grande impression. Comme s'il entendait mes pensées, mon père reprit : « Parfois, il faut du temps à un peuple pour s'adapter à la civilisation ; l'apprentissage peut se révéler difficile. Mais, en fin de compte, il en tirera grand profit. Les Gerniens ont le devoir de hisser les Bejawis à leur niveau et de les aider à se civiliser. »

Ah, voilà qui me parlait ! De même, mes efforts en mathématiques me permettraient un jour de devenir un meilleur soldat. Je hochai la tête et restai à côté de mon père tandis que nous approchions de l'avant-poste.

Avec le temps, Coude-Frannier avait acquis le

statut de point de rendez-vous pour les négociants gerniens qui y vendaient à prix exorbitants leurs articles
à des soldats en proie au mal du pays et achetaient
au marché des produits faits main par les Nomades,
textiles et colifichets, pour les proposer dans les cités
de l'ouest. Le contingent militaire, avec ses casernes et
son quartier général, formait encore le cœur de la ville,
mais c'était le commerce qui lui donnait désormais sa
raison d'être. Au-dehors des fortifications, une petite
communauté avait vu le jour autour des quais qui bordaient le fleuve ; de nombreux hommes de troupe y
prenaient leur retraite et subsistaient tant bien que mal
grâce aux aumônes de leurs cadets d'active. Autrefois,
je suppose, le fort de Coude-Frannier avait représenté
un poste d'importance stratégique, mais ce n'était plus
désormais qu'un trou perdu le long du fleuve. On hissait encore chaque jour les pavillons avec une précision militaire et force cérémonies solennelles, mais,
comme me l'avait dit mon père pendant notre trajet,
on considérait l'affectation dans cette garnison comme
une sinécure, un travail de tout repos confié aux officiers âgés ou invalides qui souhaitaient retarder leur
retour dans leur famille.

Notre visite n'avait pour but que de déterminer si
mon père pouvait s'assurer l'exclusivité de la vente à
l'armée de peaux de mouton destinées à rembourrer la
selle des chevaux. A cette époque, ma famille débutait
dans l'élevage, et il désirait vérifier l'état du marché
avant d'investir à l'excès dans des animaux sans cervelle ; bien qu'il détestât jouer les marchands, selon ses
propres termes, il devait, en tant que nouveau noble,

établir les fondations financières qui soutiendraient ses domaines et leur permettraient de fructifier. « Je ne veux pas transmettre à ton frère un titre sans substance quand il sera en âge de le porter. Il faut au futur seigneur Burvelle de l'est un revenu suffisant pour subvenir au train de vie d'un aristocrate. Peut-être songes-tu que cela ne te concerne pas, Jamère, puisque ta place de second fils te destine à une carrière militaire ; mais, une fois la vieillesse venue et tes jours à l'armée achevés, tu retourneras sur les terres de ton frère pour y prendre ta retraite. Tu finiras ta vie à Grandval, et les revenus de la propriété conditionneront la qualité de tes gendres, car le fils aîné d'un noble a le devoir de subvenir aux besoins des filles de son frère soldat. Il t'incombe de le savoir. »

Je ne comprenais pas grand-chose, alors, de ce qu'il me disait. Depuis peu, il me parlait deux fois plus que d'ordinaire et j'avais l'impression que la moitié de ses propos m'échappaient. Il m'avait récemment séparé de la compagnie de mes sœurs, de leurs jeux aimables, et elles me manquaient affreusement, tout comme les attentions et les cajoleries de ma mère. La rupture, brutale, avait eu lieu quand il avait découvert que je passais le plus clair de mes après-midi à jouer à « prendre le thé » au jardin avec Elisi et Yaril, et que j'avais même adopté une poupée pour l'apporter à l'occasion des fêtes de la maternelle. Ces passe-temps avaient alarmé mon père pour des raisons impénétrables à un esprit de huit ans ; il avait admonesté ma mère au cours d'une « discussion » étouffée par les portes closes du salon et pris aussitôt la responsabilité totale de mon éducation.

En attendant l'arrivée d'un précepteur qu'il avait embauché, il avait suspendu les cours que me donnait notre gouvernante à l'aide d'un manuel scolaire, et m'emmenait désormais partout dans ses déplacements fastidieux, pendant lesquels il discourait sans cesse sur ma vie de futur officier de la cavalla royale. En son absence, et même parfois en sa présence, le caporal Pars me chaperonnait.

A la suite de ce brusque changement, je me retrouvai à la fois très seul et inquiet ; je sentais que j'avais déçu mon père, sans toutefois savoir en quoi. J'aspirais à retrouver la société de mes sœurs, mais ce désir m'inspirait aussi de la honte, car n'étais-je pas un jeune homme maintenant et n'avais-je pas entamé le chemin qui devait me conduire à devenir le fils militaire de mon père ? Il ne manquait jamais une occasion de me le rappeler, ainsi que le gros et vieux caporal. Ma mère décrivait parfois, non sans irritation, Pars comme un « employé par charité » ; vieillissant, bedonnant, hors d'état de servir encore dans l'armée, il avait frappé à la porte de mon père qui l'avait engagé comme gardien du domaine. Pour le moment, il remplaçait la gouvernante que je partageais naguère avec mes sœurs, avec ordre de m'enseigner chaque jour les « rudiments de la tenue et des convenances militaires », en attendant que mon père me trouve un instructeur plus qualifié. Je ne le tenais guère en haute estime ; nounou Sisi se montrait plus organisée que lui et m'imposait une discipline plus stricte. Le vieux traîne-patte qui avait atteint l'âge de la retraite sans dépasser le rang de caporal regardait la charge qu'on lui avait confiée comme une corvée, non comme l'occasion de modeler un jeune esprit brillant et de sculpter avec rigueur un corps en parfaite santé. Souvent, alors qu'il devait m'apprendre à monter, il passait une heure de ce temps à faire la sieste pendant que je m'exerçais à « monter la garde comme une bonne petite sentinelle », c'est-à-dire que je restais assis dans les branches d'un arbre tandis qu'il dormait dans son ombre. Je n'en avais rien révélé à mon père, naturellement : selon un des premiers axiomes que Pars m'avait enseignés, il commandait, j'obéissais, et un soldat ne discute pas les ordres.

Mon père était bien connu à Coude-Frannier. Au sortir du bourg, nous arrivâmes aux portes de la place forte où on le salua et le laissa entrer sans poser de questions. Nous passâmes devant l'échoppe d'un maréchal-ferrant désœuvré, un entrepôt et une caserne, bâtiments que j'observai avec curiosité, puis nous tirâmes les rênes devant le poste de commandement. Pendant que je restais bouche bée devant l'imposant édifice de pierre et ses deux étages, mon père donna ses instructions à Pars me concernant.

« Faites-lui visiter le poste en lui expliquant sa configuration ; montrez-lui les canons, décrivez-lui les raisons de leur placement et leur portée. Les fortifications présentent une disposition défensive classique ; veillez à ce qu'il comprenne les motifs de ce plan. »

S'il s'était retourné alors qu'il gravissait les marches, il aurait vu Pars lever les yeux au ciel. L'accablement me saisit : le caporal n'avait manifestement nulle intention d'obéir aux ordres, et on me tiendrait ensuite responsable de mes lacunes. Par deux fois déjà, on m'avait

17

reproché mon manque d'attention au lieu d'accuser l'enseignement défaillant de Pars ; je résolus que cela n'arriverait pas cette fois.

Je lui emboîtai le pas et il m'emmena un peu plus loin dans la rue. « Voilà une caserne ; c'est là que vivent les soldats, me dit-il. Et, au bout, tu as la cantine, où ils peuvent boire une bière et se détendre quand ils ne sont pas de service. » La visite du fort s'arrêta là. Construit en planches peintes en vert et blanc, le bâtiment long et bas était bordé d'une véranda sur tout son flanc ; des hommes d'armes assis sur des bancs raides profitaient de l'ombre maigre pour effectuer des travaux de raccommodage, cirer leurs chaussures, bavarder, fumer ou chiquer. Devant la cantine, la véranda offrait un refuge à une autre classe d'individus que je connaissais bien : invalides ou trop vieux pour servir, ils arboraient un mélange varié d'uniformes militaires et d'effets civils. Une femme vêtue d'une robe orange fanée se tenait avachie à une table, une fleur amollie à l'oreille ; elle avait l'air très lasse. De tels exclus de l'armée se présentaient souvent chez nous dans l'espoir de trouver un travail et un logement ; s'il les jugeait aptes à un emploi, mon père les embauchait en général, au grand désarroi de ma mère. Mais il aurait fermé la porte au nez de ceux-ci, je le sus aussitôt : mal peignés, mal rasés, barbouillés de crasse, ils étaient une demi-douzaine à traîner sur les bancs, à boire de la bière, à mâcher du tabac et à cracher des jets marron sur la terre battue. Une odeur nauséabonde de jus de chique et de bière renversée imprégnait l'air.

Pars jeta au passage un coup d'œil empreint d'envie

18

par les fenêtres basses puis interpella soudain d'un air ravi un vieil ami qu'à l'évidence il n'avait pas revu depuis des années. Je m'ennuyai poliment pendant que, par l'ouverture, ils se mettaient mutuellement au fait des derniers événements de leur vie ; le camarade de Pars, Vev, bavardait, les coudes sur l'appui-fenêtre, pendant que nous restions dans la rue. Il venait d'arriver au fort avec sa femme et ses deux fils ; l'armée l'avait remercié après une blessure au dos consécutive à une chute de cheval, et, comme nombre de ses semblables, il n'avait pas de bas de laine où puiser en cas de besoin. Ils gardaient un toit sur leur tête grâce aux travaux de couture que faisait sa femme, mais la situation restait précaire. Et Pars, que devenait-il ? Il bossait pour le colonel Burvelle ? Je vis l'intérêt briller soudain dans les yeux de Vev, qui invita aussitôt le caporal à boire une bière pour fêter leurs retrouvailles. Alors que je m'apprêtais à monter les marches à sa suite, Pars m'arrêta d'un regard noir. « Tu m'attends dehors, Jamère. J'en ai pas pour longtemps.

— Vous ne devez pas me laisser seul dans la ville, caporal », répondis-je. J'avais entendu mon père souligner ce point pendant le trajet qui nous menait au fort, et, malgré mon jeune âge, je m'étonnais qu'il l'eût déjà oublié. J'attendis qu'il me remerciât de lui rafraîchir la mémoire, ce que je considérais comme mon dû : chaque fois que mon père devait me rappeler une règle que j'avais négligée, je devais lui témoigner ma reconnaissance et accepter les conséquences de mon manquement.

Au lieu de cela, il me fit les gros yeux. « T'es pas

tout seul, Jamère. Je te verrai par la fenêtre, et puis il y a des soldats partout. Il peut rien t'arriver ; t'as qu'à t'asseoir près de la porte et m'attendre, comme je t'ai dit.

— Mais je dois rester avec vous ! » protestai-je. L'ordre de ne pas me quitter était distinct de celui de me surveiller et de me faire visiter le fort ; Pars risquait des ennuis s'il me laissait livré à moi-même dans la rue, et je craignais plus qu'une réprimande de la part de mon père si je ne suivais pas le caporal comme il me l'avait commandé.

L'ami du sous-officier eut une idée. « Mes deux gars Corbin et Darda sont dans le coin, petit, derrière chez le maréchal-ferrant, à lancer au couteau avec les autres. Pourquoi t'irais pas les retrouver histoire de t'amuser avec eux ? On n'en aura pas pour longtemps. Il faut juste que je cause un peu avec tonton Pars, qu'il m'explique comment m'y prendre pour dégotter un boulot peinard comme le sien, à jouer les nounous chez le vieux Burvelle.

— Fais un peu gaffe à ce que tu dis devant le gamin ! Il a une langue lui aussi, et il pourrait bien répéter ce que tu racontes. Ferme-la avant de me faire perdre ma place, Vev.

— Bah, je pensais pas à mal, il le sait bien, le mioche au colon ; hein, petit ? »

J'eus un sourire hésitant. Je savais que Vev taquinait Pars et peut-être aussi qu'il se moquait de mon père et moi pour obtenir son appui, mais la situation me demeurait obscure ; n'étaient-ils pas amis ? Si Vev insultait Pars, pourquoi ne nous retirions-nous pas en

20

véritables gentilshommes ou n'exigions-nous pas réparation, comme dans les histoires que ma sœur aînée nous lisait quand nos parents avaient le dos tourné ? Je n'y comprenais rien ; depuis peu, j'entendais les grandes personnes discuter de moi entre elles et déclarer que je devais apprendre à me conduire comme un homme, sans quoi je risquais de m'efféminer ; aussi restais-je indécis quant à la façon dont il me fallait réagir.

Pars souffrait d'une soif intense et Vev avait proposé de lui offrir une bière pour l'étancher ; rien ne comptait davantage pour lui, sans doute, car il me propulsa tout à coup sans douceur vers un groupe d'enfants plus âgés que moi qui traînaient au coin d'un entrepôt, en me disant d'aller jouer, qu'il n'en avait que pour un moment. Là-dessus, il gravit lourdement les marches et disparut dans la taverne. Je me retrouvai sans surveillance dans la rue.

Une ville de garnison peut abriter des individus enclins à la violence ; malgré mes huit ans, je le savais, et c'est avec circonspection que je m'approchai de la bande. Les garçons, comme l'avait dit Vev, jouaient au couteau dans la ruelle entre l'entrepôt et le maréchal-ferrant ; demi-sous et rognures d'étain changeaient de main tandis que chacun à son tour prenait le couteau, le tenait la pointe vers le bas et le lâchait. Les paris portaient sur le succès des participants à le planter dans la terre, et ce, le plus près possible de leurs orteils sans pourtant se blesser ; le fait qu'ils ne portaient pas de chaussures ajoutait du piment aux mises, et cinq ou six spectateurs avaient formé un cercle autour d'eux. Le plus jeune avait un ou deux ans de plus que moi, le plus âgé était déjà adolescent ; tous fils de simples soldats, ils portaient les vieilles frusques de leurs pères, aussi débraillés que des chiens errants. D'ici quelques années, ils s'enrôleraient, le régiment qui les incorporerait les époussetterait et en ferait des fantassins. Ils connaissaient leur avenir aussi bien que je connaissais le mien, et paraissaient n'éprouver aucune amertume à passer les derniers jours de leur enfance dans une rue poussiéreuse à jouer à des jeux futiles.

Je n'avais pas d'argent à miser, la qualité de mes vêtements m'interdisait de me fondre dans la masse, aussi s'écartèrent-ils pour me permettre de regarder mais ne m'adressèrent-ils pas la parole. J'appris les noms de certains en les écoutant parler entre eux ; pendant quelque temps, je me contentai d'observer leur curieux divertissement, de prêter l'oreille avec intérêt à leurs jurons et aux invectives grossières qui accompagnaient la perte ou le gain d'un pari. Je me sentais très loin des thés qu'organisaient mes sœurs et je me demandais, je m'en souviens encore, s'il s'agissait là de la société masculine que mon père voulait me voir fréquenter.

Le soleil chauffait, le jeu n'en finissait pas, les rognures d'argent et autres trésors de hasard changeaient sans cesse de mains. Un garçon du nom de Carques s'entailla le pied, sautilla sur place en poussant des cris aigus puis revint bientôt dans la partie ; Corbin, le fils de Vev, se moqua de lui et empocha d'un air guilleret les deux sous et les trois billes que l'autre avait misés. Absorbé par le spectacle, je n'aurais sans doute pas prêté attention à l'arrivée de l'éclaireur si toute la bande n'avait pas suspendu soudain le jeu pour le regarder passer en silence.

Je reconnus son statut d'éclaireur à sa tenue, moitié militaire, moitié nomade : il portait un pantalon vert chasse de la cavalla comme un homme de troupe normal, mais aussi l'ample chemise de toile d'un Nomade, d'une propreté irréprochable. Il n'avait pas la coiffure rase ni le couvre-chef réglementaire de l'armée ; ses longs cheveux noirs pendaient sur ses épaules et son kéfi blanc suivait leur mouvement, retenu par un cordon de soie rouge. Il allait bras nus par cette journée d'été, les manches remontées sur les biceps, les avant-bras ornés de guirlandes tatouées, de bracelets de troc à perles d'argent, d'amulettes en étain et de bijoux brillants en cuivre jaune. Il montait un cheval de bonne race, noir comme le jais, aux longues pattes droites, la crinière entrenattée de porte-bonheur à grelots. Je l'observai avec grand intérêt : on disait que les éclaireurs appartenaient à une espèce à part ; gradés, lieutenants en général, et souvent issus de familles nobles, ils menaient toutefois une existence indépendante de la hiérarchie militaire et, lorsqu'ils rentraient de mission, ne se présentaient ordinairement que devant le commandant du fort. Les premiers, ils annonçaient les problèmes : embâcle de bûches sur le fleuve, érosion des routes ou agitation chez les Plainiers.

Une enfant de douze ou treize ans le suivait sur un hongre châtain. Sa bête, plus petite que celle de l'éclaireur, présentait un front dont l'ossature fine laissait supposer qu'elle descendait d'une des meilleures lignées nomades. La fillette montait à califourchon,

23

au contraire de ce qu'imposait la bienséance à une Gernienne convenable, et ce détail autant que sa tenue m'indiquèrent qu'il s'agissait d'une sang-mêlé. Bien qu'on le déplorât fort, il n'y avait rien d'inhabituel à ce que des soldats gerniens prissent femme dans les tribus des Plaines ; il était moins courant qu'un éclaireur s'abaissât à ce point. Je la regardai sans chercher à cacher ma curiosité. Ma mère qualifiait souvent le produit de ces métissages d'« abominations aux yeux du dieu de bonté », et je restai surpris de constater qu'un terme aussi long et aux consonances ignobles décrivait une créature aussi charmante. Ses jupes superposées et multicolores, l'une orange, l'autre verte, la troisième jaune, s'étalaient sur le dos de son cheval comme les pétales d'une fleur et couvraient ses genoux, mais non ses mollets ni ses pieds ; elle portait des bottines souples en peau d'antilope, et des amulettes scintillaient à ses lacets ; un ample pantalon blanc dépassait de ses jupes retroussées, et son kéfi, similaire à celui de son père mais plus court, mettait en valeur ses longs cheveux bruns qui tombaient dans son dos en dizaines de minces tresses. Son front haut et bombé surplombait des yeux gris à l'expression calme. Son corsage blanc dégageait son cou, ses bras, et laissait voir le torque noir qui enserrait sa gorge, ainsi que nombre de bracelets, certains remontés au-dessus des coudes, d'autres cliquetant à ses poignets ; elle arborait fièrement à la vue de tous la fortune féminine de sa famille. Ses bras nus, hâlés par le soleil, étaient musclés comme ceux d'un garçon. Du haut de sa monture, elle observait hardiment la rue, très différente en cela de mes sœurs qui, dans des lieux publics, baissaient les yeux et adoptaient une attitude pudique.

Nos regards se croisèrent et nous nous mesurâmes mutuellement sans chercher à cacher notre curiosité. Elle n'avait sans doute jamais vu de fils militaire d'aristocrate, et je me redressai légèrement, parfaitement conscient de la prestance de mon pantalon vert chasse, de ma vareuse ajustée et de mes bottes noires, rehaussée encore par la tenue débraillée des rustres qui m'entouraient ; mon jeune âge ne m'empêchait pas d'être sensible à l'attention d'une fille. A y repenser, je me demande si mes voisins n'éprouvèrent pas quelque agacement à ce qu'elle m'accordât un examen aussi appuyé ; eux, en tout cas, la dévoraient des yeux comme un chien affamé un chaton dodu.

L'éclaireur et elle mirent pied à terre devant le bâtiment où mon père avait pénétré. L'homme avait une voix claire qui portait, et nous l'entendîmes tous annoncer à sa fille qu'il la rejoindrait dès qu'il aurait fait son rapport au commandant ; il lui remit quelques pièces, lui suggéra de se rendre au marché au bout de la rue et de s'acheter des friandises, du jus de caraline ou des rubans pour ses cheveux, et lui défendit d'aller plus loin. « Oui, papa, c'est promis. » Elle avait promptement donné sa parole, manifestement pressée de visiter les éventaires. Son père jeta un coup d'œil à notre groupe, fronça les sourcils d'un air distrait puis monta quatre à quatre l'escalier qui menait aux quartiers du commandant.

Sa fille resta seule dans la rue.

En pareille situation, mes sœurs eussent été terrifiées,

j'en ai la conviction. Mes parents n'auraient jamais abandonné sans chaperon Elisi et la petite Yaril au milieu d'une ville de garnison. L'éclaireur n'éprouvait-il donc nulle affection pour elle ? Mais, comme elle passait devant nous, le sourire aux lèvres, en direction de la place du marché qui s'ouvrait après les portes du fort, je vis qu'elle ne paraissait ni effrayée ni intimidée ; elle marchait d'un pas à la fois gracieux et assuré, toute au plaisir anticipé des délices qui l'attendaient dans les étals. Je la suivis des yeux.

« T'as vu ça ? » souffla un des garçons les plus âgés à son voisin.

Corbin eut un sourire entendu. « Elle est domptée, cette pouliche-là. Tu vois le machin en fer autour de son cou ? Tant qu'elle le porte, ses amulettes lui servent à rien. »

Perplexe, je regardai les visages à l'expression égrillarde qui m'entouraient. « Ses amulettes ? »

Je me sentis flatté que Corbin daignât me prêter attention. « Les petits trucs en argent qui cliquettent dans ses cheveux ; ça la protège grâce à la magie des Plaines. Mais celle-là, on l'a domptée ; si tu mets un collier en fer à une Nomade, elle peut plus utiliser ses amulettes contre toi. Elle est bonne à monter, cette pouliche-là.

— A monter ? » répétai-je, non sans audace. Je ne voyais de pouliche nulle part, rien que la jeune fille qui s'éloignait ; intrigué, je voulais une explication. A l'époque, je ne me rendais pas compte que ces garçons, plus âgés que moi, n'appréciaient guère mon impudente prétention non seulement à l'égalité avec

26

eux, mais à la supériorité sur des fils de simples soldats. Corbin éclata de rire, puis répondit avec le plus grand sérieux : « Ben oui, monter une bande avec nous, évidemment. T'as vu comment elle t'a regardé ? Elle a envie de te connaître, et toi tu veux nous la faire connaître, parce qu'on est tes copains. Tiens, si t'allais la rattraper, que tu la prennes par la main et que tu nous la ramènes, hein ? »

Il s'exprimait d'un ton suave mais ses propos pouvaient s'entendre comme un compliment ou un défi. Il fit un signe de la main à ses compagnons, qui reculèrent dans la venelle. Je le regardai un moment sans rien dire ; un fin duvet couvrait ses joues, auquel s'accrochait la poussière de la rue, des miettes collantes s'encrassaient aux coins de sa bouche, il avait les cheveux hirsutes et les vêtements sales – mais il était plus âgé que moi, il jouait avec un couteau, et je désirais me distinguer à ses yeux.

La jeune fille marchait comme une gazelle qui descend à un point d'eau. Toute à sa destination, elle n'en restait pas moins vigilante et rien de ce qui se passait autour d'elle ne lui échappait ; elle ne nous regardait pas, mais je savais qu'elle nous avait vus, et elle se doutait probablement que nous parlions d'elle. Je m'élançai pour l'intercepter et, quand elle tourna la tête vers moi, je lui souris. Elle me rendit mon sourire et j'y vis un encouragement ; je me hâtai de la rejoindre et elle s'arrêta pour m'écouter.

« Bonjour ; mes amis veulent faire votre connaissance. » Quelle innocence dans cette façon de l'aborder ! J'ignorais que je l'entraînais dans un piège ignoble.

Elle, en revanche, ne partageait apparemment pas ma naïveté. Par-dessus ma tête, elle observa les garçons qui musardaient à l'entrée de la ruelle, puis elle ramena les yeux vers moi et comprit, je pense, que je ne trempais pas dans leur machination. Elle sourit à nouveau mais repoussa mon offre. « Non, merci. Je vais au marché. Adieu. » Elle avait parlé d'une voix claire et sans accent, assez fort pour que mes compagnons de jeu entendent sa réponse.

Ils l'entendirent, en effet, et virent leur proie poursuivre son chemin. L'un d'eux me lança un sifflement de dérision tandis que Corbin s'esclaffait en me regardant. Piqué au vif, je rattrapai la jeune fille et lui pris la main. « S'il vous plaît ! Je vous demande seulement de venir leur dire bonjour. »

Sans paraître effrayée ni tenter de me faire lâcher prise, elle me considéra un instant d'un air bienveillant puis déclara : « Tu as vraiment besoin de compagnie, hein, petit bonhomme ? Et si tu venais voir les éventaires avec moi, plutôt ? »

Cette invitation me séduisit aussitôt beaucoup plus que la société de la bande de garçons ; presque autant que mes sœurs, j'aimais aller au marché, dont les marchandises et les colifichets exotiques excitaient l'œil et la main. On y trouvait toujours des denrées au goût inconnu et surprenant ; j'adorais la cuisine des Plaines, le beurre de rave épicé saupoudré de graines de terna, les bâtons de viande à la fois doux et poivrés, et les petits pains de cendre fourrés d'un morceau de carrade. Je plongeai les yeux dans son regard gris et, sans réfléchir, acquiesçai en souriant ; j'oubliai la bande, le jeu

28

du couteau, et négligeai le fait que Pars et surtout mon père verraient d'un mauvais œil que j'aille baguenauder au marché en compagnie d'une métisse.

Nous n'avions pas fait cinq pas que mes précédents compagnons nous encerclèrent. Ils souriaient, mais d'un air carnassier plus qu'amical. Corbin se plaça devant nous et nous contraignit à nous arrêter ; Carques, le pied emmailloté d'une guenille, se tenait à ses côtés. Les doigts de la jeune fille se serrèrent convulsivement sur les miens et, aussi clairement que si elle avait parlé tout haut, je perçus la petite bouffée de crainte qui l'envahit. Mon sens de l'honneur encore embryonnaire s'imposa, et je dis d'un air important : « Veuillez ne pas nous barrer le chemin. Nous nous rendons au marché. »

Corbin prit une expression moqueuse. « Ecoutez-moi ça ! On te barre pas le chemin, le fils au colon ; on va même te guider, tiens ! On connaît un raccourci pour aller où tu veux ; on va te le montrer. Y a qu'à prendre par la petite rue, là.

— Mais je vois le marché d'ici ! » protestai-je stupidement. La jeune fille voulut dégager sa main et je la retins fermement ; mon devoir m'apparaissait soudain nettement. En toutes circonstances, un gentilhomme protège les femmes et les enfants ; or mon instinct m'avertissait que ces gaillards voulaient du mal à ma nouvelle amie. Dans mon innocence, j'ignorais leurs intentions exactes, sans quoi j'eusse peut-être éprouvé une inquiétude plus réaliste ; en l'occurrence, le danger me conforta dans ma résolution de la défendre. « Ecartez-vous ! » lançai-je d'un ton autoritaire.

29

Mais ils avancèrent sur nous, et, malgré que nous en eussions, nous dûmes reculer. Ils se rapprochèrent encore, et nous battîmes de nouveau en retraite. Ils nous repoussaient vers la ruelle comme des chiens rabattent des moutons vers un enclos. Au coup d'œil que je jetai au reste de la bande derrière nous, Carques éclata d'un rire affreux, et la jeune fille s'arrêta net. J'eus beau tenter de la retenir, elle retira sa main de la mienne. Les garçons firent un nouveau pas vers nous, et ils me parurent tout à coup plus grands et plus laids que lorsque je les regardais jouer ; leur odeur me frappa les narines, celle de leur haleine aux effluves de graillon, celle de leur crasse. Je parcourus vivement la rue du regard en quête d'un adulte qui pût intervenir, mais la chaleur du soleil l'avait vidée ; chacun avait cherché refuge dans l'ombre fraîche des bâtiments ou au marché. Plus loin, sous la véranda de la cantine, les soldats nonchalants bavardaient entre eux ; même si j'appelais à l'aide, nul, sans doute, n'y répondrait. Nous nous trouvions tout près de l'entrée de la ruelle ; on pouvait nous y entraîner et nous faire disparaître en un clin d'œil. Tremblant, je rassemblai ce qui me restait d'autorité. « Mon père sera très mécontent si vous ne nous laissez pas passer ! »

Carques eut un rictus féroce. « Ton paternel, il retrouvera même pas ton cadavre, sale morveux de gradaille ! »

Jamais on ne m'avait qualifié ainsi, surtout d'un ton aussi menaçant. Mon père me répétait qu'un bon officier commandait l'affection et la fidélité de ses hommes, et j'avais toujours compris que tous les soldats aimaient

30

leurs supérieurs. L'hostilité manifestement apprise de ces jeunes ruffians me laissait désemparé.

La jeune fille, toutefois, ne perdit pas ses moyens. « Je ne veux faire de mal à personne », murmura-t-elle. Elle s'efforçait de conserver son sang-froid, mais sa voix se fêla légèrement.

Corbin s'esclaffa. « Tu nous prends pour des naïfs, la pouliche ? T'as un collier en fer ; t'es domptée. Tu peux rien nous faire de plus qu'une autre ; et, si tu te débats un peu, ça nous dérangera pas. »

J'ignore s'il donna un signal ou si, comme une volée d'oiseaux ou une meute de chiens sauvages, ses acolytes agirent de concert par instinct, mais deux des plus jeunes, plus grands que moi, me saisirent à bras-le-corps et m'emportèrent vers la ruelle malgré mes cris et mes ruades. Corbin et Carques empoignèrent ma compagne chacun d'un côté ; épouvanté, j'eus la vision passagère de leurs doigts sales sur le fin tissu blanc de ses manches. Ils la saisirent par les biceps et la soulevèrent quasiment de terre pour l'entraîner vers la venelle ; les autres garçons les suivirent, les yeux brillants, avec des éclats de rire surexcités. L'espace d'une seconde, dans leur poigne grossière, elle parut fragile comme un oiseau, puis la fureur envahit ses traits. Tandis qu'on m'emmenait à reculons, je la vis brusquement tordre son bras, hausser l'épaule et se libérer de l'étreinte de son ravisseur, puis ses doigts fins dessinèrent dans l'air un signe qui me rappela le sort que lançait toujours mon père au-dessus de la boucle de sa sous-ventrière quand il sellait un cheval. Pourtant, il ne s'agissait pas du sortilège de blocage que je connaissais bien, mais d'un enchantement plus ancien et beaucoup plus puissant.

J'ai peine à expliquer l'opération qu'elle exécuta. Il n'y eut ni éclair, ni coup de tonnerre, ni gerbe d'étincelles vertes, rien de ce qu'on trouve dans les vieilles histoires de magie varniennes ; elle bougea seulement la main d'une certaine façon, que je ne puis décrire, que je n'ai jamais su imiter, et que, pourtant, une facette archaïque de mon âme reconnut. Bien qu'elle ne m'eût pas visé, je vis le signe et il m'affecta ; tous mes muscles tressaillirent simultanément, et, pendant un instant où l'effroi m'assaillit, je crus perdre la maîtrise de mes intestins. Je me convulsai involontairement entre les mains de ceux qui me tenaient, et, si j'avais eu les idées claires, j'eusse sans doute pu leur échapper, car eux aussi sursautaient et se tordaient comme sous la piqûre de centaines d'épingles.

Les deux garçons qui flanquaient la jeune fille réagirent beaucoup plus violemment. A l'époque, je n'avais jamais vu personne victime d'une attaque d'apoplexie, si bien qu'il me fallut plusieurs années avant de comprendre ce dont j'avais été témoin. Corbin et Carques se contorsionnèrent, en proie à de terribles contractions musculaires, puis se projetèrent littéralement de côté pour atterrir à plusieurs pas de là, si durement que la poussière vola. Un des plus jeunes, Darda, le frère de Corbin, d'après la ressemblance, poussa un cri d'effarement et s'enfuit à toutes jambes vers la cantine.

La jeune métisse trébucha, faillit tomber à genoux, mais se reprit aussitôt et se redressa. Elle remonta son corsage dont ses agresseurs avaient tiré les manches sur ses bras pour dénuder ses épaules et la naissance de sa gorge, puis elle s'avança vers moi d'un pas décidé. « Lâchez-le ! » ordonna-t-elle aux deux voyous qui me tenaient ; elle s'exprimait les dents serrées, d'une voix basse et menaçante.

« Mais… ton collier de fer ! » Un seul répondit, l'air abasourdi, déconcerté, presque vexé comme si elle avait enfreint les règles d'un jeu. L'autre me libéra et détala en couinant comme un chien qui vient de recevoir un coup de pied, alors que, j'en jurerais, il n'avait eu aucun mal. Sans rien dire, la jeune fille se mit à remuer les doigts, et celui qui avait protesté n'attendit pas qu'elle achevât son sortilège ; il savait comme moi que la magie des Plaines avait une portée limitée. Il me propulsa vers elle si brusquement que je roulai dans la poussière à ses pieds, et il en profita pour s'éloigner à toute allure sur les traces de son ami. Carques s'était relevé tant bien que mal et avait déjà disparu derrière l'angle du bâtiment. Tandis que Corbin se remettait sur pied, la métisse m'aida à en faire autant, puis elle se tourna vers lui et, du même ton qu'elle lui eût souhaité le bonjour, elle déclara : « C'est du bronze peint en noir, non du fer. Mon père ne nous obligerait jamais à en porter ; même son matériel en fer, il le laisse en dehors de notre maison. »

L'autre recula lentement, les joues rougies et les yeux brillants de fureur. Je vis précisément à son expression l'instant où il s'estima hors de portée de ses sortilèges ; il s'arrêta et la traita des pires noms que j'eusse jamais entendus, dont j'ignorais jusqu'au sens mais dont je sentais la valeur péjorative. Il termina sur ces mots : « Ton père s'est déshonoré en plantant son manche dans ta mère ; il aurait mieux fait de s'envoyer une ânesse et d'engendrer une vraie mule. T'es rien d'autre, la pouliche : une mule, une sang-mêlé, une erreur de la nature ! Tu peux bien pratiquer ta sale petite magie sur nous, un de ces jours un de nous autres te montera à cru, et là tu vas saigner, tu verras ! »

Il gagnait en assurance à mesure qu'il parlait, et, me voyant bouche bée, croyait peut-être que je restais choqué par ses propos. Soudain l'éclaireur, qui s'était approché de lui par-derrière dans le plus grand silence, le saisit par l'épaule ; d'un seul mouvement, il fit pivoter Corbin vers lui et lui assena une gifle du revers de la main. Il ne retint nullement son coup, ne chercha pas à l'atténuer sous prétexte qu'il frappait un enfant et non un adulte ; j'entendis un craquement et compris, tandis que Corbin s'écroulait, qu'il devrait attendre la guérison de sa mâchoire avant de proférer de nouvelles obscénités. Comme si ce bruit eût été lui-même un sortilège destiné à convoquer des témoins, les hommes quittèrent l'ombre des vérandas de la caserne et de la cantine pour s'avancer vers nous ; parmi eux, Darda tirait son père Vev par la main. Le mien apparut soudain à grandes enjambées furieuses, les pommettes rouges.

J'eus l'impression que tout le monde se mettait à parler en même temps. La jeune fille courut vers l'éclaireur ; il passa son bras autour de ses épaules et se pencha pour lui murmurer : « Nous allons, partir, Sil, tout de suite.

34

— Mais... je n'ai même pas pu me rendre au marché ! Papa, ce n'était pas ma faute ! »

Vev, agenouillé près de Corbin, se tourna et cria avec colère : « Nom de nom, il a cassé la mâchoire de mon gars ! Il la lui a cassée ! »

D'autres hommes sortaient de la cantine en clignant les yeux sous l'éclat du jour, comme une meute d'animaux nocturnes qu'un signal d'alarme a tirés de leur terrier ; ils regardaient l'adolescent qui se tordait par terre, puis l'éclaireur, et on ne lisait nulle bienveillance dans leur expression.

Sèchement, mon père demanda : « Jamère, pourquoi es-tu mêlé à ça ? Où se trouve Pars ? »

Le caporal, la moustache encore humide de bière, se tenait derrière lui, arrivé parmi les derniers. Il avait dû rester dans la taverne le temps de finir sa chope, et peut-être aussi celle de Vev quand celui-ci avait quitté la table précipitamment. Son exclamation couvrit le brouhaha : « Loué soit le dieu de bonté, voilà le petit ! Jamère, viens ici tout de suite ! Je te cherchais partout ; tu sais bien qu'il ne faut pas te sauver et jouer à cache-cache avec le vieux Pars. C'est un mauvais tour à me faire dans une ville aussi mal famée. »

Mon père prit sa voix de commandement pour lui répondre, et, bien qu'il ne haussât pas le ton, on l'eût entendu d'un bout à l'autre d'un champ de bataille : « Louez qui vous voulez, Pars, mais ne me croyez pas dupe. Vous ne travaillez plus pour moi. Otez votre selle de mon cheval.

— Mais, mon colonel, c'est à cause du petit ! Il

35

a pris la poudre d'escampette dès que vous avez eu le dos tourné… »

Il n'acheva pas sa phrase : mon père ne l'écoutait plus, pas davantage que quiconque. Le commandant du fort, grand et grisonnant, avait descendu les marches de son poste et se dirigeait vers nous d'un pas allongé tandis que son ordonnance trottait à ses côtés et lui parlait rapidement à mi-voix. L'aide de camp lui ouvrit un passage dans la foule jusqu'au premier rang, et, avec un flegme qui lui faisait honneur, l'officier s'arrêta et demanda : « Que se passe-t-il ici ? »

Tout le monde se tut, à part Vev qui s'écria : « Il a frappé mon gars, il lui a démoli la mâchoire, mon commandant ! C'est cet éclaireur, là ! Il est tombé sur mon gamin sans prévenir et il me l'a étendu !

— Eclaireur Hallorane, voudriez-vous vous expliquer ? »

Prudemment, l'intéressé avait pris une expression composée. J'éprouvai comme de la honte devant ce changement d'attitude, bien que je n'eusse pu dire pourquoi. Il déclara d'un ton circonspect : « Commandant, il avait insulté et menacé ma fille. »

L'autre plissa le front. « C'est tout ? » Il attendit des éclaircissements et le silence s'appesantit. Je me sentais à la fois perplexe et mal à l'aise : insulter une femme constituait une offense grave ; même moi, à mon âge, je le savais. Pour finir, j'obéis à ma conscience ; mon père m'avait inculqué qu'un homme avait le devoir de dire la vérité, aussi décidai-je de parler sans détour.

« Ils l'ont saisie par les bras, mon commandant, et ont voulu l'entraîner dans la ruelle. Puis Corbin l'a traitée de mule après qu'elle l'a repoussé, et il a dit qu'il la monterait et qu'elle allait saigner. » Je répétais seulement les mots que j'avais compris sans me rendre compte que leur contexte adulte m'échappait. Selon mon interprétation d'enfant, il avait qualifié la jeune fille d'ânesse ; pour ma part, j'aurais reçu le fouet si j'avais affublé mes sœurs de ce genre d'épithète ; à l'évidence donc, le jeune bougre avait fait preuve de grossièreté, et la sanction était tombée. Après avoir ainsi témoigné avec clarté, j'ajoutai, davantage à l'adresse de mon père qu'à celle du commandant : « J'essayais de la protéger. Vous m'avez appris qu'il était mal de frapper une femme, or ils avaient failli déchirer son corsage. »

Un grand silence accueillit mes paroles. Même Vev interrompit sa litanie furieuse et Corbin étouffa ses gémissements. Je parcourus du regard les visages tournés vers moi, et l'expression de mon père me laissa intrigué car la fierté l'y disputait à l'embarras. Soudain l'éclaireur prit la parole, la voix tendue. « Je crois que nous venons d'entendre un juste exposé des menaces qui pesaient sur ma fille. J'ai agi en conséquence ; un seul père ici présent peut-il me le reprocher ? »

Nul n'éleva d'objection mais, s'il espérait un appui, nul ne le lui apporta non plus. Le commandant lâcha d'un ton froid : « Rien ne serait arrivé si vous aviez eu le bon sens de la garder chez vous, Hallorane. »

Vev prit cette remarque pour l'autorisation de laisser à nouveau libre cours à sa colère. Il se dressa d'un bond, arrachant un cri de douleur à son fils qu'il tenait dans ses bras et qu'il avait bousculé en se relevant ;

il s'avança vers l'éclaireur, les bras pendants, les genoux légèrement fléchis, et il fut évident pour tous qu'il lui sauterait à la gorge à la première provocation. « Tout est de votre faute ! lança-t-il d'une voix grondante. C'est vous qui avez amené cette fille en ville et qui l'avez laissée traîner dans les rues à tenter ces gamins ! » Il cria tout à coup : « Vous avez foutu en l'air l'avenir de mon gars ! Si sa fracture se ressoude mal, il deviendra jamais soldat ! Qu'est-ce qui lui restera alors, vous pouvez me le dire ? Le dieu de bonté a voulu qu'il entre dans l'armée ; un fils de soldat, ça fait soldat, toujours ! Mais vous avez bousillé sa carrière à cause de cette sale sang-mêlé ! » Les poings de l'homme tremblaient au bout de ses bras comme si un marionnettiste affolé en tirait les ficelles, et je craignais que l'affaire tourne au pugilat, d'une seconde à l'autre. Par entente tacite, les spectateurs s'écartaient pour former un cercle autour des deux hommes. L'éclaireur jeta un coup d'œil oblique au commandant puis, avec douceur, prit sa fille par les épaules et la plaça derrière lui. Eperdu, je cherchai des yeux un abri, mais mon père se trouvait de l'autre côté de l'espace vide et ne me voyait même pas ; il regardait fixement l'officier en charge du fort, les traits figés, et attendait de sa part, je le savais, l'ordre qui mettrait les deux adversaires au pas.

L'ordre ne vint pas, et le soldat lança son poing sur l'éclaireur. Celui-ci esquiva et frappa Vev deux fois au visage en une rapide succession de coups ; je crus qu'il allait tomber, et Hallorane le crut aussi sans doute, mais l'autre avait feint la maladresse et subi l'attaque pour obliger son opposant à s'approcher. L'éclaireur l'avait sous-estimé, et le soldat lui décocha un méchant coup, dur et vigoureux, sous les côtes, qui le souleva de terre et chassa l'air de ses poumons. Il agrippa son adversaire pour éviter de tomber, chancela, et Vev lui assena deux autres impacts dans la poitrine, lourds et puissants. Avec un petit cri, la jeune fille se recroquevilla et se cacha le visage dans les mains tandis que les yeux de son père se révulsaient. Vev éclata de rire.

Il s'était laissé prendre à sa propre ruse : loin de s'écrouler, l'éclaireur revint soudain à la vie et son poing s'écrasa sur la figure de l'autre avec un claquement sonore. Vev poussa une exclamation aiguë, et Hallorane en profita pour le faucher d'un ample mouvement circulaire de la jambe qui le jeta à terre. Dans la foule, plusieurs hommes protestèrent et se portèrent en avant. Vev s'agita vainement quelques instants dans la poussière puis se roula en boule sur le flanc, les mains pressées sur la figure ; du sang ruisselait entre ses doigts. Il toussota faiblement.

« Halte ! » Le commandant avait enfin décidé d'intervenir. J'ignorais pourquoi il avait attendu si longtemps. Il avait le visage empourpré : aucun chef de garnison ne voulait d'un pareil esclandre dans son fort. Hallorane, malgré son statut d'éclaireur, n'en restait pas moins le fils militaire d'un noble et un haut gradé ; assurément, son supérieur ne pouvait pas avoir laissé délibérément un simple soldat comme Vev le frapper. Des troupiers en uniforme apparurent soudain, appelés à la rescousse, je m'en rendis compte bientôt, par l'ordonnance. Entouré par la section en habit vert, l'officier donna ses ordres d'un ton cassant.

« Rassemblez tous les hommes présents ; s'ils sont des nôtres, confinez-les dans leur casernement, sinon conduisez-les hors des murs et laissez comme instruction aux sentinelles de ne leur permettre de revenir que dans trois jours. Les fils devront suivre leur père. »

Il en avait le droit : les enfants de soldats entreraient un jour dans l'armée, et, de même que les géniteurs lui obéissaient, leurs rejetons devaient se plier à ses décrets en cas de nécessité.

« Il a frappé un officier. » Mon père avait prononcé ces mots à mi-voix, sans regarder le commandant, l'éclaireur, ni quiconque en particulier. Il avait parlé tout haut, mais rien dans son attitude n'indiquait qu'il s'adressait au responsable de l'avant-poste.

Celui-ci réagit néanmoins. « Vous, là ! » Il désigna Vev du doigt. « Vous et vos morveux, quittez le territoire de ma juridiction. J'ai pitié de votre femme et de vos filles sur qui les conséquences de vos actes retomberont également, aussi vous accorderai-je le temps d'emmener votre fils chez un médecin pour panser sa fracture et de récupérer ce qui vous appartient avant votre départ. Mais je veux que vous ayez décampé d'ici demain soir ! »

Un murmure mécontent parcourut la foule : la sanction était sévère ; avec le plus proche village à plusieurs jours de trajet, elle équivalait ni plus ni moins à un exil dans les Plaines arides, d'autant que la famille ne possédait sans doute ni chariot ni chevaux. Vev avait attiré de dures épreuves sur lui-même et les siens. Un de ses amis vint l'aider à relever son fils ; ils lancèrent des regards noirs à l'éclaireur et au commandant en remettant sur pied Corbin qui gémissait, mais ils s'exécutèrent. Les soldats déployés y veillaient. Les spectateurs commencèrent à se disperser.

Hallorane se taisait, livide à cause des coups qu'il avait reçus au ventre ; il avait passé un bras autour des épaules de sa fille, et je n'aurais su dire s'il cherchait à la protéger ou s'il prenait appui sur elle. Elle pleurait sans discrétion, à grands sanglots hoquetants, et je ne le lui reprochais pas ; si j'avais vu quelqu'un frapper mon père ainsi, j'aurais fondu en larmes moi aussi. Il lui murmura d'un ton rassurant : « Nous allons rentrer, Sil.

— Lieutenant ! fit son supérieur sèchement.

— Mon commandant ?

— Ne la ramenez plus jamais dans mon fort. C'est un ordre.

— Comme si j'en avais l'intention. » L'insubordination affleurait dans sa réponse. Avec retard, il baissa les yeux et la voix. « Mon commandant. » A cet instant, je mesurai l'étendue de la haine qu'il vouait à l'officier ; et, voyant ce dernier feindre de ne se rendre compte de rien, je me demandai s'il avait peur du soldat à demi sauvage.

S'il y eut d'autres échanges, je ne les entendis pas ; tout bruit et tout mouvement cessèrent tandis que, planté au milieu de la rue, je m'efforçais de trouver un sens aux scènes dont j'avais été témoin. Alentour, les hommes en uniforme faisaient circuler les badauds avec force jurons et bourrades. Mon père et le commandant, côte à côte et silencieux, regardaient l'éclaireur accompagner sa fille jusqu'à leurs chevaux ; elle ne pleurait plus, son visage lisse n'exprimait plus aucune émotion, et, s'ils parlaient entre eux, leurs voix ne portaient pas jusqu'à moi. Il attendit qu'elle fût en selle pour monter à son tour et ils s'éloignèrent lentement ensemble. Je les suivis longuement du regard. Quand je me retournai vers mon père, je m'aperçus qu'il ne restait plus que lui et l'officier dans la ruelle.

« Ici, Jamère », dit-il comme s'il s'adressait à un chiot qui s'écarte du chemin, et je le rejoignis docilement. Il baissa les yeux vers moi, posa la main sur mon épaule et demanda : « Comment t'es-tu retrouvé mêlé à cette affaire ? »

Il ne me vint même pas à l'esprit que je pusse lui mentir. Je lui racontai tout, depuis le moment où Pars m'avait abandonné dans la rue jusqu'à celui où lui-même était arrivé sur les lieux. Les deux hommes m'écoutèrent sans m'interrompre. Quand je répétai la menace de Corbin selon laquelle on ne retrouverait jamais mon cadavre, le regard de mon père se durcit ; il lança un coup d'œil au responsable de la garnison qui blêmit. Mon récit achevé, il secoua la tête.

L'inquiétude me gagna. « Ai-je mal fait, père ? »

Ce fut le commandant qui répondit, mais il ne s'adressa pas à moi. « Hallorane cherchait les ennuis en amenant sa fille métisse, Keft. Ne laissez pas votre fils se tracasser pour ce qui s'est passé. Si j'avais su la canaille que se révélerait Vev et l'insubordination dont il ferait preuve, jamais je ne l'aurais autorisé à s'installer

42

avec sa famille dans mon fort. Je regrette seulement les scènes auxquelles votre petit a dû assister.

— Moi aussi », fit mon père sèchement, sans se radoucir.

L'autre reprit en hâte : « A la fin du mois, j'enverrai quelqu'un vous porter les formulaires de commande de peaux de mouton ; personne ne vous concurrencera pour le marché. Et dorénavant, quand je traiterai avec vous, je saurai que j'ai affaire à un honnête homme ; la sincérité de votre fils en témoigne. » Il paraissait désireux de s'assurer l'estime de mon père, et celui-ci répugner à la lui accorder.

« Vous m'honorez, commandant », répondit-il du bout des lèvres avec une infime inclination du buste. Ils échangèrent leurs adieux, puis nous retournâmes auprès de nos chevaux. Pars se tenait un peu plus loin, sa selle à ses pieds, avec une expression d'espoir pitoyable. Sans un regard pour lui, mon père m'aida à grimper sur ma monture encore grande pour moi, puis nous nous mîmes en route, lui menant par la bride la bête que montait le caporal, moi à ses côtés. Il garda le silence pendant que les gardes nous ouvraient les portes. Nous traversâmes le marché dont j'observai avec regret les éventaires ; j'aurais aimé fureter parmi les étals en compagnie de la jolie fille de l'éclaireur. Nous n'avions même pas pris le temps de nous restaurer, mais je me gardai de m'en plaindre : il y avait des en-cas à la viande dans nos fontes et de l'eau dans nos sacs. Un soldat est toujours prêt à subvenir à ses besoins. Une question me vint.

« Pourquoi la traitaient-ils de mule ? »

Mon père ne détourna pas les yeux de la rue. « Parce que c'est une métisse, mon fils, moitié Nomade, moitié Gernienne, et nulle part bienvenue. De même, une mule résulte du croisement d'un cheval et d'une ânesse sans appartenir pour autant à l'une ou l'autre espèce.

— Elle a fait de la magie.

— Tu l'as déjà dit. »

Au ton qu'il avait employé, il n'avait guère envie d'aborder ce sujet avec moi. Mal à l'aise, je finis par demander à nouveau : « Ai-je commis une erreur dans cette rue ?

— Tu n'aurais pas dû quitter Pars ; rien ne serait arrivé. »

Je réfléchis à cette réponse et je la jugeai un peu injuste. « En mon absence, les garçons n'auraient pas pu m'envoyer inviter la jeune fille à les rejoindre, mais ils auraient sans doute tenté quand même de l'entraîner dans la ruelle.

— Peut-être, concéda-t-il, la bouche pincée. Mais au moins tu n'aurais pas assisté à la scène.

— Pourtant… » Je m'efforçai de pousser le raisonnement jusqu'au bout. « Dans ce cas, ils lui auraient fait du mal, et ça n'aurait pas été bien.

— En effet », convint-il après un long silence que les claquements des sabots de nos chevaux interrompaient seuls. Il tira les rênes de sa monture et je m'arrêtai à côté de lui. Il prit son souffle comme pour parler, hésita, se passa la langue sur les lèvres ; enfin, comme je le regardais, les yeux plissés, il déclara : « Tu n'as rien à te reprocher, Jamère ; tu as défendu une femme et tu as dit la vérité, ce qui dénote des qualités que j'estime chez mon fils. Une fois témoin des événements, tu ne pouvais agir autrement. Mais le fait que tu y aies assisté puis que tu aies pris la parole pour les rapporter a… comment dire ? placé dans une position embarrassante les officiers en présence. Mieux aurait valu que tu m'obéisses et demeures auprès de Pars.

— Mais alors il serait arrivé malheur à la jeune fille.

— Oui, très probablement. » Il s'exprimait d'une voix tendue. « Toutefois, cela n'aurait pas été ta faute ni même ton affaire, et nul sans doute n'aurait mis en cause le droit de son père à punir le coupable. En l'occurrence, il a frappé le fils du soldat à cause d'une simple menace ; du coup, le bien-fondé de la sanction a paru moins certain aux yeux des hommes. En outre, le commandant Hente manque de poigne ; il demande à ses troupes la permission de les diriger au lieu d'exiger leur obéissance. Tu as protégé cette jeune métisse, tu as témoigné de la réalité du danger qu'elle courait, il s'est donc trouvé devant une situation qu'il fallait régler, et il a dû bannir du fort le fauteur de troubles et sa famille, ce qui a déplu aux simples soldats qui se sont tous imaginés à la place de leur camarade.

— Il l'a laissé volontairement frapper l'éclaireur. » Je venais seulement de le comprendre.

« Oui, afin d'avoir un motif clair de le chasser, distinct de l'insulte faite à la jeune métisse. Il n'aurait pas dû choisir cette solution, lâche et déshonorante pour lui ; comme j'ai assisté à la scène, un peu de ce déshonneur m'entache, et toi aussi. Pourtant, je ne pouvais intervenir, car il est le chef de la garnison ; si j'avais disputé sa décision, je n'aurais réussi qu'à saper son autorité. Cela ne se fait pas entre officiers.

— Mais alors… l'éclaireur Hallorane s'est-il conduit honorablement, lui ? » Il me semblait tout à coup extrêmement important de savoir qui avait agi avec justesse.

« Non. » Mon père avait répondu d'un ton catégorique. « Il ne le pouvait pas, car il s'est couvert d'opprobre le jour où il a pris femme chez les Nomades. De plus, il a fait preuve d'irréflexion en amenant au fort le produit de cette union, ce qui a provoqué la réaction des fils des soldats. Elle a excité leur concupiscence en s'exhibant devant eux avec ses jupes criardes et ses bras nus. Ils savaient qu'aucun Gernien ne la prendrait pour épouse légitime, que la plupart des Nomades ne voudraient pas d'elle non plus et qu'elle finirait tôt ou tard prostituée de garnison ; ils l'ont donc traitée en conséquence.

— Mais… »

D'un petit coup de talon, il fit avancer son cheval. « Je crois que tu n'as rien d'autre à apprendre de cet incident. Nous n'y reviendrons pas et tu n'en parleras ni à ta mère ni à tes sœurs. Nous avons beaucoup de chemin à parcourir avant la tombée du jour. Et je désire que tu me remettes une dissertation de plusieurs pages sur le devoir qui incombe à un fils de se soumettre à l'autorité paternelle. La punition me semble appropriée, ne trouves-tu pas ?

— Oui, père », murmurai-je.

2

Avant-coureur

J'avais douze ans quand je vis le messager qui apportait les premiers échos de l'épidémie venue de l'orient.

Curieusement, ces nouvelles ne m'impressionnèrent guère à l'époque. La journée ressemblait à bien d'autres ; sous la férule du sergent Duril, mon instructeur d'équitation, j'avais passé la matinée à faire des exercices avec Siraltier. Le hongre faisait l'orgueil de mon père, et, cet été-là, j'avais pour la première fois le droit de le monter pour m'entraîner aux manœuvres. Issu de la cavalla, parfaitement dressé, il connaissait par cœur les ruades de combat comme les pas de fantaisie et n'avait nul besoin de les pratiquer ; moi, en revanche, je débutais et en apprenais autant de lui que du sergent Duril, qui m'imputait le plus souvent, et à juste titre, nos erreurs. Un cavalier ne doit faire qu'un avec sa monture, il anticipe chacun de ses mouvements et ne se raccroche jamais à sa selle à cause d'une embardée intempestive.

Toutefois, les exercices, ce jour-là, ne portaient pas sur les coups de sabot ni les sauts de côté, mais consistaient pour moi, après avoir dessellé et débarrassé de sa bride le grand cheval noir, à démontrer ma capacité à monter sur lui et à le diriger sans l'ombre d'un harnais. C'était une bête de haute taille, fine, avec des pattes raides comme des barres de fer et une foulée qui, au galop, me donnait l'impression de voler. Malgré la patience et la bonne volonté de Siraltier, ma taille d'enfant me rendait difficile de l'enfourcher, mais Duril avait exigé que je m'y entraîne, des heures durant s'il le fallait. « Un cavalier doit être capable de grimper sur le premier cheval venu, en toutes circonstances, ou bien autant qu'il avoue tout de suite avoir l'âme d'un fantassin. Tu as envie de descendre en bas de la colline dire à ton père que son fils militaire préfère s'engager dans la piétaille plutôt que gagner ses épaulettes dans la cavalla ? Dans ce cas, moi, je t'attends ici ; j'aime mieux ne pas voir ce qui va t'arriver. »

L'homme me taquinait ainsi sans ménagement de façon quotidienne, et, sans fausse modestie, je supportais ce harcèlement mieux, sans doute, que la plupart des garçons de mon âge. Il avait frappé à notre porte quelque trois années plus tôt, en quête d'un emploi au déclin de sa vie, et mon père l'avait engagé avec empressement. Le sergent Duril remplaçait une succession d'instructeurs médiocres et nous nous étions entendus presque aussitôt. Son long et honorable service au sein de l'armée achevé, il avait tout naturellement décidé d'aller se retirer sur les terres de sire Burvelle et de le servir aussi fidèlement qu'il avait servi le colonel Burvelle. Je crois qu'il prenait plaisir à se voir confier la formation de Jamère Burvelle, le deuxième fils du colonel Burvelle, celui dont la naissance le prédestinait à devenir, comme son père, officier militaire.

Petit et desséché, il avait le visage sombre et parcheminé comme un morceau de viande boucanée, ses vêtements devenus confortables à force d'être portés avaient pris les plis et la forme d'un homme qui passe le plus clair de son temps à cheval, et, même propres, gardaient leur couleur de poussière. En guise de couvre-chef, il arborait un chapeau de cuir cabossé, garni d'un ruban orné de perles des Plaines et de crocs d'animaux, dont les bords souples laissaient voir son regard clair et vigilant, et cachaient les cheveux poivre et sel qui lui restaient. Il lui manquait la moitié de l'oreille gauche, dont une vilaine balafre marquait la partie absente ; en échange, il conservait l'oreille d'un Kidona dans une bourse à sa ceinture ; je ne l'avais vue qu'une fois, mais il n'y avait pas à se tromper sur sa nature. « Il avait voulu me couper la mienne, alors je lui ai tranché la sienne. J'ai réagi comme un barbare, mais j'étais jeune, en rogne, et le sang me dégoulinait dans le cou. Plus tard, après la bataille, j'ai regardé ce que j'avais fait et j'ai eu honte ; oui, honte. Malheureusement, on l'avait déjà enseveli et je ne pouvais pas la lui rendre, et je n'ai pas pu me décider à la jeter comme ça, n'importe où ; depuis, je la garde sur moi pour me rappeler que la guerre peut transformer un jeune homme en bête féroce. Et je te la montre aujourd'hui pour la même raison ; pas pour que tu ailles te vanter devant ta petite sœur et que ta mère se plaigne au colonel que je t'inculque des manières de sauvage, mais pour que tu réfléchisses. Avant d'apprendre la civilisation

49

aux Nomades, il a fallu leur enseigner qu'ils ne pouvaient pas nous battre, et ça, sans nous abaisser à leur niveau ; mais, quand on défend sa peau, on a du mal à ne pas l'oublier, surtout si on a vingt ans à peine et qu'on se retrouve tout seul au milieu de primitifs déchaînés. Certains de nos gars, braves et honnêtes en quittant leurs parents, ont fini à peine plus raffinés que les Nomades contre qui on se battait ; beaucoup ne sont pas retournés chez eux – et je ne parle pas seulement des morts, mais de ceux qui avaient oublié la civilisation. Ils n'ont pas quitté les Plaines, quelques-uns ont pris des femmes nomades et rallié ceux qu'on venait de mater. Souviens-t'en toujours, mon petit Jamère : accroche-toi à tes origines une fois devenu grand et officier comme le colonel. »

Parfois il me traitait ainsi, comme son propre fils, me narrait des anecdotes de sa vie de soldat et me transmettait une sagesse fruste, récoltée au cours de sa carrière, afin de m'aider à surmonter les obstacles qui m'attendaient ; mais, la plupart du temps, j'avais le sentiment de tenir à ses yeux le milieu entre une recrue sans expérience et un chien de garde un peu simplet. Toutefois, jamais je ne doutai de son affection pour moi ; il avait eu trois garçons qu'il avait éduqués puis envoyés s'enrôler, des années avant de s'occuper de moi. Suivant l'habitude de la troupe, il avait pratiquement perdu la trace de ses enfants ; une fois ou l'autre, il lui arrivait de recevoir un message de l'un d'eux. Cela ne le dérangeait pas ; il n'attendait pas d'autre attitude de leur part. Les fils des simples soldats devenaient soldats eux-mêmes, selon la règle édictée par les Ecritures : « Que le fils se lève et suive les traces de son père. »

Naturellement, pour moi, enfant d'aristocrate, il en allait différemment. « Quant à ceux qui ne ploient le genou que devant le roi, qu'ils aient plénitude de fils ; le premier pour devenir héritier, le deuxième pour porter l'épée, le troisième pour endosser l'habit de prêtre, le quatrième pour se consacrer à la beauté, le cinquième pour recueillir le savoir… » et ainsi de suite. Je n'avais jamais pris la peine de retenir le reste de ce passage : j'avais ma place et je la connaissais, celle du deuxième fils, né pour « porter l'épée » et mener les hommes au combat.

Ce jour-là, j'avais perdu le compte du nombre de fois où j'avais mis pied à terre pour aussitôt remonter sur Siraltier et lui faire parcourir un cercle autour de Duril, le tout sans les moindres guides – probablement autant de fois que je l'avais dessellé puis débridé avant de le réharnacher de fond en comble. J'avais les bras et les épaules endoloris à force d'ôter et de replacer la selle du hongre, et les doigts ankylosés tant j'avais exécuté sur la sous-ventrière le sortilège de blocage dont se servaient tous les cavaliers. Je serrais à nouveau la sangle quand le sergent Duril me lança : « Suis-moi ! » d'un ton de commandement ; là-dessus, il talonna sèchement sa jument qui s'élança de bon cœur. Le souffle trop court pour pester, j'achevai de fixer la pièce de harnais, effectuai rapidement le signe de blocage sur la boucle puis sautai en selle.

Ceux qui n'ont jamais voyagé à cheval dans les plaines du centre les décrivent comme plates, monotones, à peine égayées par de vagues ondulations qui s'étendent à l'infini. Peut-être présentent-elles cet aspect aux passagers des bateaux lorsqu'ils empruntent les voies d'eau qui divisent et unifient à la fois cette région, mais, pour y avoir toujours vécu, je savais, comme le sergent Duril, combien ces douces déclivités peuvent se révéler trompeuses. Ravins et crevasses y dissimulent des sourires prêts à engloutir le cavalier imprudent, et même les dépressions peu accentuées atteignent souvent une profondeur suffisante pour cacher des hommes à cheval ou une harde de daims en train de brouter. Ce que l'œil inexpérimenté interprète comme des broussailles au loin se transforme de près en un taillis de faucillettes qui monte à hauteur d'épaule, quasiment impénétrable au voyageur et à sa monture. Il ne fallait pas se fier aux apparences, ainsi que me le répétait le sergent, qui me racontait souvent des anecdotes où les Nomades tournaient à leur avantage des illusions de perspective pour préparer des embuscades, et où, grâce à leurs chevaux dressés à se coucher à la demande, une horde de guerriers hurlants surgissait tout à coup comme du sein même de la terre pour attaquer une colonne de cavaliers sans méfiance. Malgré la haute taille de Siraltier, je ne voyais déjà plus le sergent Duril ni sa jument.

La prairie doucement vallonnée paraissait déserte. Peu de véritables arbres poussaient à Grandval, hormis ceux que mon père avait plantés ; les rares qui parvenaient à prendre racine sans intervention humaine indiquaient la présence d'eau, rivière saisonnière ou nappe souterraine utilisable. Mais en règle générale la flore du pays présentait un feuillage clairsemé, d'un gris-vert poussiéreux et conservait le précieux liquide grâce à des feuilles étroites et coriaces ou des rameaux épineux. Loin de me hâter, je pris mon temps pour scruter l'horizon en quête d'un signe de mon instructeur et de sa monture ; je n'en vis pas. Seule l'entaille des sabots de Hanneton dans la terre dure m'indiquait la direction qu'ils avaient prise, et je la suivis. Penché sur l'encolure de Siraltier, je les pistais ainsi, fier de m'en tirer si bien, quand je sentis soudain dans le dos l'impact d'une pierre bien ajustée. Je tirai les rênes et me redressai en gémissant pour me frotter. Le sergent Duril arriva par-derrière et s'arrêta à ma hauteur, sa fronde à la main.

« Et voilà, tu es mort. On a fait un détour pour revenir en arrière ; toi, tu faisais trop attention à nos traces, Jamère, et pas assez à ce qui t'entourait. A la place de ce caillou, tu aurais aussi bien pu recevoir une flèche. »

J'acquiesçai avec dégoût ; inutile de me plaindre, d'argumenter qu'une fois dans l'armée j'aurais sans doute toute une troupe de cavaliers à mes côtés, dont certains monteraient la garde pendant que les autres relèveraient la piste. Non, mieux valait supporter la douleur et accepter la leçon sans rien dire que risquer un sermon d'une heure. « Je m'en souviendrai la prochaine fois, répondis-je.

— C'est bien – mais uniquement parce que tu n'as eu droit qu'à une pierre, si bien qu'il y aura une prochaine fois. Avec une flèche, tu n'aurais pas eu d'autre occasion d'oublier ce que je t'ai appris. Allons, ramasse ton caillou avant qu'on s'en aille. »

D'une pression des genoux, il remit Hanneton en

route et s'éloigna. Je mis pied à terre, examinai le sol autour de Siraltier et retrouvai l'arme du crime. Le sergent Duril me « tuait » ainsi à plusieurs reprises chaque mois depuis mes neuf ans, et l'idée de récupérer les projectiles venait de moi ; les premières fois où il m'avait occis de cette façon, je crois, j'avais songé avec effroi, que, si Duril en avait vraiment voulu à ma vie, elle aurait pris fin à l'instant du choc. A partir du moment où il avait remarqué mon manège, il avait cherché des pierres de forme intéressante à tirer à la fronde. Il s'agissait en l'occurrence d'un galet de jaspe moitié moins gros qu'un œuf ; je le fourrai dans ma poche pour l'ajouter à ma collection, sur l'étagère de ma salle d'étude, puis j'enfourchai Siraltier et rattrapai Hanneton.

Nous nous dirigeâmes vers le fleuve et fîmes halte sur un haut escarpement qui dominait le cours paresseux de la Téfa ; de là, nous voyions les champs de coton de mon père, au nombre de quatre en comptant celui qui restait en jachère cette année. On distinguait aisément lequel avait atteint sa troisième saison de culture et approchait du terme de sa fertilité à ses plants mal poussés et rabougris. La terre de la prairie ne donnait guère au-delà de trois ans consécutifs, et celui-là demeurerait en friche le printemps suivant dans l'espoir de lui rendre sa productivité.

La propriété de mon père, Grandval, lui avait été octroyée de la main même du roi Troven et s'étendait de part et d'autre de la Téfa sur de nombreux arpents. Il réservait ceux du nord du fleuve à sa famille immédiate et à ses domestiques les plus proches ; il y avait dressé son manoir, planté ses vergers, ses champs de coton, et enclos ses pâtures. Un jour, le domaine Burvelle deviendrait un des points de repère du royaume à l'instar de l'ancienne propriété familiale près de Tharès-la-Vieille. La demeure, les terrains et même les arbres étaient plus jeunes que moi.

L'ambition de mon père ne s'arrêtait pas à une belle résidence et des terres agricoles ; au sud du fleuve, il avait délimité de généreuses parcelles à l'intention des vassaux qu'il recrutait parmi les hommes qui avaient servi jadis sous ses ordres. Il avait ainsi donné naissance à un bourg, refuge bien nécessaire aux fantassins et aux gradés en retraite de l'armée, conforme aux intentions de son créateur. Sans Port-Burvelle – ou Burvelle tout court, comme on disait le plus souvent –, nombre de vieux soldats auraient regagné les villes de l'ouest pour y devenir mendiants ou pire. Mon père déplorait fréquemment l'absence d'un système qui permît de mettre à profit l'expérience des militaires trop âgés ou trop invalides pour continuer leur carrière. Destiné par sa naissance à l'armée et au commandement, il avait accepté le titre de seigneur quand le roi le lui avait accordé, mais il le portait avec un maintien martial et s'estimait toujours responsable du bien-être de ses hommes.

Le « village » que ses ingénieurs avaient tracé sur la rive sud de la Téfa présentait les lignes droites et les points de fortification d'un ouvrage militaire ; le petit bac qui reliait les deux appontements du fleuve opérait à heures précises, et même le marché qui se tenait six jours par semaine obéissait à des règles dignes d'une garnison, ouvrant au lever du soleil et fermant à son coucher. On avait calculé la largeur des rues de façon que deux chariots pussent s'y croiser et qu'un attelage pût faire un demi-tour aux carrefours. Tels les rayons d'une roue, des routes rectilignes menaient du bourg aux lots de terre soigneusement mesurés dont les vassaux payaient la jouissance en travaillant quatre jours par semaine sur les terres de mon père. Le village prospérait tant qu'il menaçait de se transformer en ville, car il profitait à la fois de la circulation fluviale et des transports par la route qui longeait le fleuve. En outre, en s'installant, les anciens soldats de mon père avaient amené leurs familles ; naturellement, leurs fils s'en allaient à l'armée à la fin de l'adolescence, mais les filles restaient, et ma mère œuvrait à faire venir des jeunes gens doués de qualifications utiles pour la communauté, qui ne renâclaient pas à la perspective d'épouser des demoiselles accompagnées d'une parcelle de terre en guise de dot. Port-Burvelle s'enrichissait.

La route du fleuve entre la frontière orientale et le vieux fort Renalx à l'ouest de chez nous était très fréquentée. En hiver, lorsque l'eau montait, tumultueuse, des péniches transportaient d'immenses troncs d'espondes gorgés de sève, venus des forêts vierges de l'est, en suivant le courant en direction de l'ouest, puis revenaient plus tard chargées de produits indispensables destinés aux forts ; les attelages de mules qui les tiraient avaient tracé une piste poussiéreuse sur la rive sud. En été, quand l'étiage empêchait les péniches de circuler, des chariots les remplaçaient. Notre village avait la réputation d'offrir des tavernes honnêtes et de la bonne bière, et les conducteurs s'y arrêtaient toujours pour la nuit.

Mais, ce jour-là, le défilé saisonnier qui progressait lentement sur la route n'avait rien d'aussi joyeux. La procession d'hommes et de véhicules s'étirait sur près d'un quart de lieue, suivie d'un nuage de poussière en suspension. Des soldats en armes allaient et venaient sans cesse le long des colonnes, et la brise légère qui montait du fleuve portait jusqu'à nous leurs cris lointains et, de temps en temps, le claquement d'un fouet.

Trois ou quatre fois par été, les convois de prisonniers empruntaient la route du fleuve. Ils n'étaient pas autorisés à faire halte chez nous, et même les gardes qui les escortaient n'avaient pas le droit de prendre le bac pour se rendre dans notre bourg propret ; à quelques heures de marche de là, hors de vue du manoir et du village, mon père avait fait installer des abris, simples toits sans murs, une fosse à feu et des abreuvoirs pour ces caravanes particulières. Il ne manquait pas de charité, mais il la distribuait selon ses propres conditions.

Il avait aussi interdit strictement à mes sœurs d'assister au passage de ces trains de déportés, car on trouvait parmi eux des violeurs et des pervers aussi bien que des mauvais payeurs, des voleurs à la tire, des prostituées et des cambrioleurs de bas étage. Il n'y avait aucun intérêt à montrer pareille racaille à des jeunes filles bien nées, mais, ce jour-là, le sergent Duril et moi restâmes près d'une heure à l'observer pendant qu'elle suivait les méandres de la route. Bien que mon instructeur n'en dît rien, il obéissait sans doute à mon père qui souhaitait que j'assiste à cette émigration forcée vers l'est : bientôt, en tant que cavalier de l'année, je devrais encadrer ceux que le roi Troven avait condamnés à la colonisation des terres voisines des avant-postes orientaux, et il ne voulait pas m'envoyer à cette tâche complètement ignorant.

Deux chariots d'intendance venaient en tête de l'interminable mille-pattes qui progressait vers nous ; des hommes à cheval patrouillaient le long de la colonne de prisonniers enchaînés. En queue de convoi, à demi suffoqués par la poussière, des attelages de mules tiraient trois autres chariots transportant les femmes et les enfants des déportés qui marchaient lourdement vers leur nouvelle vie. Quand un caprice du vent portait jusqu'à nous les bruits de la procession, ils me paraissaient plus bestiaux qu'humains. Les hommes resteraient entravés jour et nuit jusqu'à leur arrivée dans l'un des lointains postes avancés du royaume, le long de la frontière, leurs repas se composeraient de pain et d'eau, et ils ne se reposeraient pendant leur trajet que le sixdi, jour du dieu de bonté.

« J'ai de la peine pour ces gens », murmurai-je. Sous la chaleur torride du soleil, en songeant aux fers qui écorchaient la peau, à la poussière qui rendait l'air irrespirable, je trouvais miraculeux que ces criminels parvinssent vivants au bout de leur longue marche.

« Vraiment ? » Ma sensiblerie excitait le dédain du sergent Duril. « Je plains davantage ceux qui restent dans la cité sans autre avenir que celui de rebuts de la société. Regarde-les, Jamère. Le dieu de bonté décrète la destinée de chacun ; mais ceux-là ont méprisé leur devoir et tourné le dos au métier de leur père. Aujourd'hui le roi leur offre une seconde chance. En quittant Tharès-la-Vieille, c'étaient des prisonniers et des criminels ; s'ils avaient échappé à la capture et à la pendaison, ils auraient sans doute fini assassinés par leurs semblables ou vécu jusqu'à la fin de leurs jours comme des rats d'égout. Mais Sa Majesté Troven les envoie loin de cette existence. Ils ont un trajet long et dur à parcourir, c'est vrai, mais une nouvelle vie les attend dans l'est, et, en arrivant à destination, ils auront acquis un peu de muscle et de résistance. Ils trimeront un an ou deux sur les routes du royaume, qui avanceront grâce à eux à travers les Plaines, après quoi ils auront gagné leur liberté, assortie de deux arpents de terre ; pas mal payé pour quelques mois de travaux forcés. Le roi leur donne l'occasion de se racheter, de devenir propriétaires et de vivre honnêtement, de reprendre la carrière de leur père comme le veulent les Ecritures, en faisant table rase de leurs crimes passés. Tu as de la peine pour eux ? Pense un peu à ceux qui refusent la magnanimité du roi et se retrouvent les mains tranchées pour vol ou derrière les barreaux pour dettes, avec leur femme et leurs gosses ! Ceux-là, oui, je les plains, trop stupides pour saisir la perche qu'on leur tend. Mais ces hommes, en bas, je ne pleure pas sur leur sort ; ils suivent une route pénible, d'accord, mais bien préférable à celle qu'ils avaient choisie. »

Je regardais la colonne de prisonniers dépenaillés, et je m'interrogeai : combien estimaient avoir eu vraiment voix au chapitre dans cette décision ? Et que dire des femmes et des enfants dans les chariots ? Leur avait-on seulement demandé leur avis ? J'aurais pu réfléchir à ces questions et à bien d'autres si Duril ne m'en avait pas détourné d'un laconique : « Messager ! »

Je me tournai vers l'est. Les lacets du fleuve se perdaient dans le lointain, et la route le suivait dans sa course sinueuse ; diligences, voitures de fret et malle-poste l'empruntaient. Le courrier ordinaire voyageait en général par chariots, composé en majeure partie de lettres en provenance de l'ouest, envoyées par les familles et les fiancées des soldats, et des réponses de ceux-ci. Les messagers du roi parcouraient aussi cette voie, porteurs d'importantes dépêches, entre les forts avancés et la capitale Tharès-la-Vieille. En tant qu'aristocrate terrien, mon père avait le devoir d'entretenir à leur intention un relais avec des chevaux frais. Souvent, ces cavaliers se voyaient invités pour la soirée dans notre manoir après qu'ils avaient remis leurs missives, car mon père aimait se tenir au courant des événements frontaliers, et ses convives appréciaient sa généreuse hospitalité qui interrompait un long trajet dans un pays rude. J'espérais que nous aurions de la compagnie pour le souper ; la conversation en devenait toujours plus vivante.

Sur la route, un homme à cheval arrivait au grand galop ; il laissait derrière lui une mince traînée de poussière en suspension, et l'allure pesante de sa monture disait qu'elle continuait d'avancer sous l'effet de l'éperon et de la cravache plus que par sa volonté propre. Malgré la distance, je distinguais la courte cape jaune du cavalier qui le désignait comme courrier royal et avisait les citoyens de lui faciliter le passage.

Le guetteur du relais l'avait repéré lui aussi. J'entendis une cloche sonner, et aussitôt les employés du bâtiment se mirent en action ; l'un d'eux se précipita dans l'écurie et en ressortit accompagné d'un cheval à longues pattes qui portait la petite selle des messagers. Pendant qu'il apprêtait la monture, un autre émergea en courant du relais, muni d'une outre d'eau et d'un paquet de nourriture pour le nouveau venu ; un cavalier frais apparut peu après, un tissu sur le visage pour le protéger de la poussière, sa cape jaune battant dans la brise du fleuve. Il se plaça près de sa monture et attendit qu'on lui transmît la missive.

Le messager parvint au relais, et j'assistai alors à un spectacle qui me fit frémir : il ne tira les rênes qu'à la hauteur de la monture fraîche et d'un bond, sans toucher le sol, passa d'une selle à l'autre ; il lança quelques mots que je ne compris pas, se pencha pour s'emparer au vol de l'outre et des provisions puis talonna son nouveau coursier. En quelques instants, il rejoignit le convoi de prisonniers et passa en plein milieu ; hommes enchaînés et gardes montés s'écartèrent vivement de son chemin, puis des cris de colère et de douleur montèrent d'une poignée de déportés qui n'avaient pas reculé assez vite et s'étaient fait piétiner par un des soldats à cheval. Sans se soucier du tumulte qu'il laissait dans son sillage, le courrier n'apparaissait déjà plus que comme une minuscule silhouette sur le ruban de la route qui s'en allait vers l'ouest. Je le suivis des yeux un moment puis reportai mon attention sur le relais. Un palefrenier menait la monture du messager vers l'écurie quand l'animal tomba soudain à genoux puis roula sur le flanc et resta là, gisant, battant faiblement des pattes.

« Il est à bout de souffle, dit Duril en connaisseur. Il ne portera plus jamais de courrier ; il aura de la chance s'il s'en sort vivant, le pauvre.

— Quelle missive vitale pouvait bien transporter cet homme pour qu'il crève son cheval sous lui et ne puisse la transmettre à un cavalier frais ? » Déjà les plus folles possibilités se bousculaient sous mon crâne, et j'imaginais des attaques nocturnes d'Ocellions sur les villages frontaliers des Terres-Vierges ou un nouveau soulèvement des Kidonas.

« Ce sont les affaires du roi », répondit sèchement le sergent Duril. A cet instant, nous vîmes un des employés sur relais prendre au pas de course le chemin du manoir, un objet à la main. Un message pour mon père ? Il connaissait la plupart des commandants des forts de la frontière orientale, et ils le tenaient informés de la situation presque autant que le roi lui-même. Je vis une lueur de curiosité s'allumer dans le regard du vieux sous-officier ; il observa le soleil puis déclara brusquement : « C'est l'heure de retourner à tes bouquins. S'agirait pas que maître Encre-et-plumes me lorgne encore une fois d'un sale œil, hein ? »

Là-dessus, il détourna son cheval du fleuve, de la route et du relais pour m'entraîner dans un galop retenu vers la piste qui descendait vers le manoir.

La demeure où j'avais vu le jour se dressait sur une petite élévation de terrain qui dominait la Téfa. Cédant à un caprice de ma mère, mon père l'avait entourée sur deux arpents d'un bois clairsemé de peupliers, de chênes, de bouleaux et d'aulnes ; on puisait l'eau dans le fleuve pour irriguer les arbres qui ombrageaient la maison et la protégeaient des rafales constantes. Au milieu de l'immensité de la plaine, ils se dressaient comme un îlot de verdure, frais et accueillant, qui me paraissait minuscule et isolé parfois, et d'autres jours m'évoquait une forteresse verdoyante et hospitalière dans ces terres arides balayées par le vent. Nos chevaux nous y portaient, pressés de se désaltérer d'eau fraîche et de se rouler dans leur enclos.

Comme l'avait prévu le sergent, mon précepteur nous attendait devant le manoir. Les bras croisés sur sa poitrine étroite, maître Rissol s'efforçait de prendre l'air sévère. Avant d'arriver trop près de lui, Duril murmura : « J'espère qu'il ne te flanquera pas une tournée trop dure, mon petit Jamère ; vu sa carrure impressionnante, il pourrait bien t'amocher » ; je réussis à conserver une expression sérieuse malgré sa petite moquerie. Il n'avait pas à railler le jeune professeur, malingre, certes, mais zélé, venu tout exprès de Tharès-la-Vieille pour m'enseigner la calligraphie, l'histoire, le calcul et l'astronomie, et il le savait parfaitement ; mais, s'il était incapable de tenir sa langue irrévérencieuse, cela ne l'empêcherait pas de me talocher d'importance si j'avais l'audace de sourire à ses saillies. Je gardai donc mon amusement pour moi en mettant pied à terre et criai « adieu » au sergent Duril qui s'éloignait avec nos montures ; il répondit d'un geste vague de la main.

J'aurais voulu me précipiter auprès de mon père pour apprendre quelles nouvelles urgentes il avait reçues, mais je n'aurais réussi qu'à me faire punir : un soldat accomplit son devoir et attend les ordres sans se laisser aller à de vaines spéculations. Si je nourrissais l'espoir de commander un jour, je devais d'abord apprendre à me plier à l'autorité. Avec un soupir, j'emboîtai le pas à mon précepteur. Mes leçons me parurent plus fastidieuses que jamais cet après-midi-là, mais je tâchai de m'appliquer, sachant que les fondations que j'acquérais ainsi serviraient de socle à mes études à l'Ecole royale.

Quand les longues heures studieuses s'achevèrent et que maître Rissol me libéra enfin, je m'habillai pour le dîner et descendis. Dans les Plaines, nous vivions certes loin de toute cité et société policée, mais ma mère exigeait que nous observions les manières qui seyaient au rang de mon père. Mes parents descendaient tous deux de familles nobles et, bien qu'en tant que cadets de leur fratrie ils n'eussent jamais prévu de porter un titre, ils avaient gardé de leur éducation une vive sensibilité aux devoirs que leur imposait l'anoblissement du maître de maison. Je ne devais apprécier que plus tard la courtoisie et la correction que ma mère m'avait enseignées, car ses leçons me permirent d'évoluer plus facilement à l'Ecole que nombre de mes camarades à l'éducation plus rustique.

Nous nous retrouvâmes tous au salon où nous attendîmes mon père ; une fois arrivé, il escorta ma mère jusqu'à la salle à manger, où nous, les enfants, les suivîmes. J'aidai ma puînée Yaril à s'asseoir tandis que Posse, notre frère aîné, tirait une chaise pour ma grande sœur Elisi. Vanze, notre cadet à tous avec ses neuf ans et destiné à la prêtrise par sa place parmi nous, dit les grâces, puis ma mère agita une clochette d'argent posée à côté de son assiette et l'on apporta le repas.

Nous appartenions à la « nouvelle aristocratie » par le titre que le roi avait accordé à mon père en récompense de son courage lors des conflits avec les Nomades, aussi nos serviteurs ne descendaient-ils d'aucune dynastie domestique. Ma mère avait peur des indigènes et mon père refusait qu'ils s'approchent de ses filles, fût-ce au service de notre maison ; aussi, au contraire de nombreux nobles de fraîche date, ne recrutait-il pas notre personnel chez les peuplades conquises, mais offrait une petite propriété foncière aux meilleurs de ses soldats retraités, ainsi qu'à leur épouse et leurs filles, en échange d'un emploi chez nous. En conséquence, la majorité des hommes attachés à notre service étaient âgés ou souffraient d'une invalidité qui leur fermait les portes de l'armée. Ma mère eût préféré engager nos gens dans les grandes villes de l'ouest, mais l'avis de mon père l'emportait sur ce sujet : il se sentait le devoir de pourvoir aux besoins de ses vétérans et de les faire profiter de sa bonne fortune car, sans personne à mener à la gloire, il n'eût jamais mérité l'attention du roi. Son épouse s'inclinait et tâchait de leur enseigner leur métier. De son propre chef, elle avait à quelques reprises fait savoir par voie d'annonces dans les villes de l'ouest qu'elle cherchait des époux convenables, issus de la domesticité, pour les filles des soldats, et embauché ainsi deux jeunes gens capables de servir à table dans les règles de l'art, un valet pour mon père et un maître d'hôtel.

Je réussis à contenir ma curiosité pendant la plus

grande partie du repas. Mon père entretint ma mère de ses vergers, de ses cultures, et elle acquiesça gravement avant de lui demander la permission d'envoyer quérir à Tharès-la-Vieille une camériste digne de ce nom pour mes sœurs, à présent qu'elles devenaient des demoiselles. Il répondit qu'il y réfléchirait, mais je vis le regard qu'il tourna vers mes voisines et j'y lus la conscience soudaine qu'Elisi approchait de l'âge où l'on marie les jeunes filles et qu'elle tirerait profit d'un plus grand raffinement de ses manières.

Comme à chaque souper, il s'enquit auprès de chacun de nous de la façon dont nous avions employé notre journée. Posse, mon frère aîné, héritier du titre, avait accompagné notre intendant au village des Bejawis installé à l'extrême nord de Grandval ; les derniers survivants d'une branche de cette peuplade autrefois nomade y vivaient par permission du propriétaire. A son arrivée, le groupe se composait surtout de femmes, d'enfants et de grands-pères trop âgés pour avoir participé aux guerres des Plaines ; à présent, les enfants avaient atteint l'adolescence, voire l'âge adulte, et mon père souhaitait s'assurer qu'ils avaient de quoi s'occuper utilement et à leur satisfaction. Du désert de Souique, on avait eu vent d'une révolte de jeunes guerriers, mécontents de leur existence sédentaire, et il ne tenait pas à voir une semblable agitation gagner ses Nomades. Il avait récemment fait don aux Bejawis d'un petit troupeau de chèvres laitières, et Posse se réjouissait de lui apprendre que les bêtes se portaient à merveille et fournissaient à la fois travail et subsistance aux anciens chasseurs.

Ce fut ensuite au tour d'Elisi, ma sœur aînée. Elle avait appris à jouer un morceau compliqué à la harpe et commencé à broder un verset des Ecritures au tambour ; elle avait aussi envoyé une lettre aux sœurs Kassler de Méandre pour les inviter à passer la semaine de Mi-été chez nous, avec au programme un pique-nique, de la musique et un feu d'artifice le soir de son seizième anniversaire. Mon père convint que ces vacances lui paraissaient fort agréables pour Yaril, ses amies et elle.

J'étais le suivant. Je décrivis mes cours de la journée avec mon précepteur et mes exercices avec Duril, puis, comme si je n'y pensais qu'à l'instant, je mentionnai que nous avions vu le messager et ajoutai avec circonspection que je me demandais ce qui avait bien pu l'inciter à pousser aussi cruellement sa monture à bout. Je n'avais pas formulé de question à proprement parler ; pourtant elle resta en suspens, et je vis bien que Posse et ma mère y espéraient une réponse.

Mon père but une gorgée de vin. « Une épidémie s'est déclarée à l'est, dans l'un des avant-postes les plus éloignés, Guetis, situé dans les piémonts de la Barrière. Le commandant requiert des renforts pour remplacer les victimes, des guérisseurs pour soigner les malades et des gardes pour enterrer les morts et surveiller le cimetière. »

Posse risqua un commentaire : « La nouvelle paraît d'importance, en effet, mais peut-être pas au point d'interdire à un courrier de transmettre le message à un cavalier frais. »

Il s'attira un regard réprobateur. A l'évidence,

discuter devant son épouse et ses jeunes filles de maladie contagieuse et d'hommes mourant par dizaines paraissait inconvenant à mon père ; peut-être aussi y voyait-il un problème militaire dont il ne fallait pas parler à tort et à travers tant que le roi Troven n'avait pas décidé comment le régler. Aussi m'étonnai-je qu'il acceptât de répondre à la remarque de mon frère. « Le médecin de Guetis a, hélas, une nature superstitieuse. Il a envoyé un rapport séparé à la reine, rempli de ses spéculations habituelles à propos des influences magiques des indigènes locaux, en stipulant que ce rapport ne devait quitter les mains du messager que pour passer dans celles de notre souveraine. Sa Majesté s'intéresse, dit-on, au surnaturel et récompense ceux qui lui fournissent de nouveaux éclairages sur ce domaine. Elle a promis l'anoblissement à qui lui apportera la preuve que la vie se poursuit au-delà de la tombe. »

Ma mère destinait, je pense, son intervention à mes sœurs. « J'estime l'étude de ce genre de sujets malséant pour une dame, et je ne suis pas la seule de cet avis ; j'ai reçu des lettres de ma sœur et de dame Vrohé où elles exprimaient l'embarras qu'elles ont éprouvé lors de la séance de spiritisme à laquelle elles ont participé sur l'insistance de la reine. Ma sœur ne cache pas son scepticisme et affirme qu'il ne s'agit que de tours de passe-passe réalisés par les soi-disant médiums qui président à ces séances, mais dame Vrohé prétend avoir assisté à des événements inexplicables qui lui ont donné des cauchemars pendant un mois. » Son regard se détacha d'Elisi, à l'expression scandalisée ainsi qu'il convenait, pour se poser sur Yaril aux yeux arrondis par la curiosité, et elle ajouta à son intention : « On nous croit souvent, nous autres dames bien nées, ignorantes et superficielles. J'aurais honte qu'une de mes filles s'intéressât à des questions aussi contre nature ; si l'on désire étudier la métaphysique, il faut commencer par lire la parole du dieu de bonté ; on trouve dans les Ecritures tout ce qu'il est besoin de savoir sur l'après-vie. Exiger des preuves serait montrer de la présomption et constituerait un affront envers la divinité. »

Ce laïus refroidit proprement ma jeune sœur, qui se tut pendant que mon dernier frère, Vanze, expliquait qu'il avait travaillé à déchiffrer un passage abscons des textes sacrés dans la version varnienne d'origine, puis passé deux heures à méditer sur son sens. Quand mon père voulut savoir comment Yaril avait employé sa journée, elle répondit qu'elle avait augmenté sa collection de papillons de trois nouveaux spécimens et confectionné assez de dentelle pour en border son châle d'été ; puis, les yeux baissés, elle demanda craintivement : « Pourquoi faut-il surveiller le cimetière de Guetis ? »

A ce retour sur un sujet qu'il avait clos, les yeux de mon père s'étrécirent. Il déclara sèchement : « Parce que les Ocellions ne respectent pas nos coutumes funéraires et qu'il leur est déjà arrivé de profaner des tombes. »

Yaril laissa échapper un hoquet de saisissement, mais si imperceptible que moi seul l'entendis, j'en ai la conviction. La réponse avait piqué plus que satisfait mon intérêt ; hélas, mon père se tourna aussitôt vers ma mère pour s'enquérir de sa journée. Je sus inutile de me laisser aller à de vaines conjectures.

Enfin le dîner s'acheva par une tasse de café et une friandise, comme de coutume. Je m'interrogeais davantage sur les Ocellions que sur la mystérieuse épidémie ; nul alors ne pouvait se douter qu'il ne s'agissait pas d'une attaque isolée, mais qu'elle réapparaîtrait chaque été dans les postes avancés et qu'elle progresserait tous les ans un peu plus dans les Plaines en direction de l'ouest.

Pendant cette première saison de la contagion, la présence la peste ocellionne s'infiltra sournoisement dans ma vie et colora ma vision des régions frontalières. Je savais que les postes les plus avancés de la cavalerie royale s'implantaient désormais au pied de la Barrière ; je savais aussi que la Route du roi, projet ambitieux de traversée des Plaines en cours de réalisation, approchait de la chaîne de montagnes, mais qu'il faudrait encore compter quatre ans avant son achèvement. Depuis mon plus jeune âge j'entendais parler des Ocellions, ce peuple mystérieux, discret et à la peau mouchetée qui ne vivait heureux qu'à l'ombre de sa forêt natale ; à mes oreilles d'enfant, ils se distinguaient peu des lutins et des farfadets qui peuplaient les contes préférés de mes sœurs. Leur nom même était devenu dans notre langue synonyme de négligence : « travailler comme un Ocellion » signifiait ne rien faire ou presque ; s'il me surprenait à rêvasser sur mes livres, mon précepteur me demandait si j'avais eu la visite d'un Ocellion. J'avais grandi avec l'image de créatures inoffensives et un peu écervelées qui habitaient loin de chez nous, dans des vals et des clairières au cœur des épaisses futaies des montagnes, décor aussi fantastique pour mon imagination d'enfant de la plaine que le peuple tacheté qui l'occupait.

Mais cet été-là modifia cette vision, et ils finirent par représenter à mes yeux une maladie insidieuse, un fléau mortel qu'on pouvait contracter, qui sait ? peut-être du seul fait de porter une fourrure achetée à un marchand ocellion ou de respirer l'air brassé par un des éventails décoratifs qu'ils tressaient à l'aide des fines lianes-dentellières de leur forêt. Que faisaient-ils dans nos cimetières, quelles « profanations » infligeaient-ils à nos morts ? Ils m'apparaissaient non plus insaisissables mais dissimulés ; d'enchanteur, leur mystère devenait lourd de menaces, leur mode de vie sale et morbide au lieu de virginalement idyllique. Une affection qui entraînait un jour ou deux de fièvre pour un enfant ocellion ravageait nos forts, les colonies voisines, et tuait par dizaines des jeunes gens en pleine santé.

Toutefois, bien qu'affreuses, ces rumeurs d'épidémie catastrophique restaient lointaines ; les récits qui parvenaient jusqu'à nous ne nous touchaient pas plus que les histoires de violentes tempêtes qui frappaient parfois les villes côtières tout au sud de la Gernie : nous ne mettions pas en doute leur authenticité mais elles ne nous inquiétaient pas. Comme dans les soulèvements occasionnels des Nomades conquis, il en résultait mort et ruine, mais ce genre d'événements se produisait uniquement aux nouvelles frontières des Terres-Vierges, là où la cavalerie royale devait établir des garnisons dans les forts, tenir en respect les Nomades encore sauvages

71

et repousser la nature primitive pour faire place à la civilisation. Nos terres agricoles et nos troupeaux de Grandval ne risquaient rien ; périr sous les coups des indigènes, de privation, de maladie ou par accident était réservé aux soldats. Ils s'enrôlaient en sachant parfaitement que beaucoup n'atteindraient pas l'âge de la retraite, et la peste ocellionne nous semblait faire partie des adversaires qu'ils devaient affronter d'un cœur vaillant. Notre peuple saurait la vaincre, je n'en doutais pas ; en outre, mon devoir me commandait pour le présent de m'appliquer à mes cours et à mes exercices. La responsabilité de régler les problèmes des révoltes nomades, des maladies transmises par les Ocellions ou des invasions de sauterelles incombait à mon père, non à moi.

Les semaines suivantes, il découragea toute conversation sur l'épidémie, comme s'il trouvait quelque chose d'obscène ou de répugnant dans ce sujet, mais sa désapprobation ne fit qu'attiser ma curiosité. A plusieurs reprises, Yaril me rapporta des on-dit qu'elle tenait de ses amies, histoires d'Ocellions violant les sépultures de soldats pour procéder à des rites affreux sur leur dépouille ; on parlait tout bas de cannibalisme et de profanations encore plus innommables. Malgré la réprobation de ma mère, ma jeune sœur éprouvait à égalité avec moi un intérêt avide pour les Ocellions et leur magie primitive, et nous passions certaines soirées dans le jardin envahi d'ombre à échanger des spéculations macabres qui nous emplissaient d'effroi.

Je vis ma curiosité en partie satisfaite, un soir de l'été suivant où je surpris une conversation entre mon père et mon frère aîné Posse. En bon adolescent, je me sentais vexé qu'on m'exclue des affaires des adultes. Un éclaireur était arrivé chez nous ce matin-là et avait fait halte pour passer la journée en compagnie du maître des lieux ; j'avais appris qu'il prenait ses trois ans de congé avec l'intention de consacrer ce loisir à visiter les villes de l'ouest. L'éclaireur Vaxviel et le colonel Burvelle se connaissaient de longue date : ils avaient servi ensemble pendant la campagne contre les Kidonas, à l'époque de leur jeunesse. Aujourd'hui, l'un, élevé au rang d'aristocrate, avait pris sa retraite de l'armée, mais l'autre continuait à travailler aux ordres du roi.

Les éclaireurs occupaient une place unique dans la cavalla royale ; officiers sans grade officiel, certains sortaient du rang et leurs talents leur permettaient de sauter les échelons de la hiérarchie pour accéder à leur statut particulier, tandis que d'autres, à ce qu'on racontait, fils militaires de familles nobles ayant commis quelque acte déshonorant, trouvaient ainsi le moyen de servir le dieu de bonté dans l'armée sous un autre nom. Tout ce que j'avais entendu sur ces hommes baignait dans une atmosphère d'aventure romanesque. Les officiers en uniforme devaient les traiter avec respect, et mon père paraissait tenir Vaxviel en estime, même s'il ne le considérait pas comme un convive digne de partager la table de son épouse, de ses filles et de ses fils cadets.

Le vieux baroudeur grisonnant me fascinait et j'avais espéré entendre ce qu'il avait à dire, mais seul mon frère aîné avait été invité à déjeuner avec les deux vétérans ; en milieu d'après-midi, Vaxviel avait repris sa route, et je l'avais suivi des yeux avec regret. Il portait un curieux mélange d'uniforme de la cavalerie et de tenue nomade, et son chapeau, d'un modèle suranné, s'agrémentait d'un carré de tissu multicolore qui pendait sur sa nuque pour le protéger du soleil ; je n'avais fait qu'apercevoir les trous à ses oreilles et les tatouages à ses doigts. Avait-il adopté les coutumes des Nomades pour mieux s'intégrer à eux, apprendre davantage de leurs secrets et ainsi pouvoir mieux renseigner nos cavaliers en cas d'insurrection ? Je savais que, simple soldat, il n'avait pas sa place à table aux côtés de ma mère ni de mes sœurs, mais, en tant que futur officier, j'avais espéré que mon père me convierait à leur repas, en vain ; il n'y avait pas à discuter, et, même au souper ce soir-là, il ne parla guère de l'éclaireur, sinon pour dire que Vaxviel servait désormais à Guetis et trouvait les Ocellions beaucoup plus difficiles à infiltrer que les Nomades.

Posse et lui se retirèrent dans le bureau de mon père pour savourer l'alcool et le cigare d'après le dîner. Mon âge m'interdisait encore de participer à ces délassements d'adultes, aussi allai-je, morose, faire une promenade digestive au jardin. Comme je passais sous les fenêtres du bureau, ouvertes sur l'air étouffant de la nuit d'été, j'entendis mon père déclarer : « S'ils s'autorisent des pratiques immondes, ils méritent d'en mourir ; inutile de chercher plus loin, Posse ; c'est la volonté du dieu de bonté. »

Au dégoût que je perçus dans sa voix, je m'arrêtai sans bruit. Il se montrait toujours satisfait de son existence d'aristocrate terrien, il avait survécu aux épreuves de sa vie de fils militaire et d'officier de la cavalla, il avait pris place parmi les nouveaux nobles du roi Troven et il tenait parfaitement son rang ; je l'avais rarement vu se mettre en colère sur aucun sujet, et entendu encore plus rarement s'exprimer avec une si profonde répugnance. Je me dirigeai vers les rideaux qui s'agitaient doucement et tendis l'oreille, conscient de la gravité de mon impolitesse mais trop intéressé pour résister. Les stridulations des insectes des champs emplissaient l'air sec et chaud du soir.

« Vous estimez donc fondées les rumeurs selon lesquelles la maladie provient de contacts sexuels avec les Ocellions ? » Mon frère, si calme d'ordinaire, paraissait horrifié. Malgré moi, je me rapprochai de la fenêtre à pas de loup. Je n'avais nulle expérience des contacts sexuels, et je restais choqué d'entendre mon frère et mon père évoquer si crûment une perversion comme le fait de s'accoupler avec des membres d'une race inférieure. A l'instar de tous les garçons de mon âge, je brûlais de curiosité pour ces questions ; je continuai d'écouter en retenant mon souffle.

« Quelle autre explication vois-tu ? Les Ocellions sont mangés de vermine, ils vivent dans l'ombre profonde des arbres au point que leur peau devient mouchetée par manque de soleil, comme du fromage piqué de moisissure. Retourne une bûche dans un marais et tu trouveras de meilleures conditions de vie que celles qu'ils ont adoptées. Pourtant, leurs femmes, dans leur jeunesse, peuvent apparaître avenantes et, aux yeux des soldats de peu d'éducation et d'intelligence limitée, exotiques et séduisantes. A l'époque où je me trouvais en poste à la frontière des Terres-Vierges, on châtiait ces rapports par le fouet ; les distances demeuraient ainsi maintenues et nous ne souffrions de nulle maladie étrangère.

« Depuis que le général Broge commande le front de l'est, la discipline se relâche. C'est un bon officier, Posse, un excellent officier, mais, chez lui, la voix du sang et de l'éducation se réduit à un murmure. Il a gagné ses galons honnêtement, je n'en disconviens pas, mais, aux yeux de certains, le roi a fait insulte aux soldats issus de la noblesse en bombardant un roturier au rang de général ; pour ma part, je tiens que Sa Majesté a le droit de promouvoir qui bon lui semble et que Broge l'a servie aussi bien qu'un autre. Toutefois, en tant que fils de simple soldat et non de noble, il manifeste une compréhension exagérée envers la troupe, et j'ai le sentiment qu'il hésite à infliger les châtiments appropriés pour des infractions qu'il a pu se laisser aller lui-même à commettre par le passé. »

La réponse de mon frère m'échappa, mais le ton de mon père exprimait le désaccord. « Naturellement, on peut se montrer sensible aux épreuves qu'endurent les hommes de troupe ; un bon commandant regarde en face les privations que supportent ses soldats sans pour autant trouver des excuses à leurs réactions plébéiennes. Le devoir d'un officier lui dicte de hisser à son niveau la moralité de ceux dont il a la charge, non de tolérer leurs manquements au point de les priver de tout exemple et de toute édification. »

Je l'entendis se lever et je me recroquevillai dans l'ombre sous la fenêtre, mais son pas lourd le porta jusqu'à la desserte. Il me sembla percevoir un tintement de verre quand il se servit. « De nos jours, la moitié du contingent se compose de conscrits et de rebuts des bas quartiers. Certains voient peu d'honneur à commander pareille engeance, mais, je te le dis, un bon officier fera une bourse de soie d'une oreille de porc pour peu qu'on lui en laisse le loisir ! Autrefois, le second fils d'un noble s'enorgueillissait de pouvoir servir son roi, de s'aventurer dans les contrées inexplorées pour y apporter la civilisation. Aujourd'hui, les aristocrates de vieille souche gardent près de chez eux leurs rejetons militaires, dont la "carrière" consiste à additionner des colonnes de chiffres et à effectuer des rondes dans les jardins des palais de Tharès, comme si c'étaient là des tâches dignes de véritables officiers. Quant aux fantassins, gibiers de potence autant que soldats, ils sont encore pires ; les histoires que j'ai entendues sur les garnisons frontalières et ce qui s'y passe, jeux de hasard, beuveries, prostitution, auraient fait pleurer de rage le vieux général Prode ! Hormis pour le commerce, il ne nous autorisait aucun contact avec les Nomades, qui se comportaient en guerriers honorables avant que nous ne les soumettions ; il paraît qu'aujourd'hui certains régiments les emploient comme éclaireurs et que les officiers embauchent même leurs femmes comme domestiques pour leurs épouses et bonnes pour leurs enfants. Cette promiscuité ne peut donner rien de bon, ni pour nous ni pour les Nomades ; elle fera naître chez eux l'envie de ce que nous avons et qu'ils ne possèdent pas, et l'envie peut déboucher sur la révolte. Mais, même si la situation ne se dégrade pas à ce point, nos deux races ne sont pas faites pour se côtoyer ainsi. »

Mon père s'échauffait, bien qu'il ne s'en rendît sans doute pas compte, et j'entendais clairement ses propos.

« Le raisonnement vaut encore plus dans le cas des Ocellions. Leur paresse leur a interdit de donner naissance à la moindre culture ; s'ils trouvent un coin où dormir au sec la nuit et déterrer des larves et des insectes en quantité suffisante pour se remplir le ventre le jour, ils s'en contentent. Leurs villages se résument à quelques hamacs et à un feu ; rien d'étonnant à ce qu'ils portent toutes sortes de maladies ! Ils n'y accordent pas plus d'attention qu'aux petits parasites brillants accrochés à leur cou. Certains de leurs enfants meurent, les autres survivent, et ils continuent à procréer joyeusement comme une bande de singes. Mais, quand leurs affections se transmettent à notre espèce… eh bien, il arrive ce qu'a décrit l'éclaireur : un régiment entier contaminé, dont la moitié mourra probablement, et l'épidémie gagnant à présent les femmes et les enfants de la colonie – et tout cela, sans doute, parce qu'un conscrit de basse extraction cherchait plus exotique ou plus débridé que les honnêtes prostituées du bordel militaire. »

Mon frère posa une question dont je ne saisis que le ton interrogateur ; mon père eut un rire dédaigneux. « Gros ? Ah, il y a des années que j'entends ces histoires ! Des contes d'épouvante, sûrement, destinés à écarter les nouvelles recrues de la forêt à la nuit tombée ; pour ma part, je n'en ai jamais vu. Et, si l'épidémie produit cet effet, eh bien tant mieux : qu'ils en portent la marque afin que tous sachent leur conduite infâme ! Peut-être le dieu de bonté, dans sa sagesse, veut-il faire d'eux un exemple pour enseigner à chacun le prix du péché. »

Posse avait quitté son fauteuil pour s'approcher lui aussi de la desserte. « Vous ne croyez donc pas (je perçus de la circonspection dans sa voix, comme s'il craignait de passer pour un sot) qu'il s'agisse d'une malédiction des Ocellions, d'une sorte de sortilège maléfique lancé contre nous ? » Sur la défensive, il ajouta : « Je tiens cette anecdote d'un prêtre itinérant qui avait tenté de porter la parole du dieu de bonté aux Ocellions, et qui, s'en retournant vers l'ouest, avait fait halte à Port-Burvelle. D'après ce qu'il m'a dit, les Ocellions l'avaient chassé et l'une de leurs vieilles femmes avait déclaré que, si nous ne les laissions pas en paix, leur magie répandrait la maladie parmi nous. »

Comme mon frère, je m'attendais que mon père réagît par une moquerie ou une rebuffade, mais il répondit gravement : « J'ai entendu parler de la magie des Ocellions, comme toi, sans doute ; la plupart de ces on-dit ne sont que fariboles, mon fils, ou croyances ineptes de primitifs ; toutefois, ils recèlent peut-être une parcelle de vérité. Le dieu de bonté qui nous garde a laissé des enclaves d'ombre et d'étrangeté dans le monde qu'il a hérité des anciens dieux. De fait, j'ai été assez souvent témoin de la sorcellerie des Nomades pour t'assurer qu'ils ont bel et bien des magiciens de l'air capables de faire voler des tapis et souffler la fumée dans la direction qu'ils désirent, même contre le vent, et j'ai vu de mes propres yeux un garrot traverser une taverne bondée, au-dessus de la foule, pour s'enrouler autour de la gorge d'un soldat qui venait d'insulter la femme d'un de ces magiciens. A leur départ, les dieux anciens ont abandonné chez nous des zones de magie pour ceux qui préféraient demeurer dans leurs ténèbres plutôt qu'accepter la lumière du dieu de bonté – mais il n'en reste que des vestiges que le fer vainc et contient. Il suffit de loger une balle de fer dans le bras d'un Nomade pour que ses sortilèges cessent d'opérer ; la magie de ces peuplades leur a servi pendant des siècles, mais il ne s'agissait finalement que de magie, et son temps est révolu. Elle ne peut pas résister à la puissance de la civilisation et de la technologie. Une nouvelle ère s'ouvre devant nous, mon fils ; bon gré, mal gré, nous devons y entrer sous peine de finir écrasés dans la boue par la roue du progrès. L'introduction du perche dans nos lignées de chevaux de trait, associée aux nouveaux socs en fer forgé, a doublé la surface cultivable par un fermier ; la moitié de Tharès-la-Vieille dispose désormais d'égouts, et on a pavé pratiquement toutes les rues ; le roi Troven a instauré un système d'horaires fixes pour les malles-poste, les diligences, et de régulation de la circulation sur toutes les grandes voies d'eau du pays. Il est devenu très à la mode de remonter la Soudane jusqu'à Cambis puis d'effectuer le trajet inverse, porté promptement par le courant, à bord d'une élégante janque. Les voyageurs et les touristes allant visiter l'est, la population suivra, et tu verras nos villages se transformer en villes et en cités pendant le cours de ta vie. Les temps changent,

Posse, et j'entends que Grandval ne reste pas à la traîne. Une maladie comme cette soi-disant peste ocellionne demeure une maladie, rien de plus, et un savant finira par en découvrir l'origine ; alors, il en ira comme de la fièvre tremblante et de la carie de la gorge : l'un se traite à l'écorce de quennesère en poudre, l'autre par des gargarismes de genièvre. La médecine a beaucoup progressé ces vingt dernières années ; on trouvera un remède à cette peste ocellionne, ou un moyen d'enrayer la contagion. En attendant, évitons d'y voir plus qu'une affection physique, ou, comme l'enfant qui prend une chaussette égarée pour un croquemitaine tapi sous son lit, notre peur nous empêchera de l'examiner avec le sang-froid nécessaire. » Comme en aparté, il ajouta : « J'aurais aimé que notre souverain choisît une épouse moins portée à suivre les caprices de son imagination ; la passion de la reine pour les tours de passe-passe et les "messages de l'au-delà" tourne à l'excès l'intérêt populaire vers ces balivernes. »

Mon frère s'approcha de la fenêtre ; je le reconnus à son pas plus léger. Avec prudence, sachant que notre père ne tolérait nulle critique du roi qui pût s'assimiler à de la lèse-majesté, il déclara : « Vous avez raison, assurément ; il faut combattre les maladies par la science, non à l'aide d'amulettes ni de porte-bonheur. Cependant, je crains que la responsabilité des conditions qui favorisent la propagation du mal ne nous incombe en partie. D'aucuns disent que nos villes frontalières sombrent dans la turpitude depuis le décret royal permettant aux prisonniers pour dettes et aux criminels de se racheter en devenant colons. Il paraît que, dans certains bourgs où règnent le crime, le vice et l'insalubrité, les gens vivent comme des rats au milieu de leurs propres ordures. »

Il y eut un long silence, et mon frère retint sans doute son souffle dans l'attente d'une réprimande paternelle ; mais mon père répondit seulement avec réticence : « Il se peut que notre roi fasse preuve d'une magnanimité coupable à leur endroit, en effet. Devant l'occasion d'une vie nouvelle sur une terre vierge, de la rémission de leurs péchés passés, on pourrait croire qu'ils choisiraient de bâtir un foyer, de fonder une famille et de renoncer à leurs vices ; c'est peut-être le cas de certains, et peut-être ceux-là valent-ils les efforts et les dépenses que nous coûte le convoyage des prisonniers. Si un sur dix parvient à échapper ainsi à son passé sordide, peut-être faut-il accepter la chute des neuf autres pour prix de son salut. Après tout, peut-on reprocher au roi Troven d'échouer face à une racaille qui rejette jusqu'aux enseignements du dieu de bonté ? Quel recours a-t-on devant quelqu'un qui refuse de lever le petit doigt pour se sauver lui-même ? »

Mon père avait durci la voix, et je connaissais d'avance le sermon qui allait suivre : il avait la conviction qu'on décide de son propre destin, quelles que soient ses origines ou les circonstances de sa naissance, et il s'en donnait comme exemple. Second fils d'une famille noble, il devait devenir officier pour servir son roi et son pays ; on n'exigeait rien de plus de lui, et il s'était acquitté de sa tâche – mais de façon si remarquable que le roi l'avait anobli. Il ne demandait rien des autres qu'il n'eût d'abord exigé de lui-même.

Comme j'attendais qu'il exposât encore une fois ces vues à mon frère, j'entendis la voix de ma mère qui appelait mes sœurs, cachées dans leur retraite au jardin. « Elisi ! Yaril ! Rentrez, mes enfants ! Les moustiques vont vous dévorer si vous restez dehors plus longtemps !

— Nous arrivons, mère ! » répondirent-elles d'un ton empreint de résignation. Je compatis : cet été-là, notre père avait fait creuser à leur intention un bassin d'agrément qu'elles avaient aussitôt adopté pour y passer leurs soirées. Des chapelets de lanternes en papier y dispensaient une douce lueur qui ne voilait pas toutefois l'éclat des étoiles, et il s'y dressait un petit pavillon dont les parois en treillis accueillaient des plantes grimpantes ; on avait planté le long des promenades alentour toutes sortes de buissons dont la floraison nocturne laissait flotter des parfums capiteux. Etanchéifier le bassin avait demandé un travail d'étude approfondi, et le fils d'un des jardiniers devait monter la garde chaque nuit pour empêcher les petits félins sauvages de la région de dévorer les onéreux poissons ornementaux. Mes sœurs prenaient grand plaisir à s'asseoir près du bassin et à renchérir d'imagination sur leur foyer et leur famille futurs ; je partageais souvent leurs conversations vespérales.

Je le savais, si mère les appelait, elle me chercherait ensuite ; aussi quittai-je ma cachette pour emprunter l'allée de gravier qui contournait le manoir jusqu'à la porte d'entrée puis remonter discrètement à ma salle d'étude. Je ne pensai pas davantage à la peste ocellionne ce soir-là mais, le lendemain, je pressai le sergent Duril de questions qui toutes se rapportaient au même sujet : estimait-il que la qualité des fantassins avait décliné depuis l'époque où mon père et lui servaient le long de la frontière ? Comme j'aurais dû m'en douter, il me répondit que la qualité des soldats reflétait directement celle de l'officier qui les commandait, et que le meilleur moyen d'avoir des hommes droits et intègres était de me montrer moi-même droit et intègre. Bien que ce conseil n'eût rien de nouveau pour moi, je résolus de ne pas l'oublier.

3

Dewara

Les saisons passèrent et je grandis. Pendant le long été de ma douzième année, il avait fallu toute la patience de Siraltier et l'élasticité de mes jeunes jambes pour me permettre de monter sur lui ; parvenu à quinze ans, je pouvais poser les mains à plat sur son dos et l'enfourcher élégamment sans jouer des pieds pour l'escalader, amélioration qui nous réjouissait l'un comme l'autre…

Ma vie avait connu d'autres changements ; mon précepteur rabougri et acariâtre avait été remplacé pour répondre aux exigences croissantes de mon père quant à mon éducation scolaire, et deux professeurs assuraient désormais mes cours de l'après-midi, auxquels je n'osais plus arriver en retard. Le premier, vieillard sec et ridé, aux cheveux blancs sévèrement tirés en arrière et aux dents jaunes, m'enseignait la tactique, la logique et le varnien, langue de notre ancienne patrie, en recourant copieusement aux services d'une badine souple qui ne quittait jamais sa main. A en juger par son haleine, maître Rorton devait se nourrir principalement d'ail et de piments, et son habitude de toujours surveiller par-dessus mon épaule chacun de mes pleins et déliés m'exaspérait au plus haut point.

Maître Leibsen, grand et massif, venait de l'extrême-occident et m'inculquait la théorie et la pratique des armes ; je savais à présent tirer droit, à pied comme à cheval, au pistolet et au fusil. Il m'apprenait à mesurer ma poudre à l'œil avec autant de précision que d'autres avec une balance, à entretenir et à réparer mon matériel et à fondre mes propres balles. Je parle ici de balles de plomb ; les projectiles en fer, plus coûteux, qui nous avaient permis de vaincre les Nomades, restaient le domaine réservé des forgerons compétents, et mon père ne voyait pas d'intérêt à ce que je les gaspille sur des cibles d'exercice. Auprès de maître Leibsen, je m'entraînais aussi à la boxe, à la lutte, au combat au bâton, à l'escrime et, en cachette, après de longues supplications de ma part, au lancer de couteau et au maniement du poignard. J'appréciais mes leçons avec Leibsen autant que je détestais mes longs après-midi en compagnie de maître Rorton au souffle pestilentiel.

J'eus un autre professeur au printemps de ma quinzième année. Il ne m'enseigna pas longtemps, et pourtant il reste le plus mémorable. Il avait dressé sa petite tente dans un creux abrité près du fleuve et n'approcha pas une seule fois du manoir pendant son bref séjour ; sa présence à une demi-lieue à peine de mes sœurs impressionnables eût terrifié autant que fâché ma mère si elle l'avait apprise. C'était un sauvage des Plaines et un ancien ennemi de son époux.

Le jour où je devais faire la connaissance de Dewara, j'accompagnais sans me douter de rien mon père et le sergent Duril pour une sortie à cheval. Parfois, mon père nous invitait à sa tournée matinale de ses terres, et je ne m'attendais à rien d'autre. L'excursion se déroulait en général agréablement ; nous progressions sans hâte, déjeunions avec un de ses contremaîtres et faisions halte dans des fermes ou devant des tentes pour nous entretenir avec les bergers ou les ouvriers des vergers. Je n'avais emporté que le nécessaire pour une promenade ; il faisait bon en cette matinée de printemps et, à un manteau, j'avais préféré une veste légère et mon chapeau pour me protéger du soleil. En revanche, dans la région où nous vivions, il fallait être fou pour sortir à cheval sans protection, et, bien que je n'eusse pas d'arme à feu, mon épée de cavalerie, usée mais encore utile, pendait à ma hanche.

Je chevauchais entre mon père et le sergent Duril, ce qui me donnait la curieuse impression qu'ils m'escortaient. Le sous-officier paraissait maussade. Il ne parlait guère d'ordinaire, mais, ce jour-là, je sentais dans son mutisme une réprobation contenue ; il se trouvait rarement en désaccord avec son employeur, et son opposition m'emplissait à la fois d'inquiétude et d'une intense curiosité.

Quand nous eûmes laissé la maison assez loin derrière nous, mon père m'expliqua que j'allais rencontrer un Nomade kidona ce jour-là. Comme souvent lorsque nous parlions d'un clan particulier, il m'exposa les règles de la courtoisie kidona et m'avertit que mon face-à-face avec Dewara relevait du domaine masculin seul, que je ne devais en discuter ni avec ma mère ni avec mes sœurs, ni même y faire référence en leur présence. Nous nous arrêtâmes sur la colline qui dominait le bivouac du Nomade. Dewara avait monté un abri en forme de dôme, constitué de peaux de daim à bosse fixées sur une armature en osier, soigneusement curées sur une face mais le poil intact sur l'autre afin d'en préserver l'imperméabilité. Attachées à des piquets, ses trois bêtes de monte paissaient non loin ; je reconnus la fameuse espèce au museau sombre, aux pattes rayées et au ventre rond que les Kidonas étaient les seuls à élever. Leur crinière se dressait, raide et noire comme une brosse à cheminée, et leur queue m'évoquait celle d'une vache plus que d'un cheval. A quelque distance, deux femmes de la tribu se tenaient près d'une haute carriole à deux roues ; un quatrième animal s'agitait tristement entre les brancards. Il n'y avait rien dans le véhicule.

Un petit feu brûlait sans fumée devant l'abri ; Dewara, debout, les bras croisés, levait les yeux vers nous. Il avait repéré notre présence avant même de nous voir, car il nous attendait déjà dans cette position quand nous avions franchi le sommet de la butte. Cette faculté de prescience me donna la chair de poule.

« Sergent, restez ici », dit mon père à mi-voix.

Duril se mordilla la lèvre. « Mon colonel, j'aimerais mieux me rapprocher, en cas de nécessité. »

Il s'attira un regard impérieux. « Il y a certains enseignements qu'il ne peut recevoir ni de vous ni de moi ; il y a des enseignements qu'on ne peut apprendre d'un ami, seulement d'un ennemi.

— Mais, mon colonel…

— Restez ici, sergent, répéta mon père d'un ton

qui mettait un point final à la discussion. Jamère, accompagne-moi. » Il leva la main en signe de salut, et le Nomade l'imita. Alors il fit avancer son cheval au pas et s'engagea dans la descente qui menait au campement du Kidona. Je lançai un coup d'œil à Duril, mais il ne me vit pas, le visage fermé, la bouche réduite à une mince ligne. Je lui adressai néanmoins un hochement de tête puis je suivis mon père. Au bas de la pente, nous mîmes pied à terre et lâchâmes les rênes de nos montures ; bien dressées, elles n'iraient pas vaguer. « Viens à mon signal, murmura mon père. Jusque-là, demeure près des chevaux et ne me quitte pas des yeux. »

Il se dirigea d'une démarche solennelle vers le Nomade, et les deux ennemis se saluèrent avec un profond respect. Mon père m'avait ordonné au préalable de traiter le Kidona avec la même déférence que mes précepteurs. En tant qu'adolescent, je devais incliner la tête sur l'épaule gauche la première fois que je lui serais présenté, et ne jamais cracher en sa présence ni lui tourner le dos ; ainsi le voulaient les règles de la politesse de son peuple. Docilement, je ne bougeai pas et observai les deux hommes ; j'avais l'impression de sentir le regard du sergent Duril posé sur nous mais je me retins de me retourner vers lui.

Ils s'entretinrent quelque temps ensemble, à voix basse et dans le sabir des négociants, si bien que je ne saisis guère de quoi ils parlaient ; je compris seulement qu'il était question d'un marché. Pour finir, mon père m'appela de la main ; je m'approchai, inclinai dûment la tête sur mon épaule gauche puis hésitai : devais-je aussi serrer la main de Dewara ? Comme il ne faisait pas mine de tendre la sienne, je gardai les bras le long du corps. Sans un sourire d'accueil, il m'examina franchement des pieds à la tête comme un cheval qu'il envisageait d'acheter ; j'en profitai pour l'étudier moi aussi sans me dissimuler. Je n'avais encore jamais vu de Kidona.

Je le trouvai plus petit et plus sec que les Nomades que je connaissais. Chasseurs, maraudeurs et pillards, les Kidonas considéraient naguère comme leurs proies les autres peuples des Plaines, qui redoutaient leurs attaques. De tous nos adversaires, ils avaient été les plus difficiles à soumettre ; durs et sans pitié, ils avaient lancé un assaut contre la tribu des Rous, démoralisée par la défaite que lui avait infligée la cavalerie gernienne, pour s'emparer du peu qui lui restait. Quand mon père parlait d'eux, on sentait chez lui un effarement proche de l'effroi devant leur férocité ; le sergent Duril, lui, leur vouait une haine tenace.

Pendant ses années de pillage, un Kidona se nourrissait exclusivement de viande, et certains se limaient les incisives en pointe. Dewara avait observé cette pratique. Il portait un manteau en minces lanières de cuir léger entretissées, peut-être de la peau de lapin, dont certaines teintées afin de former un motif d'empreintes de sabot ; un ample pantalon marron, une tunique blanche qui tombait sous les hanches, serrée à la taille par une sorte de galon tressé de couleur vive et entremêlé de perles, et des bottes basses en cuir souple et terne complétaient sa vêture. Il allait tête nue, et ses cheveux gris acier s'y dressaient en une espèce de brosse qui m'évoquait le poil d'un chien en colère, ou encore la crinière de sa monture. A son flanc pendait une petite épée à lame courbe, le fameux et meurtrier cou-de-cygne en bronze propre à son peuple, outil autant qu'arme ; de fines tresses de cheveux humains aux teintes variées en enveloppaient la poignée. Je crus d'abord qu'il s'agissait de trophées de guerre, mais il m'expliqua plus tard que ce genre d'arme se transmettait de père à fils et que chaque génération ajoutait sa propre natte à titre de bénédiction pour la suivante. Assez affûtée pour servir au combat, l'épée présentait aussi une résistance suffisante pour trancher la viande destinée à la marmite. Instrument de mort redoutable et d'usage domestique à la fois, c'était la meilleure arme à laquelle pût aspirer un Kidona sans recourir au fer.

Après m'avoir étudié en silence, Dewara reporta son attention sur mon père, et ils se mirent à marchander dans un jindobé fluide sur la rétribution que toucherait le Nomade pour m'instruire ; je compris alors seulement que mon éducation et moi-même étions l'enjeu de cette rencontre. Etant donné ma connaissance rudimentaire du sabir des négociants, je dus écouter attentivement pour suivre la conversation. Dewara commença par exiger des armes à feu pour les siens ; mon père refusa mais sous forme de compliment, en répondant que les guerriers kidonas restaient déjà beaucoup trop dangereux avec leurs seuls cous-de-cygne et que son propre peuple se retournerait contre lui s'il donnait aux Kidonas des instruments capables de tuer à distance. Il avait parfaitement raison ; il ne mentionna pas, toutefois, que le roi interdisait la cession de telles armes aux Nomades ; il se fût diminué aux yeux de Dewara en avouant obéir à une autre loi que la sienne. Bizarrement, il ne lui rappela pas que l'usage du fer paralyserait sa magie, encore que l'homme ne l'eût certainement pas oublié.

Au lieu de fusils et de poudre, mon père proposa des couvertures faites au métier à tisser, du lard et des casseroles en cuivre. Dewara répliqua qu'aux dernières nouvelles il n'était pas une femme et que la literie, la nourriture et la cuisine ne le regardaient pas ; il s'étonnait que son interlocuteur s'en souciât. Assurément, un guerrier respecté comme lui pouvait obtenir au moins toute la poudre qu'il désirait. Mon père secoua négativement la tête ; je gardai le silence. Je savais que la loi prohibait la vente de poudre aux Nomades. Ils tombèrent finalement d'accord sur un ballot du meilleur tabac occidental, douze couteaux à dépecer et deux sacs de billes de plomb pour tirer à la fronde ; malgré le dédain affiché du Kidona pour ces denrées, ce qui emporta le marché, je m'en rendis compte, fut le muid de sel et celui de sucre que mon père jeta finalement dans la balance. Nombre des clans nomades conquis avaient pris goût au sucre, quasiment absent de leur régime jusque-là ; ajoutés aux autres articles de la liste, ils constituaient une rémunération plus que généreuse. Je coulai un regard oblique vers les femmes ; elles se poussaient du coude d'un air avide en échangeant des propos, la bouche cachée derrière la main.

Mon père et Dewara conclurent leur accord à la manière des Kidonas, en faisant chacun un nœud sur une lanière d'échange ; ensuite le Nomade se tourna vers moi et, en jindobé, d'un ton bourru, appendit un codicille au contrat : « Si tu te plains, je te renvoie chez ta mère. Si tu refuses un ordre ou désobéis, je te renvoie chez ta mère avec une entaille à l'oreille. Si tu hésites ou recules, je te renvoie chez ta mère avec une entaille au nez. Je ne t'enseigne plus et je garde le tabac, le sel, le sucre, les couteaux et les billes. Tel est ton engagement à toi, enfant. »

Mon père me regardait. Il ne m'adressa nul signe mais je lus dans ses yeux que je devais accepter. « Je m'y engage, répondis-je au Nomade. Je ne me plaindrai pas, je ne désobéirai pas, je ne refuserai pas vos ordres. Je n'hésiterai pas et je ne reculerai pas. »

Le guerrier hocha la tête, puis il me gifla à toute volée. Je vis venir le coup ; j'eusse pu l'éviter et détourner le visage pour l'atténuer. Je ne m'y attendais pas, et pourtant mon instinct me dit que je devais supporter l'insulte. La joue se mit à me cuire et je sentis du sang couler du coin de ma bouche. Sans un mot, je repris mon équilibre et regardai Dewara en face. Derrière lui, je vis la mine sinistre de mon père. De petits éclairs brasillaient au fond de ses yeux, et je crus y déchiffrer un mélange de colère et de fierté.

« Mon fils n'est pas un faible ni un lâche, Dewara, déclara-t-il. Il se montrera digne de l'enseignement que tu lui donneras.

— Nous verrons », murmura l'autre. Il lança un ordre en kidona à ses femmes, puis il se retourna vers mon père. « Elles te suivent, elles prennent mes marchandises et elles reviennent chez moi, aujourd'hui. »

Il tentait de l'inciter à mettre son honneur en doute. Dewara respecterait-il le marché une fois les biens en sa possession ? Mon père prit l'air légèrement surpris. « Naturellement.

— Alors je garde ton fils. » Le guerrier me toisa d'un regard qui me glaça. J'avais supporté la sévère discipline paternelle, les défis et les châtiments corporels du sergent Duril, mais l'expression du Dewara laissait augurer bien pire. « Emmène son cheval. Emporte son poignard et son long couteau. Laisse ton fils avec moi. Je l'enseignerai. »

Si j'avais pu implorer la pitié de mon père sans nous humilier ensemble devant le Nomade, je crois que je n'aurais pas hésité. J'eus l'impression de m'exhiber nu quand je tirai mon poignard de sa gaine et le lui remis. Plongé dans une sorte de stupeur, je me demandai ce que Dewara pouvait avoir de si important à m'apprendre que l'auteur de mes jours m'abandonnât sans arme aux mains de son vieil ennemi. Il prit mon poignard sans un mot. Il m'avait décrit les techniques de survie des Nomades et la connaissance de l'adversaire comme les meilleures armes d'un soldat ; mais la barbarie des Kidonas était légendaire et je savais que Dewara lui-même portait encore la cicatrice de la balle de fer que mon père lui avait logée dans l'épaule droite, avant de le menotter de bracelets d'acier puis de le garder prisonnier et otage pendant les derniers mois du conflit qui avait opposé le roi Troven à son clan. Seuls les efforts du médecin de la cavalerie lui avaient permis de survivre à sa blessure et à l'empoisonnement consécutif de son sang. Se sentait-il débiteur de mon père pour sa magnanimité ou bien brûlait-il de se venger de lui ?

Je dégrafai la ceinture usée à laquelle pendait ma vieille épée de cavalier, l'enroulai autour du fourreau et la tendis à mon père, mais à la dernière seconde Dewara me la prit des mains ; je dus faire un violent effort sur moi-même pour ne pas la retenir. Sous le regard impavide de son vieil ennemi, il dégaina l'arme et passa le pouce sur le plat de la lame, puis il eut un grognement dédaigneux. « Elle ne te servira à rien là où nous allons. Laisse-la ici. Peut-être un jour tu reviendras la chercher. » Il empoigna fermement la garde et planta l'épée dans la terre ; il s'écarta et elle resta dressée comme un repère indiquant l'emplacement d'une tombe. Il jeta le fourreau à côté d'elle, dans la poussière. Un frisson d'angoisse me parcourut.

Mon père me fit ses adieux sans me toucher, mais son regard paternel me rassura quand il dit : « Je te remets ma fierté, mon fils ; veilles-y. » Puis il enfourcha Pattes-d'acier et, emmenant Siraltier, repartit par un chemin moins raide qu'à l'aller, par égard pour les femmes qui le suivaient dans leur carriole. Je restai seul en compagnie du Kidona, sans guère que mes vêtements sur le dos. J'aurais voulu voir si le sergent Duril abandonnait son poste de surveillance pour emboîter le pas à son colonel, mais je n'osais pas me détourner de Dewara ; malgré l'agacement que me procurait souvent l'œil d'aigle du sous-officier posé sur moi, j'aurais donné beaucoup ce jour-là pour me sentir sous un regard protecteur. Les yeux gris et durs du Kidona me jaugeaient. Après ce qui me parut une éternité – le bruit des sabots et des roues s'éloignant avait disparu –, il fit la moue et demanda : « Tu montes bien ? »

Il estropiait le gernien ; je répondis dans un jindobé tout aussi maladroit : « Mon père m'a appris. »

Il eut un nouveau grognement de mépris et reprit en gernien : « Ton père te montre t'asseoir dans une selle. Je t'apprends monter *taldi*. Va. » Du doigt, il indiqua les trois créatures ; comme si elles savaient qu'on parlait d'elles, elles levèrent la tête et nous observèrent. Toutes rabattirent les oreilles en arrière en signe de contrariété.

« Lequel ? fis-je en jindobé.

— Choisis, bébé soldat. Je t'apprends à parler aussi, je crois. » Cette fois, il s'était exprimé en langue franche ; avais-je gagné un peu d'estime en employant ce sabir ? Impossible à savoir : son visage restait de pierre.

Je me dirigeai vers la jument, que j'espérais la plus docile des trois. Elle refusa de se laisser approcher et je dus saisir la corde qui la liait à son piquet pour l'obliger à se tenir tranquille. Plus j'avançais vers les bêtes, plus il devenait évident qu'il ne s'agissait pas de véritables chevaux, mais d'une espèce similaire. Au lieu de protester en hennissant, la femelle poussa un couinement qui n'avait rien d'équin à mes oreilles ; elle me mordit tandis que je m'efforçais de grimper sur son dos, une fois au bras, l'autre à la jambe. Peu tranchantes, ses dents n'entaillèrent pas la peau mais causèrent des meurtrissures profondes et durables. Elle renâcla, rua puis effectua une volte alors que je m'accrochais pour monter sur elle. Non sans mal, je réussis à l'enfourcher ; aussitôt, elle tourna la tête pour me mordre à nouveau, et je me reculai pour mettre mes jambes hors de sa portée. A cet instant, elle pivota encore une fois sur elle-même, et j'acquis la conviction qu'elle cherchait à me jeter à terre. Je serrai fermement les genoux et ne dis rien. Elle cabra et rua à deux reprises mais ne parvint pas à me faire lâcher prise. Je ne tentai pas de lui inculquer de meilleures manières car j'ignorais comment réagirait Dewara si j'essayais de discipliner une de ses montures.

« Kiksha ! » lança-t-il, et la bête se calma brusquement. Je restai néanmoins sur mes gardes : elle avait le ventre rond, le poil glissant, et portait une simple bride en guise de harnais. J'avais déjà pratiqué la monte à cru, mais jamais sur une créature de sa conformation.

A contrecœur, le Kidona salua ma réussite d'un hochement de tête, puis il déclara : « Elle s'appelle Kiksha. Tu dis son nom avant monter, elle sait devoir obéir toi. Tu dis pas nom, elle sait tu as pas le droit. Tous mes chevaux comme ça. Par ici. » Il se tourna vers un autre taldi. « Dedem, pas bouger. »

La bête pointa les oreilles vers l'avant et s'approcha de lui. Le Nomade enfourcha négligemment l'étalon au ventre arrondi. « Suis », dit-il, et il donna une tape sur la croupe de l'animal. Dedem s'élança aussitôt au galop. Je restai un instant étonné, puis j'assenai à Kiksha une claque qui la mit en mouvement.

Pendant quelque temps, je ne pus que m'agripper à sa crinière en brinquebalant et rebondissant sur son dos comme une poupée de chiffon attachée à la queue d'un chien. Chaque fois qu'un de ses sabots frappait le sol, le choc faisait sauter ma colonne vertébrale dans une nouvelle direction ; à deux reprises, je crus que j'allais tomber, mais la jument connaissait son affaire mieux que moi : on eût dit qu'elle me remettait dans mon assiette d'un roulement du garrot. La seconde fois qu'elle me rétablit ainsi, je décidai de lui faire confiance ; je me déplaçai en arrière, modifiai la position de mes jambes pour accompagner sa foulée, et nous évoluâmes soudain comme si nous nous étions fondus en une seule créature. Elle se jeta en avant et j'eus l'impression que nous doublions de vitesse. La silhouette de Dewara s'effaçait au loin, dos au fleuve, en direction des friches qui bordaient la propriété de mon père. Là, le sol s'élevait, et des ravines aux parois escarpées entaillaient les versants rocheux, prêtes à accueillir des torrents subits et tumultueux lors des orages. Le vent et la pluie avaient donné son aspect tourmenté à la région ; des buissons épineux au feuillage gris-vert poussaient dans les fissures des rochers tapissés de lichen d'un violet terne. Les sabots de la monture de mon guide entaillaient le sol aride et soulevaient un nuage de poussière que je devais respirer bon gré, mal gré. Il maintenait son étalon au grand galop sur un terrain où je n'aurais jamais osé risquer Siraltier ; je le suivais, convaincu qu'à tout instant il allait tirer les rênes pour permettre à sa bête de reprendre son souffle, mais non : il poursuivait à toute allure.

Ma petite jument gagnait régulièrement du terrain sur lui. Comme nous entrions dans une région plus accidentée et entamions la montée vers les plateaux, il me devint difficile de ne pas le perdre parfois de vue. Des creux et des bosses déformaient la plaine comme les plis d'une couverture chiffonnée. Je soupçonnai

Dewara d'essayer me lâcher, et, serrant les dents, je résolus qu'il n'y parviendrait pas ; je savais qu'au premier faux pas nous risquions de nous rompre le cou, ma monture et moi, mais je ne cherchai pas à retenir Kiksha, et, bien qu'elle battît du flanc sous l'effort, elle ne ralentit pas de son propre chef. Elle suivait l'étalon, et sa foulée chaloupée dévorait la distance.

Nous montions peu à peu, à la manière imperceptible des Plaines, et nous finîmes par arriver sur les plateaux. Au loin, ils cédaient la place à des affleurements élevés de roc rouge ou blanc ; çà et là, des arbres rabougris par l'irrégularité des précipitations et tordus par le vent constant signalaient des cours d'eau asséchés depuis longtemps. Nous passâmes devant de hautes aiguilles de pierre effritée qui se dressaient comme les dents pourries d'un crâne ou les tourelles usées du château des vents. Mon père les appelait des cheminées des fées ; il m'avait expliqué que certains Nomades y voyaient des conduits pour la fumée des régions infernales de leurs croyances. Dewara galopait toujours. La soif me taraudait et j'étais couvert de poussière de la tête aux pieds quand nous franchîmes le sommet d'une petite butte et vîmes Dewara qui nous attendait à côté de son taldi. Je dirigeai Kiksha vers le Nomade, m'arrêtai devant lui et me laissai glisser avec soulagement du dos trempé de sueur de ma monture ; la jument s'écarta de trois pas et tomba à genoux. Horrifié, je crus l'avoir crevée sous moi, mais elle se laissa aller sur le flanc puis sur le dos et se gratta avec délices sur l'herbe rase et rêche qui poussait dans la dépression. Je songeai avec nostalgie à mon outre d'eau restée accrochée à la selle de Siraltier, puis réprimai mes vains regrets.

Si Dewara s'étonnait que je l'eusse rattrapé, il n'en manifestait rien. Comme il se taisait, je finis par demander d'un ton circonspect : « Qu'allons-nous faire maintenant ?

— Nous sommes ici », répondit-il, laconique.

Je parcourus les environs du regard et ne vis rien qui distinguât cet « ici » d'un autre creux aride au milieu des Plaines. « Voulez-vous que je m'occupe des chevaux ? » Je le savais, au sortir d'un trajet avec Siraltier, mon père m'aurait donné l'ordre de commencer par panser ma monture. « Un cavalier sans cheval est un fantassin sans expérience », me répétait-il souvent. Mais Dewara se passa seulement la langue sur les lèvres puis cracha de côté d'un air indifférent. Il m'insultait, je m'en rendais compte, mais je tins ma langue.

« Taldis étaient taldis longtemps avant que les hommes montent dessus, déclara-t-il enfin d'un ton de dédain. Laisse s'occuper d'eux tout seuls. » D'après son expression, il considérait ma sollicitude comme un signe de faiblesse.

De fait, les bêtes paraissaient tout à fait capables de se débrouiller sans moi. Sa séance de grattage achevée, Kiksha se redressa et se joignit à Dedem pour brouter l'herbe rude ; leur long galop ne semblait pas les avoir épuisés. Si j'avais imposé une course pareille à Siraltier, j'aurais dû ensuite le faire marcher pour le rafraîchir puis l'étriller soigneusement et lui donner de l'eau à intervalles et en quantité soigneusement dosés. Les taldis, eux, avaient l'air de se satisfaire pleinement de leur fourrage grossier et de leur poil humide encroûté de poussière. « Les animaux n'ont rien à boire ; moi non plus, dis-je à Dewara au bout d'un moment.

— Ils ne mourront pas sans eau. Pas aujourd'hui. » Il me jaugea de l'œil. « Et toi non plus, bébé soldat. » Il ajouta d'un ton sec : « Ne parle pas. Tu n'as pas besoin de parler. Tu es avec moi pour écouter. »

Comme j'ouvrais la bouche pour répondre, il me réduisit au silence d'un geste brusque. Aussitôt me revint en mémoire son avertissement sur le châtiment qui m'attendait en cas de désobéissance ; je serrai mes lèvres sèches et, en l'absence de pierre sur laquelle m'asseoir, m'accroupis. Dewara paraissait tendre l'oreille ; à quatre pattes, il remonta le versant de notre cuvette en prenant garde, arrivé au bord, à ce que sa tête ne dépasse pas, et resta étendu là à plat ventre. Il ferma les yeux et garda une immobilité si absolue que, n'eût été son expression absorbée, je l'eusse cru endormi. A la tension qui l'habitait, je compris que je ne devais faire aucun bruit. Au bout d'un moment, il se redressa lentement sur son séant et se tourna vers moi avec un sourire suffisant, que ses dents blanches et limées en pointe rendaient un peu effrayant. « Il est perdu, dit-il.

— Qui ça ? demandai-je, désorienté.

— L'homme de ton père. Envoyé te protéger, je pense. » Son expression se fit cruelle ; peut-être attendait-il de ma part quelque manifestation d'atterrement.

J'éprouvais plutôt de la perplexité. Le sergent ? Mon père lui aurait-il ordonné d'assurer ma protection ? Ou bien Duril aurait-il agi de son propre chef ? Mon visage dut refléter mon questionnement car Dewara prit un air plus songeur ; il se leva et descendit à pas lents la pente jusqu'à moi. « Tu es à moi maintenant. L'élève fait plus attention quand sa vie en dépend. Oui ?

— Oui. » C'était exact, j'en avais la conviction. Je me demandai avec inquiétude ce qu'il mijotait.

Pendant quelque temps, il ne parut nourrir aucune intention particulière. Il s'accroupit non loin de moi et resta dans cette position pendant que les taldis broutaient l'herbe sèche ; on n'entendait que le vent qui soufflait sur le plateau, le bruit sourd des sabots des bêtes quand elles se déplaçaient et la stridulation constante des insectes. Au fond de la dépression, l'air ne bougeait pas, comme si la plaine nous tenait dans le creux de sa main. Dewara semblait attendre, mais quoi ? Je n'en avais pas la moindre idée. Je n'avais pas le choix : je devais l'imiter. Je m'assis en tailleur sur le sol dur, et, les traits et les cils empesés de la fine poussière de notre chevauchée, tâchai de ne pas penser à ma soif. Le Kidona ne me quittait pas des yeux. De temps en temps, je croisais son regard, mais j'observais surtout les petits cailloux mélangés à la terre devant moi ou le terrain environnant. Les ombres raccourcirent puis commencèrent à se rallonger. Dewara se leva, s'étira puis se dirigea vers sa monture. « Viens », me dit-il.

J'obéis. La jument s'écarta de moi jusqu'au moment où je prononçai la formule : « Kiksha, pas bouger. » Alors elle s'approcha de moi et se tint immobile pendant que je l'enfourchais. Mon nouvel instructeur ne nous avait pas attendus, mais cette fois Dedem marchait au pas au lieu de s'en aller au galop. Pendant quelque temps, nous restâmes derrière lui, puis le Kidona, d'un geste agacé, me fit signe de me placer à sa hauteur. Je crus qu'il désirait me parler, mais non ; sans doute n'aimait-il pas sentir quelqu'un dans son dos, tout simplement.

Nous voyageâmes ainsi le reste de l'après-midi. Je pensais que nous nous rendions à un point d'eau ou à un meilleur bivouac, mais, quand nous nous arrêtâmes enfin, je ne vis rien qui différenciât notre point de halte de la plaine alentour. Au moins, le précédent nous offrait un abri contre le vent incessant ; ici, des affleurements de roche rougeâtre pointaient du sol infécond. Laissés à eux-mêmes, les taldis se mirent à brouter sans enthousiasme les feuilles coriaces d'un buisson ; comme moi, ils ne paraissaient pas éperdus d'admiration pour le site choisi par Dewara. A pas lents, je parcourus un cercle pour observer la région qui nous entourait ; ce que je vis ressemblait trait pour trait à ce qui se trouvait à mes pieds. Le Kidona s'était assis, adossé à une grosse pierre.

« Voulez-vous que je ramasse du bois pour le feu ? lui demandai-je.

— Je n'ai pas besoin de feu. Et tu n'as pas à parler. »

Notre conversation n'alla pas plus loin ce soir-là. Il resta le dos contre son rocher pendant que les ombres s'allongeaient et que la nuit submergeait peu à peu la terre. C'était la nouvelle lune et les étoiles lointaines scintillaient sans parvenir à dissiper les ténèbres. Au bout de quelque temps, je compris que Dewara n'avait pas l'intention de bouger et je cherchai un abri où dormir. Le long d'une arête rocheuse qui saillait du sol, je dégageai dans le sable un creux assez grand pour me permettre de m'allonger contre la pierre, afin de profiter de la chaleur qu'elle avait absorbée dans la journée. Je m'étendis, posai la tête sur mon chapeau, croisai les bras et passai un moment à écouter le bruit du vent, des chevaux et des insectes.

Je m'éveillai par deux fois ; la première parce que j'avais rêvé de viande fumée de façon si intense que, même les yeux ouverts, j'en sentais encore l'odeur, la seconde à cause des tremblements de froid qui m'agitaient. En l'absence d'une autre option, je me renfonçai davantage dans mon trou en me demandant quelle leçon j'étais censé tirer de mon inconfort, puis je me rendormis.

Avant l'aube, le sommeil me fuit soudain et j'ouvris les yeux dans un état de parfaite vigilance. J'avais froid, faim et soif, mais je ne devais mon éveil à aucune de ces sensations. Sans bouger la tête, je tournai le regard : ombre noire contre le ciel gris acier, Dewara se tenait près de son rocher. Sans bruit, il fit un pas dans ma direction ; je fermai les paupières, mais pas complètement afin de pouvoir l'observer ; avait-il la vue assez perçante pour se rendre compte que je ne dormais plus ? Il se rapprocha encore, aussi discret qu'un serpent sur une dune.

J'évaluai les solutions qui s'offraient à moi. Si je restais immobile et feignais l'assoupissement, j'aurais pour moi l'élément de surprise ; mais lui aurait l'avantage de se trouver debout sur ses deux jambes, son cou-de-cygne au poing. Je me préparai puis me dressai d'un mouvement souple. Dewara s'arrêta net sans manifester le moindre embarras ; je gardai pour ma part une expression composée, inclinai la tête sur l'épaule gauche et le saluai : « Le matin ne va pas tarder. »

J'avais la voix rauque. J'éclaircis ma gorge desséchée puis ajoutai : « Trouverons-nous de l'eau aujourd'hui ? »

Il agita légèrement les mains, équivalent chez les Nomades d'un haussement d'épaules. « Qui peut le dire ? Les esprits décident. »

C'eût été un blasphème par complicité et un acte de lâcheté de laisser passer de tels propos. « Le dieu de bonté aura peut-être pitié de nous, répondis-je.

— Ton dieu vit loin derrière les étoiles, répliqua-t-il avec dédain. Mes esprits sont ici, sur la terre.

— Mon dieu m'observe et me garde du mal », rétorquai-je.

Il m'adressa un regard méprisant. « Ton dieu doit beaucoup s'ennuyer, bébé soldat. »

J'ouvris la bouche mais me tus ; je n'avais nulle envie de discuter de théologie avec un sauvage. Je pris l'insulte pour moi, à cause de ma vie monotone, et non pour le dieu de bonté, ce qui me permit de la laisser passer. Après un long silence, Dewara s'éclaircit la gorge à son tour. « Il n'y a pas d'intérêt à rester ici. Il fait assez clair pour repartir. »

Pour ma part, je n'avais vu aucun intérêt à notre bivouac, mais, là encore, je tins ma langue. Je montais à cheval depuis ma plus tendre enfance, mais j'éprouvais des courbatures inaccoutumées à cause de l'étrange physionomie de ma monture. Néanmoins, je l'enfourchai docilement et suivis le Kidona, toujours perplexe quant à ce qu'il devait m'enseigner. J'avais l'impression que mon père avait conclu un bien mauvais marché.

Dewara avançait et je restais à ses côtés. A midi, mon besoin de boire avait dépassé le stade de la soif pour s'acheminer vers la déshydratation. Ma robuste jument suivait vaillamment l'étalon, mais je savais qu'à elle aussi l'eau manquait. J'avais recouru à tous les trucs que je connaissais pour tromper ma pépie, et le petit galet que je suçais devenait plus agaçant qu'utile. Je l'avais ramassé lorsque j'avais mis pied à terre pour cueillir les feuilles charnues d'une oreille-d'âne, que j'avais mâchées jusqu'à la fibre avant de les recracher ; je n'avais guère réussi qu'à en extraire un peu d'humidité. Mes lèvres et mes muqueuses nasales desséchées s'entaillaient et j'avais l'impression d'avoir un épais morceau de cuir à la place de la langue. Dewara ne m'adressait pas la parole et ne manifestait nulle soif. La faim revint me tenailler, mais le besoin de boire retenait toute mon attention, et je cherchais fiévreusement les signes qui trahissaient la présence d'eau et que le sergent Duril m'avait enseigné à reconnaître : un alignement d'arbres, une cuvette remplie d'une végétation plus fournie qu'ailleurs ou vers laquelle convergeaient les traces d'animaux, mais je constatais au contraire que la région présentait de plus en plus l'aspect d'un désert caillouteux.

Je n'avais pas grand choix : il me fallait suivre Dewara en espérant qu'il y avait un but à notre progression. Quand les ombres commencèrent à s'allonger à nouveau sans que je visse la plus petite trace d'humidité autour de nous, je demandai : « Allons-nous arriver bientôt à un point d'eau ? » Mes lèvres parcheminées se fendirent quand je prononçai ces mots.

Il me lança un coup d'œil en coin puis, à mouvements exagérés, jeta des regards dans toutes les directions. « On dirait que non. » Et il sourit, apparemment insensible à la déshydratation. Sans un mot de plus, nous poursuivîmes notre route. Je sentais la vigueur défaillante de la petite jument, qui n'en continuait pas moins d'avancer crânement. Le soir se répandait sur les Plaines quand Dewara tira les rênes et observa les environs. « Nous dormirons ici », annonça-t-il.

Il avait choisi un emplacement encore pire que le précédent : il n'y avait même pas un rocher contre lequel s'abriter, ni d'herbe pour les montures qui devaient se contenter de brout sec.

« Vous êtes cinglé ! » m'exclamai-je d'une voix rauque avant de me rappeler le respect que je devais lui montrer. La soif occupait toutes mes pensées.

Il avait déjà quitté son étalon. Il leva les yeux vers moi, impassible. « Tu dois m'obéir, bébé soldat. Ton père l'a dit. »

Sur l'instant, je ne vis pas d'autre option que celle de me plier à sa volonté. Je descendis de ma petite jument courtaude et parcourus le paysage du regard : il n'y avait rien à voir. S'il s'agissait d'une épreuve, je craignais fort d'y échouer lamentablement. Comme la veille, Dewara s'assit en tailleur sur la terre aride ; apparemment, rester sans bouger à contempler le crépuscule en train de basculer dans la nuit le satisfaisait pleinement.

Je souffrais de la migraine et la faim qui me tordait l'estomac me mettait au bord de la nausée. Je me consolai en songeant que ces affres ne dureraient pas, et décidai de me préparer un lit un peu plus confortable que le soir d'avant ; je choisis une zone où le sable abondait plus que la pierre et à bonne distance du Kidona : je n'avais pas oublié son approche furtive du matin. A mains nues, je creusai dans le sol une dépression peu profonde, à peu près à ma taille, où, roulé en boule, je parviendrais à préserver ma chaleur contre le froid nocturne. J'ôtais les cailloux les plus gros de ma couche improvisée quand Dewara se leva et s'étira ; il se dirigea vers mon trou et l'examina d'un air méprisant. « Tu as l'intention de pondre bientôt ? Voilà un joli nid pour une poule avisée. »

Pour répondre, il eût fallu que je fisse bouger mes lèvres craquelées ; je préférai laisser passer la raillerie. Je ne comprenais pas que la faim et la soif pussent me tourmenter si durement alors qu'il y restait insensible. Comme s'il avait perçu mes pensées, il marmonna « Mauviette ! », fit demi-tour, retourna à son poste et se rassit. Avec un sentiment de puérilité, je me pelotonnai dans ma cuvette et, les yeux pleins de sable, fermai les paupières ; je dis tout bas mes prières du soir, demandai au dieu de bonté de m'insuffler des forces et de m'aider à discerner ce que mon père voulait me voir apprendre auprès du Kidona. Peut-être Dewara cherchait-il à éprouver ma résistance en me privant d'eau et de nourriture ? A moins que le vieil ennemi de mon père n'eût l'intention de rompre le marché et de me soumettre à la torture jusqu'à ce que mort s'ensuive.

Mon père avait-il eu tort de lui faire confiance ?

Ou bien étais-je bel et bien une mauviette doublée d'un traître qui doutait du jugement de l'auteur de ses jours ? « Je te remets ma fierté, mon fils ; veilles-y », avait-il dit. J'implorai encore une fois la divinité de m'accorder vigueur et courage, puis me laissai aller au sommeil.

Je me réveillai au milieu de la nuit en sentant une odeur de saucisses – non, de viande fumée. Je devais rêver. Soudain, un petit bruit me fit dresser l'oreille : le gargouillis d'une outre. Sûrement mon imagination qui me jouait des tours. Mais je l'entendis à nouveau, suivi du clapotis de l'eau quand Dewara l'écarta de ses lèvres ; je songeai alors que ses amples vêtements pouvaient aisément dissimuler une outre d'eau et une sacoche pleine de viande séchée. Je parvins à ouvrir les yeux malgré mes paupières collantes. Il ne fait nulle part plus noir qu'en pleine nuit au milieu des terres du Centre ; sous les étoiles lointaines et indifférentes, le Kidona me restait invisible.

Le sergent Duril m'avait souvent mis en garde contre la soif, la faim et le manque de sommeil qui pouvaient conduire à de mauvaises décisions ; il disait que je pourrais ajouter la concupiscence à la liste quand je me rapprocherais de l'âge adulte. Je m'absorbai donc dans mes réflexions : passais-je une épreuve d'endurance et de persévérance, ou bien mon père était-il la dupe de son vieil ennemi ? Devais-je obéir à Dewara même s'il me menait à la mort ? Valait-il mieux que je me fie au jugement de mon père ou au mien ? Certes, ses années lui donnaient sur moi l'avantage de l'expérience, mais il ne se trouvait pas à ma place. L'épuisement et la soif m'empêchaient de penser de façon cohérente, et pourtant il me fallait prendre une décision : obéir ou non, faire confiance ou non.

Je fermai les yeux et implorai le dieu de bonté de me guider, mais je n'entendis que le souffle du vent sur les Plaines. Dormant par à-coups, je rêvai de mon père ; il me disait que, si j'étais son fils, je devais pouvoir supporter cette épreuve ; puis mon songe se modifia et le sergent Duril déclara que ma stupidité ne l'étonnait pas, que même un enfant aurait assez de jugeote pour ne pas s'aventurer dans les Plaines sans eau ni vivres. « Les imbéciles méritent de mourir » : combien de fois ne m'avait-il pas ressassé cette phrase ! Si un soldat n'avait pas assez de bon sens pour assurer sa propre survie, qu'il se fasse tuer et débarrasse le plancher avant de provoquer la perte de tout son régiment. J'émergeai du sommeil et ne parvins pas à y replonger. Je me trouvais à la merci d'un sauvage qui me méprisait, je n'avais rien à boire ni à manger, il n'y avait sans doute pas une goutte d'eau à moins d'une journée de marche de notre camp, et je n'étais d'ailleurs probablement pas en état de marcher tout un jour sans eau. L'accablement me saisit, et, en fait de décision, je pris celle de dormir en espérant que la nuit me porterait conseil.

A l'aube rampante, je quittai mon creux dans le sable et me rendis auprès de Dewara. Il avait les yeux ouverts et me regardait. La bouche sèche et douloureuse, je réussis néanmoins à déclarer d'une voix rauque : « Vous avez de l'eau. Donnez m'en, je vous prie. »

Il s'assit lentement. « Non. » Sa main reposait déjà sur la poignée de son cou-de-cygne ; je n'avais pas d'arme. Il eut un sourire féroce. « Et si tu essayais de me la prendre ? »

Je restai immobile pendant que la colère, la haine et la peur s'empoignaient en moi ; pour finir, l'envie de vivre l'emporta. « Je ne suis pas fou », répondis-je. Je me détournai de lui et me dirigeai vers les taldis.

« Tu dis que tu n'es pas fou, me lança-t-il. Est-ce une autre façon de dire que tu es lâche ? »

J'eus l'impression de recevoir un coup de poignard dans le dos. Je m'efforçai de ne pas y prêter attention. « Kiksha, pas bouger. » La jument s'approcha de moi.

« Parfois, il faut se battre pour obtenir de quoi survivre ; il faut se battre même face à un adversaire imbattable. » Il se leva en dégainant son cou-de-cygne. La lame de bronze jeta des éclairs d'or dans le soleil levant. La colère assombrissait le visage du Kidona. « Ecarte-toi de ma bête. Je t'interdis de la toucher. »

Je m'accrochai à la crinière de la jument et l'enfourchai.

« Ton père a promis que tu m'obéirais, toi aussi, et moi que je t'entaillerais l'oreille dans le cas contraire.

— Je vais chercher de l'eau. » J'ignore pourquoi je prononçai ces mots.

« Tu n'as pas de parole, ton père non plus ; mais moi si ! me cria-t-il comme je m'éloignais. Dedem, pas bouger ! » Je talonnai alors Kiksha qui partit au galop. Le manque d'eau et de nourriture l'avait affaiblie autant que moi, mais elle paraissait de mon avis, et nous fuîmes. J'entendis le bruit lourd des sabots de Dedem derrière nous. Le sort en était jeté ; je me penchai sur l'encolure de Kiksha et m'agrippai fermement.

L'étalon, plus grand et plus robuste que la jument, gagnait du terrain. J'avais deux objectifs : échapper à Dewara et trouver à boire avant que les forces de ma monture ne défaillent, car j'aurais besoin d'elle pour rentrer chez moi. Je l'encourageais donc à accélérer sur le chemin par lequel nous étions arrivés ; selon mon estimation, à laquelle n'avait certes pas présidé tout le sang-froid voulu, il y avait de l'eau à deux jours de là, or un homme peut en survivre quatre sans boire ni manger, ainsi que me l'avait appris le sergent Duril. Il avait, cependant ajouté en souriant que la fatigue et les rigueurs du climat réduisent ses chances, et que celui qui se fie à son jugement après deux jours de jeûne risque autant de mourir d'une décision inconsidérée que d'affaiblissement pur et simple. Mon taldi ne pouvait pas galoper si longtemps d'une seule traite, je le savais, ni moi rester sur son dos ; mais mes facultés de raisonnement se trouvaient mises à mal par le fait que je fuyais quelqu'un qui en voulait à ma vie, expérience inédite pour moi, et que, ce faisant, je bravais l'autorité paternelle. Je ne savais lequel des deux était le plus terrifiant.

Je n'allai pas loin. Je n'avais qu'une mince avance sur le Kidona ; j'eus beau talonner ma jument, Dewara nous rattrapa peu à peu et parvint à ma hauteur. Je m'accrochai de toutes mes forces à la crinière de Kiksha, les genoux serrés sur ses flancs, car je n'avais guère d'autre choix. Quand je vis mon poursuivant tirer son cou-de-cygne, j'assenai de furieuses claques sur la croupe de ma monture, mais elle avait atteint la pointe de sa vitesse. La meurtrière lame courbe siffla au-dessus de ma tête. Je me risquai à décocher un coup de pied à mon assaillant, plus dans l'espoir de le distraire que de le désarçonner, mais c'est moi qui faillis tomber, et je sentis ma jument hésiter. L'épée brillante me frôla de nouveau, et Dewara la maniait avec tant de précision que je sentis, ainsi qu'il me l'avait promis, sa cruelle morsure lorsqu'elle m'entailla l'oreille ; elle m'entama aussi le cuir chevelu au passage, et un flot de sang se mit aussitôt à dégouliner dans mon cou. Je poussai un cri suraigu à la fois de souffrance et de terreur absolue ; aujourd'hui encore, je ne puis me rappeler sans gêne ce hurlement de fille. La douleur et la tiédeur du sang sur ma peau se fondirent en une seule sensation qui m'empêchait d'évaluer la gravité de ma blessure ; agrippé à Kiksha, une seule idée me guidait : fuir, fuir pour ne pas mourir ! Je savais que je n'avais aucune chance de m'en sortir vivant ; le prochain coup du Kidona m'achèverait.

A ma grande stupéfaction, il me laissa m'échapper.

Je ne le compris pas tout de suite ; il y fallut même un bon moment. Je filais sur la plaine, l'oreille me cuisait, mon cœur cognait si fort qu'il donnait l'impression de vouloir jaillir de ma poitrine, et je m'attendais à tout instant à entendre la lame siffler et à voir la lumière s'éteindre. Le sang grondait comme le tonnerre à mes tympans et je ne m'aperçus pas aussitôt que le bruit des sabots de Dedem s'amenuisait. Je lançai un coup d'œil sur le côté, puis derrière moi : Dewara tirait les rênes. Une fois arrêté, il resta sur son étalon et me regarda détaler en éclatant de rire ; je ne l'entendis pas, je ne vis pas son visage, et pourtant j'en suis sûr. Il brandit bien haut son épée d'or et agita sa main libre dans une parodie d'adieu. Sa moquerie me fit l'effet d'un fer rouge.

Humilié, sanguinolent, je m'enfuis comme un corniaud qui vient de recevoir un coup de pied. Mon organisme n'avait plus d'eau à gaspiller, sans quoi j'eusse sans doute fondu en larmes. Mon entaille à la tête saigna quelque temps, puis elle s'encroûta de poussière, et l'épanchement cessa. Je continuai ma course, bien que Kiksha ralentît le pas et que je n'eusse plus la volonté ni l'énergie de l'obliger à garder la cadence. J'essayai quelque temps de la ramener sur le chemin que nous avions suivi, mais nous nous en étions déjà trop écartés et la petite taldi ne voulait en faire qu'à sa tête ; je finis par renoncer à la mener en prenant pour excuse le conseil que m'avait souvent donné le sergent Duril : en l'absence d'un meilleur guide, toujours se fier à son cheval.

L'après-midi vint ; assis les épaules voûtées sur Kiksha, je la laissais choisir sa route et nous n'avancions plus guère qu'au pas. La tête me tournait. Dans le ciel limpide, le soleil brillait, éclatant et chaud. Ma faim, qui m'avait quitté un moment, était revenue, accompagnée de haut-le-cœur très pénibles pour ma gorge desséchée. Je me sentais complètement perdu. Tant que je suivais Dewara, je pensais que nous nous dirigions vers une destination précise et, malgré mes réserves, j'éprouvais une relative impression de sécurité ; à présent, j'ignorais où je me trouvais tant que les étoiles me restaient cachées, mais surtout j'avais gâché ma vie. J'avais désobéi à mon père et au Kidona, j'avais fait passer mon propre jugement avant le leur malgré mon manque d'expérience, et, si je mourrais au milieu des Plaines, je n'aurais à m'en prendre qu'à moi-même. Peut-être le Nomade me soumettait-il à un examen de résistance et avais-je battu en retraite trop tôt ; peut-être, si j'avais tenté de m'emparer de son outre, aurait-il été convaincu de mon courage et m'aurait-il donné à boire en guise de récompense ; peut-être n'avais-je gagné dans ma fuite qu'une fin de lâche. Ma dépouille pourrirait sur le sable et nourrirait oiseaux et insectes jusqu'à ce que le vent souffle mes ossements redevenus poussière. Mon père aurait honte de moi quand Dewara lui raconterait ma volte-face. Accablé de désespoir, je poursuivis ma route.

Le lendemain, dans la matinée, Kiksha trouva de l'eau sans que je l'eusse aidée en rien.

Ceux qui décrivent nos Plaines comme arides n'ont que partiellement raison. L'eau y existe, mais surtout dans des cours souterrains, et elle n'apparaît à la surface que quand un obstacle, couche de pierre ou de terre imperméable, l'y oblige. Kiksha avait découvert une de ces résurgences. Le lit caillouteux était sec comme l'os ce printemps-là, mais elle le suivit jusqu'à un pointement rocheux qui contraignait le ruisseau caché à remonter pour apparaître au grand jour sous la forme d'une petite mare vaseuse, guère plus étendue que deux stalles d'écurie. Il s'en dégageait une odeur nauséabonde due à la vie proliférante qu'elle abritait, et elle présentait une teinte verte agressive et repoussante. La jument s'y avança et se mit à boire le liquide épais.

Je glissai à bas de son dos, m'écartai de deux pas et m'allongeai à plat ventre dans la boue ; j'approchai la bouche de la mince couche d'eau plus claire en surface et l'aspirai, les dents serrées en guise de tamis. Une fois désaltéré, je restai couché, le visage dans la mare dans l'espoir de ramener à un semblant de normalité ma langue transformée en morceau de cuir et les lèvres à vif. A côté de moi, Kiksha buvait, reprenait son souffle puis buvait à nouveau. Enfin, le pas lourd, elle quitta le bord boueux et retourna sur la terre craquelée où elle se mit à brouter avidement l'herbe qui poussait autour de la doline. Je l'enviai.

Je me relevai lentement, essuyai la vase qui maculait mon menton puis m'en débarrassai les mains en les secouant. L'estomac alourdi d'eau, j'avais comme la nausée de le sentir enfin rempli. Je sortis de la mare fangeuse et inspectai notre petit havre ; l'axe du lit à sec m'indiqua que nous nous trouvions en dessous de la plaine balayée par le vent. J'entendais d'ailleurs le murmure de l'air constamment en mouvement au-dessus de nous, tandis que le silence régnait dans notre creux abrité. Puis, peu à peu, comme je me tenais immobile, le chœur de la vie entonna de nouveau son chant : les insectes reprirent leurs conversations, une libellule survola la surface de l'eau, les grenouilles sanguines qui s'étaient dissimulées pendant que nous pataugions dans leur flaque quittèrent leurs cachettes ;

rouge vif comme des caillots de sang frais, elles ressortaient vivement sur le fond d'écume verdâtre et de roseaux courts de la mare. Rétrospectivement, je me réjouis que notre approche les eût fait s'égailler, car ces petites créatures étaient toxiques ; dans mon enfance, un de nos chiens avait succombé après en avoir saisi une dans sa gueule, et un simple contact provoquait des picotements de la peau.

Je reconnus certaines plantes aquatiques comestibles, les arrachai et les mastiquai longuement ; elles faisaient du volume dans mon ventre, mais la faim continuait à rôder en grondant autour d'elles. En revanche, je ne trouvai rien dont je pusse me servir comme récipient pour emporter de l'eau. Je redoutais la faim et la soif dont j'allais souffrir pendant le trajet de retour chez moi, mais pas autant que la confrontation avec mon père ; je l'avais déshonoré. Cette pensée me ramena au bord de la résurgence pour nettoyer le sang coagulé qui me couvrait le cou. L'entaille ! Mon oreille resterait marquée à jamais ; je garderais jusqu'à la fin de ma vie ce souvenir de la promesse que j'avais enfreinte ; pour le restant de mes jours, chaque fois qu'on m'interrogerait sur cette encoche, je devrais avouer que j'avais désobéi à mon père et manqué à ma parole.

Quand on s'éloignait de la mare, les abords boueux cédaient la place à des plaques de terre craquelée qui indiquaient le niveau de l'eau lors de l'hiver précédent. J'étudiai les empreintes que j'y relevai ; à l'époque où il restait un peu d'humidité dans le sol, un petit cerf buissonnier était venu se désaltérer ; une série de traces brouillées pouvait provenir d'un grand félin ou d'un chien sauvage. Au-delà de la zone de terrain nu et parcouru de fractures, une herbe sèche poussait à l'ombre squelettique d'un baliveau mort. J'arrachai plusieurs poignées de cette herbe puis m'approchai de Kiksha. D'abord craintive quand je commençai à lui frotter le dos et les flancs pour en nettoyer la sueur et la poussière, elle parut ensuite apprécier ce traitement. Je ne la remerciais pas seulement ainsi d'avoir trouvé de l'eau ; je me rappelais aussi un des premiers principes qu'on m'avait inculqués : prendre soin de ma monture. Jamais je n'aurais dû écouter les prétendus enseignements de Dewara.

L'étrillage achevé, je me préparai une couche parmi les touffes d'herbe ; j'avais décidé de dormir tout l'après-midi puis, après avoir bu autant que possible, de reprendre mon trajet en me guidant aux étoiles. Je cassai l'arbrisseau mort au ras du sol et l'ébranchai ; l'arme que j'obtins n'avait rien de redoutable, mais j'ignorais quels animaux pouvaient se rassembler le soir au point d'eau, et une canne valait mieux que rien ; je la gardai près de moi en m'allongeant pour dormir. Bien que je craignisse d'avance d'avouer mon échec à mon père, je n'aspirais néanmoins qu'à rentrer chez moi. Je fermai les yeux au milieu des stridulations des insectes et sous le regard furtif des grenouilles sanguines.

4

La traversée du pont

Je m'éveillai. l'obscurité n'avait pas encore atteint la noirceur complète de la nuit des Plaines. Immobile, je tendis tous mes sens pour découvrir ce qui m'avait tiré du sommeil, et soudain je compris : le silence. Quand je m'étais assoupi, les insectes et les grenouilles chantaient ; ils se taisaient désormais, effarouchés par… quoi ?

Je sentis mon bâton sous ma main. Je l'empoignai puis cherchai Kiksha du regard ; la jument ne bougeait pas, les oreilles pointées en avant, vigilante. Des yeux, je suivis la direction à laquelle elle faisait face. Je ne vis rien tout d'abord, puis je devinai tout à coup la silhouette de Dewara qui se découpait sur le ciel assombri. Je me dressai aussitôt pour l'affronter, ma canne en garde comme s'il s'agissait d'une vraie pique et non d'un fragile bout de bois. Je ne m'attendais pas à la vague de haine et de peur qui me submergea. Le cou-de-cygne du Kidona n'avait pas quitté son fourreau, sans doute encore maculé de mon sang. Armé de mon maigre épieu, je mesurai soudain avec effroi l'inégalité de mes chances, à quinze ans, tout en bras et en jambes, face à un guerrier adulte à la musculature éprouvée.

Sans un bruit, il descendit la pente qui menait à la mare. Prêt au combat, j'eus tout à coup la certitude que j'allais mourir, et un grand calme m'envahit. Il croisa mon regard et son sourire découvrit lentement ses dents limées en pointe. « Tu as appris la leçon, je crois », dit-il.

Je ne répondis pas.

« Belle encoche à l'oreille, reprit-il. Je t'ai marqué comme une femme marque une chèvre. » Et il éclata de rire. Il savait la haine qui faisait bouillir mon sang et s'en moquait ; il s'accroupit comme si je ne représentais nulle menace, se gratta l'épaule puis plongea la main sous son ample tunique. Il en tira un paquet qu'il ouvrit et dont il sortit un objet allongé qu'il tendit vers moi. Mon nez m'indiqua qu'il s'agissait de viande fumée. Il le tint bien en évidence devant moi, et mon estomac émit un grondement sonore ; puis il se le fourra dans la bouche et se mit à mastiquer bruyamment en faisant claquer sa langue. « Tu as faim, fils de soldat ? » Il agita le paquet de viande boucanée.

« Donnez-moi à manger », fis-je d'un ton impérieux. Les mots avaient jailli sans que j'eusse le temps de réfléchir et je les regrettai aussitôt : je n'avais aucun moyen de l'obliger à m'obéir. La salive avait inondé ma bouche à la vue de la nourriture, et je la ravalai péniblement ; une pulsion irrésistible me poussait à m'emparer de ce qu'il possédait, et je compris brusquement que je devrais le combattre. Mieux valait périr dans un ultime assaut que vaincu par la faim. Je m'avançai vers lui d'un pas lent mais décidé, mon arme pitoyable pointée devant moi. Devant mon air résolu, il eut un sourire carnassier, se campa, les muscles bandés, et se prépara à parer mon attaque. Je continuai ma progression en surveillant son cou-de-cygne du coin de l'œil.

Je me trouvais à moins de quatre pas de lui quand il se redressa tout à coup, son arme à la main ; je ne l'avais même pas vu la dégainer. « Tu veux la viande ! Viens la prendre, bébé soldat ! », lança-t-il d'un ton railleur.

J'ignore lequel de nous deux fut le plus surpris lorsque je me ruai sur lui. Je voulus le jeter à terre en lui balayant les pieds de ma pique, mais le bois sec se brisa sur son tibia. Dewara poussa un hurlement de rage plus que de douleur et, d'un revers de son cou-de-cygne, coupa en deux ce qui restait de mon bâton.

Je lui jetai les morceaux de bois à la tête et le ratai ; alors je m'élançai sur lui en espérant, sans nourrir guère d'illusions, échapper au prochain passage de son épée et lui porter quelques coups avant qu'il ne me tue. A ma grande stupeur, il retourna son arme et m'enfonça violemment la courte poignée dans le ventre ; l'impact me souleva de terre et me projeta en arrière. J'atterris sur le dos et mon crâne heurta le sol dur dans une explosion de lumière éblouissante. Le choc avait chassé l'air de mes poumons et la douleur irradiait de mon abdomen.

Suffoquant, des taches noires flottant à la périphérie de mon champ de vision, je restai étendu à m'efforcer de reprendre mon souffle, en proie à un effroi si grand que j'en oubliais mon humiliation. Dewara s'écarta de quelques pas, rajusta ses vêtements et rengaina son cou-de-cygne, tout cela en me tournant le dos, geste dont la signification ne m'échappa point : il me considérait comme un adversaire trop inepte pour représenter un danger. Quand il se retourna, il éclata de rire comme si nous avions partagé une bonne plaisanterie puis tira de son paquet une lanière de charque. J'avais roulé sur le flanc et m'évertuais à me relever. Il me jeta la viande qui tomba dans la poussière à côté de moi. « Tu as appris la leçon. Mange, bébé soldat. Celles de demain te donneront plus de fil à retordre. »

Il s'en fallut encore de plusieurs minutes avant que je parvinsse seulement à me redresser sur mon séant. Jamais de ma vie je n'avais eu aussi mal ; en comparaison, les coups que m'infligeait le sergent Duril avec sa fronde et ses cailloux avaient la douceur des baisers d'une mère. Il y aurait du sang dans mes urines, je le savais ; il ne me restait qu'à espérer ne pas souffrir de dégâts internes trop graves. Dewara déambulait tranquillement autour de ma mare ; il ramassa un morceau de mon bâton et s'en servit pour remuer l'eau d'un air songeur, peut-être dans le but de disperser les grenouilles sanguines.

Je n'avais jamais éprouvé pareil sentiment de défaite et d'humiliation. Je le haïssais de tout mon cœur et j'abominais encore plus ma propre inefficacité. Je regardais fixement le bout de viande, partagé entre le désir ardent de m'en emparer et la honte d'accepter un cadeau de mon ennemi. Pour finir, je pris la lanière de charque en me remémorant le précepte du sergent Duril : dans une situation périlleuse, il faut tout faire pour conserver ses forces et l'esprit clair. Puis le doute m'assaillit : ne cherchais-je pas des excuses à ma faiblesse de caractère ? Je craignais encore une ruse ; je reniflai la viande en me demandant si je saurais détecter la présence de poison. A l'odeur de la nourriture, un spasme de faim contracta mon estomac et la tête me tourna. J'entendis Dewara rire tout bas puis me lancer : « Tu ferais mieux de manger, bébé soldat – à moins que la leçon ne t'ait coupé l'appétit ?

— Je n'ai rien appris de vous », répliquai-je d'un ton hargneux, et je mordis dans la charque. Elle était si dure qu'il me fallut en attendrir l'extrémité entre mes molaires avant de pouvoir l'arracher ; je l'avalai par bouchées à demi mâchées qui me raclèrent la gorge, et je l'eus trop vite terminée. Je n'avais pas quitté Dewara des yeux, et l'approbation que je lisais sur son visage m'agaçait. Il fit cliqueter ses dents et, peu après, je perçus le claquement sourd des sabots de sa monture. Dedem apparut au bord de la dépression et s'empressa de dévaler la pente ; il s'avança dans l'eau peu profonde et se mit à boire bruyamment,

Dewara alla se placer à l'autre bout de la mare, s'agenouilla, écarta des mains la pellicule végétale qui couvrait la surface, se pencha et but à son tour. J'espérai avec ferveur qu'il avalerait une grenouille.

Sa soif étanchée, il s'éloigna pour gagner un sol plus sec et s'installa pour la nuit qui se refermait sur nous. Je l'observai en bouillant intérieurement : son postulat narquois que je ne représentais nulle menace, son indifférence moqueuse pour les mauvais traitements et la blessure qu'il m'avait infligés dépassaient la simple insulte, et j'étouffais d'indignation. Je finis par éclater. « Pourquoi m'avez-vous suivi ? » J'eus l'impression d'entendre un enfant geignard, ce qui acheva de m'exaspérer.

Il ne daigna même pas ouvrir les yeux. « Tu avais mon taldi. Et je te l'ai dit : les Kidonas tiennent parole ; je dois te ramener sain et sauf chez ta mère.

— Je ne veux pas de votre aide », fis-je d'un ton venimeux.

Il se redressa sur un coude et me regarda. « Tu ne veux même pas de ma Kiksha, qui te porte ? Même pas de la viande que tu viens de manger ? » Il se rallongea, se gratta la poitrine et fit les petits bruits de celui qui s'apprête à dormir. « Tu ravaleras ton orgueil demain, je pense. Tu en as beaucoup ; ça tient bien au corps. Demain, nous commencerons à faire de toi un Kidona.

— Faire de moi un Kidona ? Je ne veux pas devenir un Kidona ! »

Il s'esclaffa. « Bien sûr que si ! On veut devenir celui par qui on a été vaincu. Un garçon qui a un filet de guerre dans le cœur aspire au fond de lui à devenir un Kidona ; même ceux qui ne savent pas ce que c'est en ont envie, comme d'un rêve qui reste à rêver. Tu souhaites être un Kidona ; j'éveillerai ce rêve en toi. C'est ce que ton père attendait de moi, je pense, même s'il n'a pas osé le dire.

— Mon père désire me voir officier et gentilhomme de la cavalla royale, où je suivrai les traditions anciennes de la chevalerie et honorerai le nom de ma famille, ainsi que tous les hommes de mon sang depuis que nous nous battons pour les souverains de Gernie. Je suis le fils militaire de la lignée des Burvelle ; je n'ai d'autre ambition que d'accomplir mon devoir envers mon roi et les miens.

— Demain, nous ferons de toi un Kidona.

— Jamais. Je sais ce que je suis !

— Moi aussi, bébé soldat. Maintenant, repose-toi. » Il s'éclaircit la gorge, toussota puis se tut ; sa respiration s'alourdit et prit un rythme régulier. Il dormait.

Débordant de rage, je m'approchai de lui et demeurai un moment à le contempler, les poings serrés. Il ouvrit un œil, me lorgna, bâilla longuement et referma la paupière. Il ne craignait même pas que je le tue pendant son sommeil : il se servait de mon honneur contre moi, insulte d'autant plus cuisante que jamais je ne me fusse abaissé à un acte aussi lâche. Immobile, je n'attendais qu'un geste de menace, même infime, de sa part pour me jeter sur lui et tenter de l'étrangler ; attaquer un homme qui venait de refuser l'occasion de me tuer alors que je gisais à ses pieds eût été plus que déshonorant. Malgré mon humiliation, je ne le voulais ni ne le pouvais. Je finis par m'éloigner.

Je préparai ma couche à bonne distance de lui et me pelotonnai dans mon nid d'herbe sèche, toujours en proie à une vague nausée. Je croyais que ma colère et ma haine me tiendraient éveillé, mais je m'endormis comme une masse ; à quinze ans, l'organisme exige du repos, qu'on ait le cœur meurtri ou non, et j'avais complètement oublié mon projet de voyager de nuit en me guidant aux étoiles. Il me faudrait des années avant de mesurer avec quelle habileté Dewara m'avait placé sous sa coupe ; cependant, tout en voyant clairement comment il s'y était pris, je n'ai jamais compris comment sa manœuvre avait pu réussir.

Le lendemain matin, il accueillit la journée nouvelle avec enthousiasme et m'ouvrit les bras avec chaleur et force bons vœux. Il se comportait comme s'il n'existait plus de différend entre nous, et j'en restais abasourdi. Je souffrais toujours de douleurs diverses, l'examen de ma poitrine et de mon ventre révélait un énorme bleu, mon oreille entaillée piquait encore de mes ablutions matinales, et je n'avais qu'une envie : poursuivre l'inimitié qui m'opposait au Kidona ; j'en venais à espérer qu'il me brutalise ou me provoque afin de pouvoir me battre avec lui. Mais je ne tirais de lui que des plaisanteries bon enfant et des propos aimables. Devant ma méfiance face à ses avances amicales, il louait ma prudence ; devant mon mutisme revêche, il louait ma réserve digne d'un guerrier. De quelque façon que s'exprimât mon rejet de la main qu'il me tendait, il parvenait à y trouver matière à compliment. Quand, pour finir, je m'assis et refusai de lui répondre, il applaudit mon sang-froid en disant que le guerrier qui préserve ses forces en attendant de mieux comprendre la situation fait preuve de sagesse.

En tout, il se montrait différent de celui qu'il était la veille, et j'ignorais si je devais m'ébahir de ce chamboulement de son comportement ou camper sur ma conviction que sa sincérité apparente masquait son mépris pour moi. Face à son attitude amicale, mon hostilité paraissait puérile, même à mes propres yeux, et j'avais du mal à maintenir mon antagonisme, d'autant plus qu'il m'invitait à participer à toutes ses activités et à m'approcher tandis qu'il me les expliquait en détail. Rien ne m'avait préparé à pareille expérience ; l'un de nous deux avait-il perdu la raison ?

Rien n'est plus facile à manipuler qu'un adolescent désorienté.

Ce matin-là, il m'offrit de la viande sans que j'eusse à l'en prier et me montra comment il se servait des plantes aquatiques pour filtrer l'eau dont il remplit ses longues outres tubulaires, sans doute faites en boyau d'animal. Il attrapa aussi plusieurs grenouilles sanguines en prenant grand soin de ne pas les toucher à mains nues ; il les porta jusqu'à une large pierre plate loin de la mare et les y abandonna. Sous le soleil brûlant, les petites créatures rouges s'aplatirent bientôt en revêtant une teinte marron ; pendant ce temps, Dewara leur avait préparé un emballage des larges feuilles résistantes d'un pertuisier, et il les fourra, une fois desséchées, dans une des poches intérieures de sa tunique. Je commençais à me rendre compte que, contrairement à mon impression que nous avions quitté son bivouac les mains vides, il était en réalité parfaitement équipé pour notre séjour dans les Plaines ; il possédait tout ce dont nous avions besoin pour survivre, et, pour en obtenir ma part, je me verrais forcé de reconnaître ma soumission.

Le visage jovial et affable qu'il me présentait me laissait si désemparé que j'avais le plus grand mal à conserver ma méfiance ; néanmoins, j'y parvenais. Enfin, il endossa le rôle de précepteur, comme s'il avait décidé tout à coup de m'enseigner ce que mon père voulait que j'apprenne. Quand nous enfourchâmes nos montures, je crus que nous allions retourner tout droit à son camp, sur les terres de Grandval, près du fleuve ; mais il prit une direction différente et je le suivis. Nous fîmes halte à midi il me donna une petite fronde, me montra la manière kidona de s'en servir et m'ordonna de m'y entraîner ; ensuite, laissant nos taldis, nous nous avançâmes à pied dans la broussaille qui poussait le long d'une ravine. Il étourdit d'une pierre bien ajustée le premier coq des Plaines que nous levâmes, et je m'élançai pour tordre le cou de l'oiseau avant qu'il ne reprît ses sens ; il brisa l'aile du second, qui me fit longuement courir avant que je parvinsse à l'attraper. Ma vie en eût-elle dépendu, j'eusse été incapable d'en toucher un jusqu'à l'instant où, en fin d'après-midi, j'en tuai un du premier coup.

Ce soir-là, nous fîmes du feu, nous restaurâmes de viande cuite et partageâmes l'outre de Dewara comme de vieux camarades. Je ne parlai guère, mais il compensa mon mutisme par une soudaine loquacité ; il évoqua nombre de batailles auxquelles il avait participé à l'époque où les Kidonas s'en prenaient aux autres Nomades, récits pleins de sang, de viols et de pillages, et il éclata d'un rire joyeux au souvenir de ces « victoires ». Il enchaîna par des « légendes du ciel », mythologie fondée sur les constellations ; dans la plupart de ces histoires, le héros usait de tromperie, de vol, et séduisait la femme d'autrui sans vergogne, et je finis par comprendre que, chez les Kidonas, on admirait le larron habile tandis que le maladroit payait souvent son impéritie de sa vie. Je jugeai cette morale insolite.

Je m'endormis alors qu'il me narrait la fable des sept sœurs et du séducteur qui les prenait dans ses rets l'une après l'autre et avait un enfant avec chacune sans en épouser aucune.

Son peuple ne connaissait pas l'écriture mais conservait la mémoire de son passé sous la forme de contes transmis oralement ; je devais en entendre beaucoup au cours des longues soirées qui suivirent. Parfois je percevais dans la cadence de son débit l'écho d'innombrables années de répétition. Les plus anciens récits parlaient du temps où, sédentaires, les Kidonas habitaient au pied des montagnes ; les Tachetés les avaient chassés de leurs fermes et leur avaient jeté un maléfice qui avait fait d'eux des errants condamnés à vivre de pillage, de vol et de violence, au lieu de récolter les moissons et d'entretenir les vergers. Ces Tachetés qu'il décrivait comme des sorciers aux pouvoirs immenses, qui menaient une vie de luxe au milieu de leurs trésors incalculables, me laissèrent perplexe plusieurs jours : qui étaient ces êtres à la peau mouchetée et doués de magie, capables de lancer un vent de mort sur leurs ennemis ? Quand j'opérai enfin le rapprochement avec les Ocellions, j'eus l'impression d'une image familière dédoublée : à celle d'une tribu primitive de créatures écervelées qui se cachait au fond des bois se superposait soudain celle de Dewara qui les voyait comme des adversaires redoutables et retors. Je réfléchis et résolus ainsi cette inadéquation : les Ocellions avaient, j'ignorais comment, forcé les Kidonas à quitter leurs terres pour devenir des vagabonds et des pillards ; en conséquence, le peuple de Dewara leur avait attribué une terrifiante puissance magique afin d'expliquer son incapacité à leur résister. Toutefois, cette « solution » me laissait insatisfait car elle ne cadrait pas tout à fait avec la réalité, comme des planches mal dégrossies clouées sur une fenêtre ; elles n'empêchaient pas le vent froid d'une autre vérité de passer et de me glacer.

Je n'éprouvai jamais nulle amitié ni confiance véritable envers Dewara, mais, les jours suivants, il m'instruisit et je me soumis à son enseignement ; j'appris à monter comme un Kidona, à enfourcher un de ses taldis en courant, à côté de lui, à me tenir fermement sur le dos nu et lisse de la jument et à la diriger par d'infimes coups de talon, à descendre de ma monture en plein galop et à effectuer une roulade qui me permettait de me jeter à plat ventre au sol ou de me relever souplement. Mon jindobé, la langue franche de tous les Nomades, s'améliora.

J'avais toujours été un adolescent élancé, sans une once de graisse en trop, et bien musclé grâce à mon père et au sergent Duril ; mais, pendant le temps où Dewara me prit en main, je devins sec et résistant comme un morceau de charque. Nous ne nous nourrissions que de viande ou de sang. Je souffris tout d'abord d'une faim terrible et rêvai de pain, de friandises, même de navets, mais ces affres passèrent comme des appétits malavisés et une sorte d'euphorie les remplaça devant la réduction de mes besoins alimentaires, sensation enivrante difficile à définir. Après cinq ou six jours en compagnie de Dewara, je perdis le fil des heures et entrai dans un temps où je lui appartenais. Par la suite, j'eus toujours du mal à décrire l'état d'esprit où je me trouvais, même aux rares personnes en qui j'avais assez confiance pour parler avec elles de mon séjour auprès du guerrier kidona.

Chaque jour ou presque, nous abattions un faisan ou un lièvre à la fronde, et nous buvions le sang prélevé sur nos montures quand nous rentrions bredouilles. Dewara partageait avec moi son eau et sa viande séchée, mais avec parcimonie. Nous bivouaquions souvent sans feu ni rien à boire, et je cessai vite d'y voir des privations. Il me racontait des histoires tous les soirs, et j'acquérais peu à peu le sens du bien et du mal tels que le percevaient les siens : faire un enfant à la femme d'un autre si bien que le mari légitime trimait pour nourrir un bâtard était considéré comme un tour à mourir de rire ; réussir à voler sans se faire prendre passait pour le signe d'une vive intelligence, alors qu'on regardait celui qui se faisait attraper comme un sot qui ne méritait ni pitié ni compassion. On tenait celui qui possédait taldis, épouse et enfants pour riche et béni des dieux, et l'on devait écouter sa parole ; en revanche, l'indigent ou celui dont les bêtes, la femme ou les enfants dépérissaient ou mouraient était stupide ou maudit par les dieux, et, dans tous les cas, on perdait son temps à lui prêter attention.

Le monde de Dewara m'apparaissait dur et implacable, dénué de toute douceur. Je ne parvins jamais à accepter les us de son peuple, et pourtant, d'une façon étrange, j'acquis une certaine compréhension de son point de vue. Selon sa logique impitoyable, mon peuple avait vaincu le sien, l'avait forcé à se sédentariser, et les Kidonas nous en vouaient une haine féroce ; toutefois, d'après leurs traditions, nous avions triomphé uniquement parce que les dieux nous avaient favorisés ; par conséquent, quand nous parlions, la sagesse imprégnait notre parole et il fallait en tenir compte. Dewara avait pris comme un honneur que mon père lui annonce vouloir lui confier mon éducation, et il voyait dans le fait de pouvoir me rudoyer et me maltraiter un grand privilège que lui envieraient les autres Kidonas. Il avait le fils de son ennemi à sa merci et il se montrerait sans pitié avec moi. Il se réjouissait sans vergogne devant moi de m'avoir infligé lui-même une entaille à l'oreille que je porterais jusqu'à la fin de mes jours.

Il me taquinait souvent, disant que je ne me débrouillais pas mal pour un ourson gernien, mais qu'un ourson gernien ne deviendrait jamais aussi robuste qu'un ours kidona des plateaux. Chaque jour, il se moquait de moi sur ce sujet, non pas méchamment, mais comme un oncle avec son neveu, à répétition, sans jamais m'accepter complètement. Je crus avoir gagné son estime le jour où il entreprit de m'apprendre à combattre avec son cou-de-cygne ; à contrecœur, il me reconnaissait quelque talent, mais ajoutait toujours que le métal maudit avait gâché mes mains « souillées par le fer » et que je n'atteindrais jamais à la pureté du guerrier.

Je l'interpellai là-dessus. « Mais je vous ai entendu demander à mon père des fusils en échange de vos leçons ; or les fusils sont en fer. »

Il haussa les épaules. « Ton père m'a abîmé quand sa balle m'a touché ; ensuite il m'a attaché les poignets avec du fer, et toute ma magie s'est figée au fond de moi. Elle n'est jamais revenue tout à fait ; je pense qu'un peu de son mauvais métal reste en moi. » Il se donna une tape sur l'épaule qui, je le savais, conservait la cicatrice du tir. « Il a été malin, ton père ; il m'a dépouillé de ma magie. Alors, bien sûr, j'essaie de le rouler moi aussi ; si je pouvais, je m'emparerais de sa magie pour la retourner contre son peuple. Il a dit non cette fois ; il croit qu'il réussira toujours à m'empêcher de la prendre. Mais il y a d'autres hommes qui font du commerce. Nous verrons comment ça finira. » Et il eut un hochement de tête qui me fit froid dans le dos. En cet instant, je redevins exclusivement le fils du colonel Burvelle, le fils d'un officier de la cavalla du roi Troven, et je résolus, à mon retour, de prévenir mon père que Dewara lui voulait toujours du mal.

Plus je demeurais en compagnie du Kidona, à vivre selon ses règles, plus je me sentais à cheval entre deux mondes, et il n'en eût pas fallu beaucoup pour me faire basculer dans le sien. J'avais ouï dire que cela arrivait à des soldats ou à ceux qui entretenaient des contacts trop étroits avec les Nomades : nos éclaireurs, pour se camoufler, adoptaient leur dialecte, leur tenue et leurs coutumes ; les marchands itinérants qui troquaient avec les indigènes des outils, du sel et du sucre contre des fourrures et des produits de leur artisanat faisaient sans cesse des allers et retours sur la frontière entre les deux cultures. On rapportait assez souvent le cas de Gerniens qui avaient franchi le pas et adopté le mode de vie des sauvages ; parfois ils prenaient femme parmi eux et se vêtaient à leur façon ; on disait de ces hommes qu'ils s'étaient « ennomadés ». On leur accordait une certaine utilité en tant qu'intermédiaires, mais peu de respect et encore moins de confiance ; on ne les acceptait pour ainsi dire jamais dans les réunions entre gens de bonne tenue et les portes de la société restaient définitivement closes à leurs enfants métis. Je me demandais ce que devenaient l'éclaireur Hallorane et sa fille sang-mêlé.

Jusque-là, je n'avais jamais compris ce qui pouvait pousser quelqu'un à « s'ennomader », mais je commençais désormais à en avoir une petite idée. A force de vivre dans la compagnie exclusive de Dewara, j'éprouvais quelquefois le désir d'accomplir un exploit qui l'impressionnerait selon ses critères ; j'allais jusqu'à envisager de dérober un objet lui appartenant, d'une manière si astucieuse qu'il se verrait contraint de reconnaître mon intelligence. La morale qu'on m'avait inculquée interdisait catégoriquement un tel acte, et pourtant je me surprenais à le regarder comme un moyen de m'attirer le respect du Kidona. Plongé dans ces réflexions, je reprenais parfois pied dans la réalité avec un sursaut, stupéfait d'entretenir de pareilles pensées ; mais la question s'imposait peu à peu à moi : voler Dewara constituerait-il vraiment un péché alors que lui-même n'y voyait qu'un concours d'ingéniosité ? Il cherchait à me faire franchir la ligne ; dans son monde, seul un guerrier kidona pouvait se considérer comme un homme complet. Lui seul possédait la véritable résistance mentale et physique, et un courage capable de prendre le pas sur l'instinct de survie ; toutefois, survivre faisait partie des plus hautes priorités d'un guerrier et excusait ses pires mensonges, vols et

134

actes de violence, du moment qu'ils avaient pour but de préserver son existence.

Et puis, un soir, il m'offrit la possibilité de pénétrer complètement dans son univers.

Cela se passa ainsi : chaque jour, nos errances en quête de gibier nous rapprochaient des terres de mon père, mon intuition me le disait plus que la logique. Une fin d'après-midi, nous nous arrêtâmes pour camper sur un plateau rocheux, au bord des falaises ravinées qui l'interrompaient. L'altitude nous donnait une large vue sur les Plaines en contrebas ; au loin, la Téfa traversait Grandval. J'allumai le feu à la manière kidona que m'avait enseignée Dewara, avec une fine lanière en tendon et un bâton courbé en guise d'arc-à-feu ; j'obtenais un résultat beaucoup plus vite qu'à mes débuts. Les buissons à feuilles étroites qui entouraient notre bivouac étaient résineux, et, bien que vertes, leurs branches brûlaient bien ; les flammes montèrent dans un concert de crépitements et de petites explosions en dégageant une fumée odorante. Dewara se pencha pour l'inhaler puis se rassit en l'expirant avec un soupir de plaisir. « C'est le parfum des terrains de chasse de Reshamel », déclara-t-il.

Je reconnus le nom d'une divinité mineure du panthéon kidona, et j'éprouvai donc une certaine surprise quand il poursuivit : « T'ai-je déjà raconté qu'il avait fondé ma maison ? Sa première épouse ne lui a donné que des filles, il l'a donc répudiée ; la deuxième n'a eu que des fils. Les filles de sa lignée ont épousé les fils de sa lignée, si bien que je suis doublement du sang du dieu. » Il se frappa fièrement la poitrine et attendit ma réponse. Il m'avait appris les règles de la fanfaronnade, jeu où chacun tâche de renchérir sur les prétentions de l'autre, mais je ne trouvai rien qui pût dépasser l'ascendance divine dont il se prévalait.

Il se pencha de nouveau, aspira la fumée aromatique puis dit « Je sais : ton "dieu de bonté" vit très loin au-delà des étoiles ; vous ne descendez pas de ses reins mais de son esprit. Dommage pour vous : vous n'avez pas de sang divin dans les veines. Mais… (il tendit la main et me pinça durement l'avant-bras, geste dont j'avais pris l'habitude) mais je pourrais te montrer comment devenir en partie dieu. Je ne peux pas te rendre davantage kidona, Gernien ; ce serait à Reshamel de te juger et de voir s'il souhaite faire de toi l'un de nous. Il faudrait t'attendre à une épreuve difficile où tu risquerais l'échec ; alors tu mourrais, et pas seulement dans ce monde-ci. Mais si tu réussissais, tu gagnerais la gloire, la gloire dans tous les mondes. » Il s'exprimait avec l'avidité d'un autre pour un monceau d'or.

« Comment ? » Le mot avait jailli sans que j'eusse réfléchi, et Dewara prit la question pour un assentiment.

Il m'observa un long moment. Son regard gris, indéchiffrable en plein jour, devenait énigmatique au crépuscule. Enfin il hocha la tête, à part lui, je pense, plus qu'à mon intention.

« Viens. Suis-moi là où je te conduirai. »

Je me levai, prêt à obéir, mais, apparemment peu pressé de se mettre en route, il m'ordonna de faire provision de branches feuillues et de les ajouter à la flambée jusqu'à ce qu'elle brûlât comme un feu de joie.

Des gerbes d'étincelles montaient avec la fumée chaque fois que je jetais du combustible dans les flammes, et la chaleur qu'elles dégageaient faisaient ruisseler la sueur sur mon visage et dans mon cou tandis que l'arôme résineux me baignait. Assis par terre, Dewara me regardait travailler ; enfin, quand le bûcher rugit comme un fauve, il se leva lentement, s'approcha d'un buisson proche, en cassa une branche et en enveloppa l'extrémité feuillue à l'aide de plusieurs autres branchioles qu'il entretissa adroitement avec celles du rameau principal jusqu'à obtenir un bâton terminé par une épaisse touffe de végétation. Il l'enfonça dans les flammes où il s'embrasa aussitôt, puis, sa torche improvisée à la main, il m'emmena au bord de la falaise ; il s'arrêta un instant au ras de l'à-pic, les yeux perdus au loin. A l'horizon, la terre engloutissait peu à peu le soleil. Puis, alors qu'une noirceur d'encre submergeait les basses terres, il se tourna vers moi. La torche faisait de son visage un masque changeant d'ombres et de clairs.

D'une voix traînante, très différente de son ton habituel, il psalmodia : « Es-tu un homme ? Es-tu un guerrier ? Reshamel voudra-t-il t'accueillir sur ses terrains de chasse ou donnera-t-il ta chair à manger à ses chiens ? As-tu courage et fierté ? Dépassent-ils ton désir de vivre ? Car ainsi se définit un guerrier kidona : il préfère la bravoure et l'orgueil à la vie. Veux-tu être un guerrier ? »

Il se tut et attendit ma réponse. Je pénétrai dans son monde. « Je veux être un guerrier. » Alentour, les grands plateaux et la plaine en contrebas parurent retenir leur souffle.

« Alors viens, dit-il. Je t'ouvre le chemin. » Il leva sa main libre et parut se toucher les lèvres. Le temps de deux respirations, il resta sans bouger, ses traits aquilins comme gravés dans la nuit par l'éclat du flambeau.

Puis il franchit le bord du précipice.

Frappé de stupeur, je le regardai tomber, suivi par la bannière lumineuse que laissait la torche dans le vent de sa chute. Tout à coup, il s'effaça de ma vue. Je distinguais encore la lueur du brandon mais plus la flamme elle-même ; puis son éclat même se réduisit à un vague nimbe de lumière. Dewara avait disparu.

Je demeurai seul sur la falaise. L'obscurité de la nuit m'enveloppait ; le vent qui m'apportait l'odeur et la chaleur du feu de joie grondant me poussait avec douceur mais insistance vers l'à-pic. Je ne puis expliquer mon acte suivant qu'en disant que Dewara m'avait progressivement attiré dans son univers, sa façon de penser et ses croyances ; ce que j'aurais jugé dément et inconcevable un mois plus tôt m'apparaissait désormais comme la seule voie possible. Mieux valait mourir en me jetant dans le vide que passer pour un couard. Je franchis à mon tour le bord de la falaise.

Je tombai sans un cri. Ma chute se déroula en silence tandis que le vent déchirait mes vêtements usés. J'ignore le temps qu'elle dura et la distance que je parcourus ; mes pieds heurtèrent une surface dure et mes genoux fléchirent ; je battis éperdument des bras à la fois pour me maintenir en vol et pour conserver mon équilibre. Dans les ténèbres, une main agrippa le devant de ma chemise et me tira en avant ; une voix dans laquelle je ne reconnus pas celle de Dewara dit : « Tu as passé la première porte. Ouvre la bouche. »

J'obéis.

Il y fourra un petit objet plat et dur comme du cuir. Tout d'abord, je ne décelai nul goût, puis ma salive l'imprégna et une sensation piquante envahit ma bouche, si forte que je la perçus autant par l'odorat que par les papilles ; l'étrange picotement me fit venir l'eau à la bouche en cascade et couler le nez. Brusquement, j'entendis aussi le goût car mes oreilles se mirent à siffler ; je me couvris tout entier de chair de poule et je sentis la pression de la nuit, non de l'air mais de l'obscurité, sur tout mon corps. Je compris tout à coup que l'obscurité n'avait rien à voir avec l'absence de clarté : c'était un élément fluide qui emplissait les espaces comme celui que j'occupais. La main qui me tenait par la chemise exerça une traction et j'avançai en trébuchant. Je ne sais comment, je quittai les ténèbres pour pénétrer dans un autre monde où la lumière et l'odeur aromatique de la torche submergèrent mes sens ; je sentais le goût et entendais la fragrance du flambeau. Je percevais la présence de Dewara mais ne le voyais pas, pas davantage qu'aucun détail distinct ; toute impression de distance s'estompait dans un flou bleuté dont l'intensité ne variait pas. Tous les sens en alerte, j'avais conscience des plus infimes sensations.

Un dieu me parla. « Ouvre la bouche. »

Encore une fois, j'obéis.

Des doigts franchirent mes lèvres et tirèrent une grenouille de ma cavité buccale. L'homme qui avait l'odeur de Dewara la posa sur la flamme de la torche, qui se transforma soudain en un petit feu de camp au milieu d'un foyer composé de sept pierres plates et noires. L'animal se mit à brûler en grésillant et en émettant de fines volutes d'un rouge ardent qui se mêlèrent à la fumée odorante du bois. L'homme m'obligea à me pencher pour les respirer ; elles me piquèrent les yeux et je fermai les paupières.

Puis je les fermai à nouveau.

Mais le paysage qui s'était déployé autour de moi à l'instant où je les avais closes ne disparut pas. Je ne pouvais refuser de le voir car il existait en moi. Nous nous trouvions sur un versant escarpé, entourés d'arbres gigantesques qui assombrissaient le crépuscule, et rien ou presque ne poussait sur le sol nu, recouvert de strates d'humus séculaires. Des frondaisons tombait une fine pluie de gouttes de rosée. Un gros serpent jaune passa devant nous sans nous accorder un regard. Une fraîcheur humide imprégnait l'air ; il régnait une riche odeur de vie.

« Ce monde n'existe pas », dis-je à Dewara. Il se tenait à côté de moi dans cet univers vespéral ; je le reconnaissais bien qu'il me dépassât de plusieurs coudées et portât une tête de faucon sur les épaules.

« Gernien ! » Il avait lâché le mot comme une insulte. « C'est toi qui n'es pas réel ici ! Ne profane pas les terrains de chasse de Reshamel par ta mécréance. Va-t'en !

— Non ! fis-je d'un ton suppliant. Non. Laissez-moi rester ; je veux être réel dans ce monde. »

Sans répondre, il me regarda de ses yeux de faucon ronds et dorés ; son bec paraissait acéré, ses ongles noirs se recourbaient comme des serres. Il pouvait, s'il le voulait, m'arracher le cœur de la poitrine, mais il ne bougeait pas et me laissait le temps de réfléchir.

Je trouvai soudain les mots justes. « Je veux être un homme. Je veux être un guerrier. Je veux être un Kidona. »

Quelque part, très loin au fond de moi, j'éprouvai de la honte à désavouer mon héritage et à devenir un sauvage ; puis, comme une bulle qui éclate, cette existence-là perdit toute importance. J'étais un Kidona.

Nous nous mîmes en route. J'ignore, tout en le sachant parfaitement, combien de temps s'écoula ; je reste en grande partie incapable de me remémorer les paysages que nous traversâmes, nos gestes ou nos conversations, comme lorsque j'essaie de me rappeler un rêve une fois complètement réveillé. Pourtant, aujourd'hui encore, quand je sens l'odeur de la résine ou que j'entends des rapides rugir au loin, cela suscite chez moi le souvenir de ce monde et de cette époque. Je revois la tête de faucon de Dewara et le cheval que je montais parfois, à deux têtes, l'une de taldi avec sa crinière raide, l'autre très semblable à celle de mon Siraltier. Les images surgissent, vives comme les arêtes d'un éclat de verre, puis s'éloignent et s'effacent comme les ondulations à la surface d'un bassin. Il m'arrive d'émerger d'un songe ordinaire, envahi de tristesse parce que je ne parviens pas à retrouver les rêves de cet univers.

De cette expérience, un incident subsiste avec netteté dans mon esprit. Il existait un temps, ni matin ni soir, mais crépuscule, comme si l'heure entre chien et loup fût la seule que connût cette réalité. Dewara et moi nous tenions au sommet d'une falaise nue dont la roche avait une teinte bleu foncé ; nous avions longuement cheminé pour y parvenir. La forêt qui couvrait les monts escarpés derrière nous évoquait un gardien tapi dont les yeux ne nous quittaient pas. Devant nous s'ouvrait un précipice creusé par le vent plus que par l'eau, au fond duquel, très loin en contrebas, se dressaient de hautes flèches de pierre semblables à d'étranges clochers d'églises bâties à la gloire de dieux sauvages. Les rafales qui agitaient l'air avaient sculpté dans le roc des tours en spirales et des bosses protubérantes avec la dextérité d'un ébéniste façonnant à la toupie une jambe de chaise. Les aiguilles bleues aux circonvolutions profondes se dressaient dans le ravin comme une forêt pétrifiée. Au loin, je voyais le long arc inversé des ponts suspendus qui reliaient la coiffe de pierre d'une flèche à la suivante et formaient un chemin sinueux au-dessus de l'abîme. Du doigt, Dewara indiqua l'autre bord du ravin qui nous barrait le passage ; des rais à l'éclat jaune y révélaient des bandes d'une sylve séculaire et de prairie vallonnée. La lumière se déplaçait sur le sol comme l'ombre des nuages sur une montagne quand le vent les pousse.

« Là-bas », dit-il d'une voix forte pour couvrir le murmure d'une bourrasque aromatique. Il tendit un long index, et il y avait des touffes de plumes à ses poignets. « Là-bas, tu contemples le monde-du-rêve de mon peuple. Pour s'y rendre, il faut sauter, puis franchir les six ponts d'âme de la tribu kidona. Tout ce que représentait d'appartenir aux nôtres vit dans ces ponts ; ils furent créés à partir de la substance même de notre esprit, et, en les empruntant, nous affirmions à nos dieux que nous étions kidonas.

« Il n'a jamais été facile de les passer ; il a toujours fallu du courage, mais nous sommes un peuple courageux, et nous savions qu'après le défi de la traversée du chamane nous attendait notre patrie, la terre natale de nos âmes, notre espace du rêve, celui auquel notre esprit finit par retourner. Mais il y a des générations qu'aucun Kidona n'a plus achevé le voyage. On nous a dérobé le pont ; les Tachetés nous l'ont volé, se le sont approprié et nous en interdisent l'accès.

« Jadis, notre coutume voulait que tous les jeunes guerriers et les jeunes vierges effectuent ce trajet. D'ici, chacun empruntait les ponts pour se rendre dans l'espace du rêve et y demeurait jusqu'à ce qu'un animal de ce monde le choisisse ; ensuite et pour toujours, cette bête devenait le gardien de son esprit et lui donnait sagesse et conseils. Nos guerriers étaient forts et nos champs fertiles ; en ce temps, les monts à la pente douce nous appartenaient et nous vivions bien ; nos troupeaux grandissaient chaque année jusqu'à couvrir les piémonts comme les pierres le long d'une rivière. Nous poussions loin nos attaques, mais pour l'honneur et les richesses plus que par nécessité. Les Kidonas formaient un peuple puissant, heureux des bienfaits dont il jouissait et qui emplissait ses dieux de fierté. Tout ça, tout ça, les Tachetés nous en ont dépouillés, et nous avons été condamnés à devenir nomades, bergers des tempêtes de poussière, qui ne semaient que des cadavres et ne récoltaient que la mort. »

Sa main retomba le long de son flanc, il courba sa

tête de rapace, saisi d'une peine indicible, et il posa un regard empreint de regret et de nostalgie sur l'autre bord du précipice.

Il se tut longtemps et, comme il n'avait manifestement pas l'intention d'en dire davantage, je demandai : « Qu'est-il arrivé à votre peuple ? »

Il poussa un long soupir. « En ces jours, nous vivions loin à l'ouest, au pied de ce que les Gerniens appellent stupidement la Barrière ; il ne s'agit pas d'une barrière, mais d'un pont. Les montagnes regorgent de gibier, les arbres y croissent dru, couverts de fleurs, de fruits, pleins de sève sucrée ; dans leurs denses futaies règnent l'ombre et la fraîcheur durant les chaleurs de l'été ; quand les bourrasques de l'hiver se déchaînent, la voûte de leurs branches protège de la neige et des rafales. Les forêts nous fournissaient tout ce dont nous avions besoin ; les rivières qui coulent des hautes glaces grouillent de poissons, de grenouilles et de tortues. Autrefois ce pays nous appartenait, nous y chassions et pillions, et nous étions riches ; dans les forêts, nous traquions le gibier et récoltions nos moissons sur le même sol que les Tachetés, mais nous nous aventurions aussi sur les Plaines, sous le grand soleil ; eux ne s'y risquaient pas car leurs yeux et leur peau ne supportent pas la clarté du plein jour. Ce sont des créatures de l'ombre et du crépuscule. Dans les Plaines, au pied des montagnes, nous faisions pâturer nos troupeaux pendant l'été, nous bâtissions nos villes et nos villages, nos monuments et nos routes ; l'hiver, nous remontions nos bêtes à l'abri des forêts. Nous prospérions, nos animaux se multipliaient, nos femmes étaient en bonne santé, nos hommes vigoureux, et il nous naissait tant d'enfants qu'il fallait chaque année construire de nouveaux temples d'éducation pour les loger.

« Ce bonheur aurait pu perdurer sans les Tachetés qui infestaient les bois plus haut dans les monts. Ils s'offusquaient de l'extension de nos troupeaux et s'efforçaient de contrarier l'expansion de nos pacages et l'abattage du bois dont nous avions besoin pour construire nos villes. Ils disaient que nos moutons et nous-mêmes consommions trop, que nos taldis, à force d'emprunter les sentiers forestiers, les transformaient en larges pistes, ils se plaignaient des terres que nous défrichions pour les cultiver et pleuraient chaque arbre qui tombait sous nos haches. Ils se prétendaient propriétaires de la forêt et voulaient qu'elle demeure intacte, comme si nul n'y avait pénétré. Pour notre part, nous ne souhaitions qu'avoir nos enfants, chasser et moissonner comme nos pères et les pères de nos pères. Nous nous sommes disputés avec les Tachetés puis nous avons fini par leur faire la guerre.

« Ils forment une espèce méprisable, sournoise et rusée comme des salamandres noir et jaune tapies sous un tronc pourri. Nous ne voulions avoir nul grief contre eux, nous avions même tenté de troquer avec eux, mais ils nous avaient dupés. Leurs femelles sont luxurieuses comme des chefs de guerre mais refusent de rester dans le lit d'un seul homme, d'acquérir du bétail et de gérer les biens comme il sied à une femme ; elles ont gâché nos jeunes braves en couchant à droite et à gauche et en donnant naissance à des enfants dont ils ignoraient s'ils descendaient bien d'eux ; elles ont semé la zizanie parmi nos guerriers. Quant aux hommes, ils sont encore pires que les femmes ; au lieu de se battre face à face, le cou-de-cygne et la lance au poing, ils frappaient de loin à coups de flèches et de pierres, si bien que les combattants qu'ils tuaient ne regagnaient pas le territoire des dieux mais tombaient inanimés, sans plus d'honneur que du gibier, que des lièvres ou des coqs des Plaines, réduits à l'état de viande. Nous ne cherchions pas grief aux Tachetés mais, quand ils nous y ont contraints, nous n'avons pas reculé, et, lorsque nous avons attaqué leurs villages et abattu ceux qui ne s'enfuyaient pas, ils ont juré de se venger. Ils nous ont envoyé les vents de mort et nos hommes ont péri, recroquevillés dans leurs propres déjections. Ils ont privé nos enfants de leurs parents et les ont laissés mourir au lieu de les adopter ; ils ont lâché la maladie sur nous comme des chiens sur un cerf blessé. Succomber ainsi achève définitivement l'existence ; il n'y a pas d'après-vie pour ceux que leur propre corps a trahis. »

Dewara se tut, mais l'émotion faisait palpiter les plumes de sa poitrine ; je sentais dans son silence pesant toute la fureur de celui qui hait sans espoir d'assouvir sa haine. Enfin, il reprit dans un murmure : « Les guerriers de ton peuple arrivent aux forêts des montagnes que revendiquent les Tachetés. Vos soldats sont forts ; ils ont vaincu les Kidonas alors qu'aucune autre tribu nomade ne pouvait leur tenir tête. Je te parle de l'ancienne défaite que nous ont infligée les Tachetés ; je te révèle la honte de notre clan afin de te faire comprendre que les Tachetés ne méritent aucune miséricorde de la part de votre dieu de bonté. Vous devez les terrasser sans plus de pitié que nous ; servez-vous de vos armes de fer pour les tuer de loin et ne vous approchez jamais d'eux ni de leurs habitations, sans quoi vous tomberez victimes de leur sorcellerie. Il faut les écraser comme des vers de bouse ; nulle humiliation n'est injustifiée, nulle atrocité trop barbare contre eux. N'aie jamais de remords de ce que les tiens leur font subir, car vois ce qu'ils ont infligé aux miens : ils ont coupé le pont qui mène à notre monde-du-rêve. » Ses mains retombèrent le long de ses flancs. « A ma mort, mon être disparaîtra. L'accès m'est interdit à la terre natale des esprits de mon peuple.

« Dans ma jeunesse, avant la guerre avec tes semblables, j'ai juré de rouvrir ce passage. J'ai prêté serment devant les Kidonas et mes dieux, j'ai capturé un faucon et j'ai versé son sang en signe d'engagement. J'y suis tenu. » De la main, il indiqua son aspect d'oiseau. « Par deux fois j'ai tenté la traversée ; j'ai emprunté le pont et j'ai combattu le terrible gardien qu'ils y ont posté. Par deux fois il m'a vaincu. Mais je ne me suis pas rendu et je n'ai pas renoncé ; j'ignorais que je n'y parviendrais pas moi-même avant le jour où ton père m'a frappé de son fer, où il a enfoncé la magie de ton peuple au fond de ma poitrine et paralysé la mienne. Dès lors, j'ai cru avoir échoué. »

Il s'interrompit et secoua la tête. « Je n'avais plus d'espoir ; je me savais condamné, après ma mort, aux tourments des parjures. Mais alors les dieux m'ont révélé leur plan ; j'ai compris pourquoi ils avaient laissé ton peuple nous déclarer la guerre et nous battre ; pourquoi ils nous avaient montré la puissance de votre

147

magie du fer ; pourquoi ton père t'a donné à moi : ils me fournissaient une arme. Je t'ai formé, je t'ai enseigné ; la magie du fer t'appartient, et toi tu m'appartiens. Je t'envoie ouvrir la voie pour les Kidonas. Il a fallu tout le peu de pouvoir qui me reste pour te mener jusqu'ici ; je ne puis aller plus loin. A travers toi, je vais racheter mon serment et donner à jamais l'éclat de la gloire à mon nom. Tu vas tuer le gardien avec la magie froide du fer. Va, ouvre le chemin.

— Je n'ai pas d'arme », dis-je. A mes propres oreilles, ces mots sonnaient comme un aveu de lâcheté.

« Je vais te montrer comment en évoquer une ; voici la façon de s'y prendre. »

L'air impatient, il se courba et, de l'index, traça une courbe sur le sol ; puis il souffla sur la roche, et, comme la poussière s'envolait, un cou-de-cygne en bronze apparut, étincelant. Il me le désigna fièrement puis s'en empara ; les contours de l'épée restèrent en creux dans le roc de la falaise, comme l'empreinte d'un sabot au bord d'une rivière. D'un coup formidable, il enfonça la lame brillante dans la pierre bleue sur laquelle nous nous tenions. « Voilà. Cela tiendra en place, de ce côté-ci, l'extrémité du pont pour le peuple kidona ; à présent, tu dois évoquer ta propre arme qui te servira contre le gardien. Moi, je ne puis appeler le fer. »

Je chassai tous mes doutes de mon esprit, m'accroupis et dessinai une image que je connaissais par cœur pour l'avoir tracée mille fois aux moments perdus de mon enfance. Elle représentait une épée de la cavalla, droite et fière, avec une poignée solide et un gland au bout d'un cordon. Comme je la délinéais du doigt sur la pierre, le désir de la sentir dans mon poing m'envahit soudain ; et, quand je me penchai pour souffler la poussière, je vis l'arme que j'avais laissée au camp de Dewara briller à mes pieds. Stupéfait mais triomphant, je la tirai du sol ; son empreinte demeura à côté de celle du cou-de-cygne. Je la brandis avec orgueil, et Dewara recula en levant sa main emplumée pour se protéger de l'acier que je tenais.

« Prends-la et va ! » fit-il d'une voix sifflante en dressant les bras dans la posture agressive d'un oiseau. « Tue le gardien, mais emporte ton épée loin de moi avant qu'elle n'affaiblisse la magie qui nous maintient dans ce monde. Va ; mon cou-de-cygne ancre cette extrémité-ci du pont, ton fer ancrera l'autre. »

Il me tenait si bien sous son emprise que je ne me vis pas d'autre option. En ce lieu, à cette heure, dans cette lumière indécise, je n'avais nulle latitude pour seulement songer à lui désobéir. Je lui tournai donc le dos et suivis la corniche jusqu'au ras de l'à-pic. Le précipice béait à mes pieds, apparemment sans fond ; il n'y avait pas d'autre moyen de le franchir que les cheminées des fées et les ponts fragiles qui les reliaient. L'éloignement estompait l'autre bord, comme si de la fumée ou de la brume voilait ma destination, et je n'en distinguais nul détail. Les aiguilles sculptées présentaient des dimensions variables, et certaines des pierres qui les coiffaient ne dépassaient pas celles d'une table tandis que d'autres auraient pu accueillir un château, chacune d'un gris-bleu légèrement différent des autres, et toutes d'une roche plus dure que celle des colonnes érodées qui les soutenaient. Il n'y avait pas de passerelle entre la falaise où je me trouvais et la première cheminée ; il me faudrait sauter pour l'atteindre. La distance n'était pas excessive et je disposais de l'équivalent de deux fonds de chariot pour me réceptionner ; en temps normal, j'aurais envisagé ce bond sans inquiétude, mais l'abîme qui s'ouvrait devant moi m'effrayait. Je rassemblai mon courage et mes forces.

Alors une lame de bronze, pas plus large que celle du cou-de-cygne, émergea de l'arme plantée dans le roc et s'étira vers le premier entablement ; comme un ruban qui se déroule, la langue de métal scintillant s'avança au-dessus du vide et s'arrêta au contact de la plaque de pierre. Elle formait un chemin étroit, certes, mais qui franchissait le gouffre. Je fixai mon sabre de cavalla dans ma ceinture, étendis les bras en guise de balancier et posai le pied sur le pont de bronze.

L'épée à ma hanche parut peser soudain autant qu'une enclume, et je perdis aussitôt l'équilibre. Je me raidis pour résister à ce poids inattendu, me sentis pencher de l'autre côté et, par réflexe, m'élançai vers la première pierre. Une fine couche de sable couvrait son sommet légèrement arrondi comme un énorme cabochon ; je dérapai et tombai à genoux à moins d'une longueur de bras du bord. Un instant, je restai prostré en attendant que le souffle me revienne et que mon cœur se calme, puis, avec un grand sourire un peu niais d'avoir échappé d'un cheveu à la mort, je me tournai vers Dewara. Mon exploit l'avait laissé froid ; d'un geste impatient, il me fit signe de continuer.

150

Le sable crissa sous mes bottes quand je me relevai. Je regardai la passerelle suivante ; étroite et insubstantielle, on eût dit une toile d'araignée parsemée de tessons de poterie peints de couleurs vives. A mes pieds, trois plumes de faucon se dressaient, plantées dans de petits tas de sable ; elles s'agitaient dans le vent. Des fils arachnéens s'étiraient de ces ridicules points d'ancrage jusqu'au pont lancé au-dessus de l'abîme. Même une souris n'aurait pu s'aventurer sans risque sur une construction aussi frêle ; je me tournai à nouveau vers Dewara en quête de conseils. Il ouvrit une aile et désigna un vide parmi ses pennes. Ah ! Cette magie lui appartenait donc ; il avait pleine confiance en elle, à l'évidence, car il battit des bras pour m'indiquer de poursuivre ma route. Par la suite, ma conduite devait m'apparaître complètement inconsidérée, mais sur l'instant je ne me vis pas de choix. Je m'avançai sur la passerelle qui s'enfonça sous moi comme si je marchais sur un filet tendu. C'était le poids de mon fer, je le savais, qui déprimait le pont. Une autre enjambée, et il se creusa encore davantage en se mettant à osciller. J'avais l'impression d'essayer de traverser un hamac sans substance décoré de morceaux de céramique et qui se tendait sous mes pas ; pourtant, cette image ne décrit pas tout à fait ce que je vivais. Propre à ce monde, cette expérience ne peut sans doute pas se traduire exactement dans le nôtre.

Ma progression n'avait aucune stabilité. Les éclats de terre cuite s'abaissaient sous chacun de mes pas de manière imprévisible, et la passerelle dansait de plus belle. Parfois je descendais tant qu'il me fallait lever haut la jambe pour atteindre le tesson suivant, comme si je gravissais un escalier aux marches démesurées. Les fragments de poterie qui marquaient mon chemin portaient des dessins distincts que je ne reconnaissais pas, et certains présentaient le noircissement d'une exposition prolongée au feu. Par instants, je m'enfonçais jusqu'à la taille dans la toile élastique, si bien que je devais gagner en rampant la section suivante qui cédait à son tour sous mon poids. Plus épuisé que si j'avais ouvert une voie dans une épaisse couche de neige, je poursuivais néanmoins mes efforts car je ne pouvais pas faire demi-tour : je ne disposais que d'une étroite marge de manœuvre, et, de part et d'autre, l'abîme béait. Un moment, je m'arrêtai pour me reposer et en profitai pour examiner le fond du gouffre. Je m'attendais à voir une rivière courir entre ces monuments naturels, mais le pied des piliers coutournés paraissait se perdre dans les ombres à l'infini ; si je tombais, je risquais de mourir de faim avant que mes ossements se fracassent au bout de ma chute. Je secouai la tête et, prenant sur moi, poursuivis mon chemin.

De longue lutte, je parvins à la deuxième terrasse de pierre bleue ; à plat ventre, je m'extirpai de la passerelle arachnéenne et me traînai sur la coiffe arrondie de l'aiguille de roc, où je restai allongé, le souffle court. Quand enfin je regardai derrière moi, je mesurai avec stupéfaction le peu de distance que j'avais couvert. Dewara, sur la falaise, avait les yeux fixés sur moi, le bec entrouvert ; il s'agitait sur place, l'air indécis.

« Le chemin paraît difficile mais sans trop de risques. » Je m'étais exprimé normalement, sans hausser le ton, et l'air absorba mes paroles. Je les répétai plus fort et vis Dewara tourner la tête de côté comme s'il se rendait compte que je parlais mais ne m'entendait pas ; pourtant, il ne me paraissait pas très loin de moi.

Lentement, je me redressai. J'aurais eu besoin de me reposer davantage, mais je me sentais forcé à continuer, comme si je ne disposais que d'un temps limité pour accomplir ma tâche. J'étudiai la passerelle suivante ; de fins filaments, tressés et entre-tissés, formaient une piste d'où émanait une douce luisance. Je m'agenouillai pour la toucher : des cheveux, humains, autant que je pusse en juger, et de toutes teintes, de l'ébène le plus noir à l'or le plus clair. De la main, j'appuyai sur la trame et la trouvai solide. Je me relevai puis, une fois de plus, quittai le dôme de pierre pour m'engager sur l'étrange pont flottant ; je m'avançai, soulagé de sa résistance, mais, au bout de trois pas, il se mit à osciller tant que je crus me tenir sur une balançoire.

Mes sœurs s'amusaient souvent à lancer une toupie et à essayer de lui faire parcourir la longueur d'un ruban bien tendu. En l'occurrence, j'incarnais la toupie, et le ruban que je parcourais n'était pas tendu : plus je m'éloignais de l'aiguille de pierre, plus il s'abaissait sous mon poids. Je tirai mon épée, l'agrippai à deux mains et la tins horizontalement en guise de balancier ; je retrouvai brièvement mon équilibre, puis les va-et-vient de la passerelle s'accentuèrent, semblables aux molles oscillations d'une corde à sauter. Pris de vertige, j'avais le cœur au bord des lèvres mais continuais obstinément à gravir peu à peu la pente que je créais par ma propre masse dans l'étroite bande de cheveux entretissés. Dans mon dos, j'entendis Dewara crier, mais comme de très loin, et je n'osai pas me retourner.

Quand je parvins à la troisième coiffe de pierre, je me hissai au sommet en m'aidant des anfractuosités de la roche puis m'assis pour reprendre mon souffle ; cela fait, je regardai Dewara, mais il avait enfoncé sa tête de faucon entre ses épaules voûtées et demeurait immobile au bord du précipice. Je ne déchiffrais rien dans ses yeux de rapace et il gardait les bras plaqués contre les flancs. Inutile d'attendre de l'aide ou des conseils de sa part.

J'examinai la colonne suivante. Une passerelle plus longue que les deux précédentes me séparait d'elle, la pierre en équilibre sur sa pointe paraissait plus exiguë et plus arrondie. Un entrelacs végétal y menait, fourmillant de minuscules fleurs blanches encore plus réduites que l'ongle de mon petit doigt. Méfiant, j'exerçai une forte pression de la main sur le pont avant de m'y risquer ; les racines tinrent bon. En revanche, quand je les touchai de la pointe de mon sabre, elles brunirent et se flétrirent. Ah ! Comme je ne souhaitais nullement compromettre la solidité de la structure en tuant les plantes, je rengainai mon arme. La végétation formait une voie plus large que les premières passerelles, et les racines qui plongeaient apparemment dans l'aiguille sur laquelle je me tenais m'évoquaient le lierre qui pousse sur le tronc des arbres et les murs des maisons.

Je m'engageai sur ce nouveau pont avec plus

d'assurance que sur les deux autres ; il soutint mon poids sans difficulté et, malgré le bruit crissant des plantes et de leurs tiges que j'aplatissais sous mes pas, il ne parut pas menacer d'osciller ni de s'affaisser. Les fleurs et les feuilles écrasées dégageaient un parfum curieusement piquant, mais, assurément, une simple odeur ne pouvait me nuire. Je me trouvais à mi-chemin de ma traversée quand mes paumes se couvrirent de petites cloques blanches qui me provoquèrent de pénibles démangeaisons accompagnées d'une terrible envie de me gratter ; je serrai les poings, mais les minuscules ampoules éclatèrent, et le liquide qui en suinta me brûla la peau et y laissa une deuxième éruption. Les bras écartés pour éviter de me toucher, je m'efforçai de ne pas prêter attention à la douleur cuisante. Par bonheur, je portais des bottes de cavalier et non celles, basses et souples, des Nomades ; si les sucs m'avaient attaqué la plante des pieds, je crois que je n'aurais pas pu continuer. Néanmoins, les yeux commencèrent à me piquer, mon nez à couler, et je dus me dominer impitoyablement pour m'empêcher de porter mes mains à mon visage. Je poursuivis mon chemin tant bien que mal et, quand j'arrivai au rocher suivant, je le trouvai aussi exigu qu'il en avait eu l'air de loin. Je m'écartai des épouvantables lianes et me plantai sur la pierre, dont la dimension n'excédait pas celle d'une assiette.

Dès que je pris pied sur la coiffe de roc, la souffrance reflua et les cloques à vif de mes paumes cessèrent de me brûler. Je n'osai pas me toucher le visage, mais, quand je tournai la tête pour m'essuyer les yeux avec ma manche, les symptômes disparurent. Toutefois, ma situation me fût apparue sous un jour beaucoup plus souriant si je ne m'étais pas trouvé perché sur un îlot minuscule ; je n'avais pas la place de m'asseoir pour me reposer, aussi poursuivis-je ma progression.

La passerelle suivante se composait d'os d'oiseaux délicatement percés et reliés par de fins ligaments sur lesquels brillaient çà et là des perles de nacre ou de pierre polie. Peut-être s'agissait-il à l'origine de bracelets ou de colliers réagencés pour fabriquer ce pont suspendu. Les osselets cliquetèrent quand je m'avançai sur eux, mais, malgré leur fragilité, aucun ne se brisa sous mon poids et la structure ne se mit pas à osciller ni à s'enfoncer ; seul le vent qui se leva pour murmurer à mes oreilles m'inquiéta, car il se prenait dans mes vêtements et me déséquilibrait ; il m'apportait aussi une musique étrange et lointaine. Je m'arrêtai pour mieux l'entendre. Je reconnus le sifflement des flûtes et le crépitement des cliquettes d'os typiques de la culture kidona ; bien qu'exotique, elle avait un sens, une importance que je percevais. Je regardai le pont sur lequel je marchais et compris soudain que les squelettes d'oiseaux formaient un instrument de musique qui me parlait dans une langue à la fois inconnue et familière. Je restai immobile et m'efforçai d'en percer la signification. Si j'avais été un vrai Nomade, je pense que j'aurais eu plus de mal à échapper à son attraction ; Gernien, je réussis à m'en défaire et, reprenant ma route, j'atteignis la pierre suivante.

Celle-ci se révéla aussi généreuse que la précédente avait été restreinte ; j'eusse pu m'y étendre et m'endormir sans craindre de choir dans le vide, et cette tentation même m'empêcha d'y céder. J'avais enfin compris ce dont j'eusse dû me douter depuis le début : le chemin que je suivais ne m'était pas destiné. Dewara avait fait son possible pour me donner la forme de pensée d'un Kidona, mais je restais un étranger et je franchissais des abîmes empreints d'un sens qui m'échappait. Chaque passerelle devait présenter une valeur, une symbolique et des connotations dont la portée ne touchait pas mon âme de Gernien ; j'ignore pourquoi, je m'en sentis diminué, humilié, comme un homme à qui son manque d'instruction interdit de percevoir l'importance culturelle d'un poème. Je ne distinguais même pas toutes les conséquences des défis que j'affrontais et qui ne représentaient donc pas vraiment des défis. Abattu, je traversai la coiffe de roc sans un regard vers Dewara et m'approchai du pont suivant.

Celui-ci avait une structure entièrement de glace, non la glace unie et lisse d'un bassin gelé au cœur de l'hiver, mais celle, fantastique, qui met des festons de cristal aux frondes d'un jardin de fougères. Elle ne paraissait pas plus solide que le verre d'une vitre, et je voyais à travers elle l'infini bleuté de l'abysse. Au bout de quelques pas à peine, le froid féroce me pénétra jusqu'aux os. Dans le crépitement des fractures qui se propageaient dans la passerelle, je tremblais sur la surface traîtresse où je continuais d'avancer d'une démarche mal assurée. Des souvenirs qui ne m'appartenaient pas dansaient en frissonnant autour de moi ; il y avait eu un temps de grandes privations, un temps où vieux et jeunes mouraient, où même les plus forts avaient dû prendre de terribles décisions pour survivre.

Si j'avais été un vrai Kidona, le crève-cœur de ces images m'aurait peut-être jeté à genoux, convulsé de sanglots ; mais ces horreurs, un autre peuple que le mien les avait subies, en une autre époque. Je pouvais compatir à sa douleur, mais elle ne me touchait pas. Je poursuivis ma progression, laissant derrière moi cette période d'affres, et parvins au répit que m'offrait l'aiguille suivante.

L'une après l'autre, les passerelles me conduisaient en zigzag vers l'autre bord du précipice en mettant chaque fois mon courage à l'épreuve. Mais, devant celle qui m'attendait, je me sentis saisi de la désagréable impression d'avoir triché, comme si j'avais traversé une marelle en marchant, sans sauter d'une case à l'autre. L'absence de racines dans la culture kidona, le fer de mon arme me rendaient-ils insensible aux défis de ma tâche ? Je me retournai vers Dewara : il restait immobile au bord de l'à-pic. Un soupçon me tapa doucement sur l'épaule et son haleine glacée me fit frémir ; espérait-il mon succès ou bien ne lui servais-je que de paravent dans un plan obscur concocté par son esprit impénétrable à ma logique ? Debout devant la passerelle, je me prenais à douter de tout ce qu'il m'avait dit. Néanmoins, je poursuivis mon chemin.

Le pont, en briques de boue séchée, présentait un aspect solide et antique ; assez large pour laisser passer un char à bœufs, il était bordé de remparts, des tours se dressaient en son milieu, et il ne bougeait pas d'un pouce. Pourtant, loin de me rassurer, ce décor me donna la chair de poule. « Hanté » : voilà le mot qui me vint. L'ouvrage évoquait une époque où les Kidonas élevaient des constructions destinées à durer des générations, et de vagues souvenirs de villes animées essayaient en vain de s'introduire dans ma conscience ; je ne parvenais pas à les croire réels. Comme je m'avançais, je me rendis compte de son état de délabrement : les intempéries avaient arrondi les angles des briques, et des fissures couraient dans les murailles qui flanquaient la chaussée ; le temps avait usé la structure, atténué, dissous les bas-reliefs qui ornaient jadis les balustrades et les arches. Cette œuvre considérable du peuple kidona s'effaçait doucement, une couche de poussière rouge après l'autre, comme les Kidonas eux-mêmes. J'effectuai soudain le rapprochement : quand ce pont affaibli aurait disparu, dévoré par le vent, la pluie et les ans, le peuple de Dewara disparaîtrait aussi, non seulement du monde-du-rêve, mais de mon univers aussi.

Plus je progressais, plus la décrépitude devenait manifeste : il y avait des brèches dans le pavage sous mes pieds, par lesquelles je voyais l'abîme bleuté ; je commençais à observer de fines plantes grimpantes qui s'entrelaçaient sur les parois du pont ; de minuscules fleurs avaient trouvé abri dans les trous des murs effrités, introduit leurs racines dans les fissures et dissimulé les briques kidonas sous leur feuillage rampant.

Je m'enfonçais dans un étrange crépuscule. Quand je me retournai, il me sembla que le long après-midi perdurait au loin ; le chaud éclat du soleil nimbait la silhouette voûtée de Dewara, mais, autour de moi, la lumière baissait doucement au rythme de mes pas. La végétation se densifiait sur le pont ; des arbrisseaux avaient réussi à s'implanter et des touffes d'herbe

159

poussaient alentour. J'entendais des bourdonnements d'insectes et un parfum de fleurs montait à mes narines. La maçonnerie devenait de moins en moins visible ; les plantes l'avaient engloutie sous un manteau de verdure. La chaussée s'encombrait de lianes et de tiges rampantes et ligneuses qui escaladaient les tourelles et s'entremêlaient au-dessus de ma tête. Le pont avait pris l'allure d'une gigantesque tonnelle par les interstices de laquelle j'entrevoyais le ciel crépusculaire et le gouffre qu'il surplombait.

A un moment, je fis halte ; j'avais le sentiment, sans que mes yeux pussent le confirmer, que j'avais atteint l'extrémité de l'ouvrage et pénétré dans la forêt qui l'avait enveloppé et dévoré. Je m'y sentais bizarrement déplacé, comme si, sortant des derniers vestiges d'un monde familier, je m'aventurais dans un territoire où je n'avais pas le droit de me trouver. L'impression que je n'avais rien à faire en ce lieu m'envahissait, et mon instinct autant que mon intelligence me commandaient de rebrousser chemin : le passage qui s'ouvrait devant moi irradiait l'hostilité. Toutes ces perceptions me parvenaient par un sens dont je ne connaissais pas le nom. Un charmant sentier forestier s'éloignait devant moi dans le crépuscule, une brise fraîche soufflait, imprégnée d'un parfum de fleurs du soir, et des oiseaux chantaient au loin.

Je levai les yeux et portai mon regard plus en avant ; la lumière baissante me révéla un vieil arbre au sortir de la tonnelle. Ses racines noueuses jaillissaient de l'à-pic et franchissaient la dernière section du gouffre pour former le pont sur lequel je me tenais. Des fleurs rouges grandes comme des assiettes pointaient dans son épaisse frondaison, des papillons voletaient paresseusement autour de sa couronne aux larges feuilles et un épais manteau d'herbe poussait à son pied. Il s'en dégageait une aura de paix et de tranquillité qui m'attirait ; pourtant, j'observais le grand arbre avec méfiance : s'agissait-il du gardien dont m'avait parlé Dewara ? La sérénité sylvestre qui en émanait cachait-elle un piège, avait-elle pour but de m'inciter à baisser ma garde ? Si je m'engageais sur ses extensions entremêlées, n'allaient-elles pas se tordre soudain pour me précipiter dans l'abîme ?

J'examinai de plus près l'entrelacs de plantes rampantes et de racines, dernière étape de ma traversée. Un morceau de crâne, dôme brun-jaune, saillait de la mousse entre les lianes ; un peu plus loin, une radicelle maigrelette s'insinuait dans un fémur fracturé avant d'en ressortir comme si elle en avait sucé la moelle pour s'en nourrir. L'ancienneté apparente de ces ossements ne me rassura guère. Au-delà, sur le chemin, je distinguai le moignon corrodé d'un cou-de-cygne brisé. Je me retournai vers Dewara, petite silhouette au bout d'un tube de verdure, debout au bord de la falaise, il me regardait. Je lui adressai un signe du bras ; il leva le sien, non pour me saluer, mais pour m'inciter à continuer d'avancer.

Je tirai mon sabre de ma ceinture et me tins prêt à m'en servir, tout en me rendant compte, au fond de moi, de l'inanité de ce geste : si je m'en prenais au pont et le tranchais, qu'y gagnerais-je ? J'éprouvai l'envie de me tourner à nouveau vers Dewara mais jugeai qu'il verrait de la lâcheté dans mon attitude hésitante. Voulais-je, oui ou non, devenir un Kidona ? Si j'achevais de franchir le gouffre, aurais-je rouvert la voie pour son peuple ?

Je me risquai prudemment sur la passerelle en observant comment elle réagissait à mon poids. Elle paraissait solide ; elle n'oscillait pas, ne craquait pas, et me soutenait aussi fermement que l'ouvrage de brique. Je me mis en marche, courbé en deux à la manière des guerriers que m'avait enseignée Dewara, le centre de gravité placé bas, l'épée en avant.

Au tiers du parcours, les racines commencèrent à émettre des grincements, très légers, comme ceux d'une corde trop tendue. Je poursuivis ma progression en plaçant mes pieds de façon à m'assurer la plus grande stabilité possible sur la surface inégale du treillis et en me tenant toujours prêt à l'attaque attendue. Je poussais mes sens à leur extrême limite. L'arbre était une sentinelle, selon Dewara ; je fixai mon attention sur lui et continuai de m'en approcher avec prudence, à l'affût du moindre signe d'embuscade ou d'activité anormale.

Il resta parfaitement immobile.

Arrivé aux deux tiers du pont, je n'avais remarqué nulle manifestation d'hostilité de la part de l'arbre et me sentais un peu ridicule ; étais-je victime d'une des fines plaisanteries de Dewara ? D'ordinaire, elles entraînaient de la douleur physique, mais peut-être ne cherchait-il cette fois qu'à m'humilier. Ou bien souhaitait-il que j'observe un aspect particulier de l'arbre ? Je cessai de le surveiller et me mis à l'étudier ; plus je m'en approchais, plus il paraissait immense. De ses semblables, je ne connaissais que ceux des Plaines, courbés par le vent constant, qui croissaient très lentement et dont les plus vieux n'atteignaient pas le quart de son volume. Celui-ci avait poussé droit et haut, épais de tronc et de charpente, les branches largement évasées pour se nourrir de soleil. Une litière dense et nutritive d'humus, de nervures et de feuilles de l'automne passé, brunies mais encore reconnaissables, tapissait la terre à son pied. De longues étamines jaunes pointaient au cœur des fleurs rouges, et, à chaque coup de vent, elles laissaient échapper leur pollen qui flottait en l'air comme une fumée dorée ; la brise m'en souffla une volute au visage ; elle exhalait une bonne odeur de terre, mais me piqua les yeux. Je battis des paupières, larmoyant, et, quand ma vision s'éclaircit, une femme se tenait devant l'arbre. Je m'arrêtai net.

Le gardien, la gardienne, plutôt, n'avait absolument rien d'un guerrier ! Je la regardai, abasourdi par son âge et sa corpulence ; on eût dit une vieille grand-mère obèse, en dehors du fait que je n'avais jamais vu personne d'un pareil embonpoint. Ses yeux brillants disparaissaient presque sous les rides et les plis de sa chair, son nez et ses oreilles avaient crû avec les années, et ses lèvres bouffies dessinaient une moue qui exprimait un ahurissement égal au mien.

Je continuai à la dévisager en m'efforçant de comprendre la situation. Dewara voulait que je me batte avec ce… cette créature ? La graisse tombait en anneaux sur ses bras et doublait son menton ; des bagues étranglaient ses doigts dodus et de lourdes boucles d'oreilles incrustées de nombreuses pierres précieuses avaient allongé ses lobes auriculaires. Son énorme poitrine s'affaissait sur la montagne de son ventre ; ses cheveux, longs et striés de gris comme la crinière d'un cheval, pendaient comme une cape sur ses épaules et dans son dos, et la brise constante jouait avec leurs mèches inégales. Sa robe, qu'on eût dite tissée de lichen gris-vert, frôlait le sol et faisait comme une tente qui abritait sa corpulence démesurée ; elle laissait entrevoir ses lourdes chevilles et ses pieds nus et boulots. Le soleil qui perçait le feuillage de l'arbre déposait sur sa peau et son vêtement des mouchetures claires.

Soudain elle bougea et l'image que j'avais d'elle se modifia, car les motifs sombres que je prenais pour un jeu de lumière bougèrent avec elle, indépendamment de l'ombre projetée des frondaisons. Ses pieds comme ses bras et son visage s'ornaient de taches pigmentées, dont je sus aussitôt, malgré la distance, qu'il ne s'agissait ni de peinture ni de tatouages. Elle était couverte de taches, d'ocelles, et il me fallut quelques secondes avant de comprendre que je me trouvais pour la première fois de ma vie en présence d'un Ocellion.

La réalité se révélait fort différente de ce que m'avait montré mon imagination. Je voyais les Ocellions mouchetés comme par des taches de rousseur, mais les dessins de la femme se répartissaient inégalement sur sa peau et me rappelaient le pelage de certains chats, dont les rayures inachevées forment des pâtés et des points ; leur aspect pommelé me donnait la même impression de motif interrompu. Une ligne sombre courait sur

164

l'arête de son nez, d'autres partaient du coin de ses yeux ; elle avait le dos des mains et le dessus des doigts noirs, comme les pattes couleur de suie d'un chat, mais la couleur s'estompait sur ses avant-bras.

Dans un état second, je m'approchai d'elle sans plus songer aux mises en garde de Dewara. Au lieu de la vigilance méfiante du guerrier, j'avais adopté la lenteur prudente du félin, fasciné. Elle gardait une expression composée, à la fois sereine et empreinte de dignité. Elle me paraissait non plus âgée mais sans âge ; des rides creusaient son visage, mais c'étaient les rides avenantes de quelqu'un qui souriait souvent et jouissait de la vie. Chez une femme de mon espèce, j'aurais jugé répugnante cette chair bouffie, mais, chez une Ocellionne, je n'y voyais qu'une différence supplémentaire entre nous.

En jindobé, elle demanda : « Qui approche ? » Son expression demeurait grave mais je sentais dans sa voix profonde une neutralité courtoise ; elle me posait la question comme à n'importe quel inconnu se présentant à sa porte.

Je m'arrêtai ; je voulais lui répondre mais je n'arrivais pas à me rappeler mon nom. J'avais l'impression de m'en être dépouillé en pénétrant dans le monde kidona. Je songeai que j'avais relevé le défi de Dewara dans le but d'appartenir à son peuple, de devenir un guerrier et de mériter son respect ; pour cela, il me fallait vaincre l'ennemi qui se dressait devant moi. Cependant, il ne m'avait pas prévenu que la sentinelle se présenterait sous l'aspect d'une vieille femme. La part de moi-même qui n'était pas kidona éprouvait de la honte devant l'épée que je brandissais et mon incapacité à répondre à son interrogation polie ; un membre de l'armée gernienne ne levait pas ses armes contre les femmes ni les enfants. Sous une puissante impulsion de cette personnalité, je commençai à baisser mon sabre, et, à la fois gentilhomme et guerrier, du moins l'espérais-je, je répondis : « Celui qui m'a conduit ici m'appelle "bébé soldat". »

Elle pencha la tête et me sourit comme à un tout jeune enfant. Je sentis dans sa voix une légère réprimande, semblable à celle d'une grand-mère affectueuse qui rappelle les bonnes manières à son petit-fils. « Ce n'est pas ton nom ni une façon de te présenter. Comment t'a nommé ton père ? »

J'ouvrais la bouche quand une vérité m'apparut que j'ignorais jusque-là. « Je ne crois pas pouvoir le prononcer ici. Je viens pour devenir un Kidona mais je n'ai pas encore de nom kidona. » Je me reprochai aussitôt la bêtise et la puérilité qui m'avaient poussé à confier ce renseignement à mon adversaire. Je bandai les muscles et me remis en garde.

L'épée dans mon poing ne parut lui faire ni chaud ni froid. Elle s'inclina vers moi, ce qui me permit de constater que ses longs cheveux restaient accrochés au tronc de l'arbre, comme s'ils l'y enchaînaient. Elle m'examina d'un œil perçant et j'eus l'impression qu'elle me scrutait jusqu'aux tréfonds. A mi-voix, sur le ton de la confidence, elle me dit : « Je vois ta difficulté ; il t'utilise pour m'écarter de sa route. Il t'a fait croire que tu devais me tuer pour acquérir le statut d'homme respecté. Il te trompe. Tuer, c'est tuer, rien de plus. L'estime que le Kidona t'accordera ensuite n'a de réalité que pour lui ; nul n'y attache de prix, toi moins que quiconque. Et tu n'as pas à m'ôter la vie pour atteindre à la véritable considération. Mon sang ne te vaudra que celle de ce dadais ; je devrai payer cher pour que tu jouisses de la déférence d'un rustre. Rien de valable ne s'obtient par le sang, jeune homme. »

Je réfléchis à ces paroles. Elles exprimaient un idéal qui avait sa valeur dans un système philosophique éthéré ; mais, à un niveau plus terre à terre, je savais qu'une grande partie du monde où je vivais avait été conquise par la guerre et la mort. Mon père en parlait souvent et répétait que nos soldats, en particulier les officiers de la cavalla, avaient acheté la nouvelle Gernie au prix de leur vie, et fait nôtres les terres que nous occupions aujourd'hui en les arrosant du sang de nos fils militaires.

« Je ne suis pas d'accord ! » lui criai-je, et je m'aperçus soudain que j'avais poussé ma voix inutilement : sans m'en rendre compte, je m'étais rapproché d'elle. Le chemin de racines m'avait-il porté en avant sans que j'en eusse conscience ? Je parcourus rapidement les alentours du regard sans parvenir à aucune certitude.

Elle eut un sourire empreint de la sagesse des vieilles gens. « La vérité n'a pas besoin que tu la reconnaisses, jeune homme, pour être la vérité ; mais, toi, tu as besoin qu'elle te reconnaisse, sans quoi tu n'as pas de réalité. Mais laissons de côté l'absence de valeur de ce qu'on obtient par le sang et tâchons de nous rappeler ton identité par un autre moyen. Nous ne nous définissons pas par ce pour quoi nous mourons, mais par ce pour quoi nous vivons ; acceptes-tu ce point de départ ? »

Elle avait complètement retourné la situation : elle me mettait à l'épreuve au lieu de relever mon défi. Gardienne du pont, elle exigeait la preuve que j'étais digne de le traverser ; si je gagnais son respect, elle me laisserait passer ; que je fusse kidona ou non n'entrait nullement en ligne de compte.

Lointaine comme le cri d'un rapace par une journée d'été torride, la voix de Dewara me parvint. « Ne discute pas avec elle ! Elle va tordre ta pensée comme une liane ! Ne l'écoute pas. Fonce et tue-la ! C'est notre seul espoir ! »

Elle ne haussa pas le ton et répondit presque dans un murmure : « Tais-toi, Kidona. Laisse ton "guerrier" parler pour lui-même.

— Tue-la, bébé soldat ! Elle essaie, de te posséder ! »

Mais, comme l'appel indistinct d'un oiseau qui convoite le territoire d'un autre, ses vociférations ne me touchaient pas. Je les laissai passer en songeant aux propos de la femme-arbre. Nous nous définissons par ce pour quoi nous vivons ; me définissais-je ainsi ? Un militaire devait-il se poser ce genre de questions ?

« Il n'y a pas de différence entre ce pour quoi je vis et ce pour quoi je serais prêt à donner ma vie », dis-je en pensant à mon roi, mon pays et ma famille.

Elle hocha lentement la tête ; on eût cru la couronne d'un arbre agitée par un léger coup de vent.

« Je le vois, oui. Tu désires vivre pour tout cela, plus que mourir pour le respect du Kidona. C'est lui qui t'envoie me tuer ; cette mission ne se trouve pas dans ton véritable cœur, mais dans celui qu'il s'efforce de t'imposer. Il s'imagine l'emporter quoi qu'il arrive : tu restes le fils de son ennemi ; si je meurs, tu lui auras bien servi ; si tu meurs, il n'y perdra rien. Mais, dans un cas comme dans l'autre, le préjudice pour toi serait énorme. Quelle quête poursuis-tu réellement, fils de soldat ? Pourquoi les dieux t'ont-ils conduit auprès de moi, pourquoi as-tu réussi à échapper à tous les pièges ? Je ne pense pas que ton destin soit de périr en tentant de m'ôter la vie ; tu vaux plus que cela. Tu te présentes sous l'aspect d'un guerrier ; les dieux me font-ils don d'une arme en ta personne ?

— Je ne comprends pas.

— Ma question n'a rien de compliqué. » Elle se pencha et me regarda dans les yeux. « As-tu accompli la traversée jusqu'à ce monde-ci pour prendre la vie ou la donner ?

— Que voulez-vous dire ?

— Ce que je veux dire ? Ne suis-je pas assez claire ? Je te demande de choisir : la vie ou la mort. Lequel des deux adores-tu ?

— Je ne… Enfin, je… je veux… Je ne sais pas ! Je ne comprends pas ce que vous attendez de moi ! » J'avais beau chercher, je ne trouvais nulle réponse. Je compris soudain que je courais un très grave danger, un danger qui durait non quelques instants mais l'éternité et menaçait non le corps mais l'âme. Je n'avais plus qu'une envie : retourner dans mon univers, redevenir le fils de mon père et, plus tard, tenir mon rôle dans l'armée de mon roi. La réponse venait trop tard ; je n'eus pas le temps de prononcer une seule syllabe.

« Je vais devoir le découvrir à ta place ; vis ou meurs, fils de soldat. »

Le pont s'ouvrit sous mes pieds ; les racines ne cédèrent pas mais s'écartèrent pour me laisser tomber à travers leur réseau. Epouvanté, je m'élançai sur les lianes qui roulaient sous mes pas en essayant contre tout espoir d'atteindre la terre ferme.

Je n'y parvins pas. Il n'y eut soudain plus que le vide en dessous de moi. De la main gauche, je tâchai de me raccrocher, mais les racines se rétractèrent à mon contact ; elles avaient laissé une large brèche dans leur trame et il n'y avait plus devant moi que la falaise nue. Par un réflexe futile, je fis le geste de planter mon sabre dans le sol alors que sa pointe l'effleurait à peine.

Avec un choc violent qui se répercuta dans mon bras, il s'enfonça et resta prisonnier de la pierre. Cela défiait toutes les lois physiques que je connaissais, et j'en demeurai frappé d'effroi et de stupéfaction. La femme-arbre laissa échapper un hoquet, de surprise ou de douleur, je ne sais. Mais je tombais toujours, et, à bout de ressources, je saisis stupidement de la main gauche la lame de mon épée à l'instant où la droite lâchait la garde. L'acier m'entailla les doigts, mais cette souffrance ne se comparait en rien à la terreur que j'éprouvais à la perspective de choir dans l'abîme. L'instant suivant, ma main droite se refermait elle aussi sur mon arme et je me retrouvais suspendu dans le vide, accroché de tout mon poids à la lame soigneusement affûtée, cherchant du bout des pieds un appui sur la paroi de l'à-pic. Je savais que je ne tiendrais pas longtemps : ma volonté qui commandait à mes doigts de ne pas lâcher prise céderait à la douleur ou bien elle deviendrait caduque une fois que la lame m'aurait tranché les phalanges.

« Au secours ! » criai-je, non à la femme-arbre qui me regardait sans bouger, la mine implacable, ni à Dewara qui m'avait envoyé à la mort, mais à l'univers indifférent, supplique désespérée pour qu'on prît en pitié un petit bout de vie pendu au-dessus de l'abîme.

La souffrance était intolérable et mon sang rendait l'acier glissant. J'envisageai de lâcher l'arme d'une main pour tenter de trouver une prise sur la falaise, mais je n'en repérais aucune sur la pierre bleuâtre et lisse. Je fermai les yeux pour ne pas voir mes doigts tomber l'un après l'autre avant la chute finale.

« Veux-tu que je te remonte ? me demanda la femme-arbre.

— Aidez-moi, je vous en prie ! » Je l'implorai soudain sans me soucier qu'elle fût ou non de mon côté : elle représentait mon unique planche de salut. Je rouvris les yeux ; elle me regardait avec curiosité. Des frondes de fougère poussaient sur sa robe moussue.

« De quoi me pries-tu ? fit-elle avec une douceur inflexible.

— Remontez-moi, par pitié ! lançai-je, la respiration hachée.

— Tu me pries de te hisser ? » On eût cru qu'elle voulait avoir la certitude de m'avoir bien entendu. « Tu souhaites donc vivre ? Achever la traversée du pont ?

— Je vous en supplie ! Remontez-moi ! » La terreur rendait ma voix stridente. Le sang ruisselait sur mes poignets ; le fil de la lame commençait à m'entailler les articulations, et je craignais de m'évanouir de douleur avant même qu'il n'eût terminé de me trancher les doigts.

Elle restait impitoyable. « Je dois te permettre de choisir. Tu peux répondre que tu préfères mourir plutôt qu'accéder à la vie ; dans ce cas, qu'il en soit ainsi. Mais si tu désires que je te remonte dans cette vie, il faut que tu annonces clairement ta décision. La magie ne prend personne contre sa volonté. Choisis-tu le pont ? » Elle s'agenouilla puis se pencha, mais demeura hors de ma portée. Je sentis son odeur de vieille femme et d'humus, si forte que j'en eus la nausée.

« Je… choisis… la vie ! » Les battements de mon cœur tonnaient à mes oreilles, et j'avais à peine assez de souffle pour répondre. Je pouvais prétendre que j'ignorais à quoi je m'engageais, mais au fond de moi je le savais. La femme-arbre ne parlait pas de la vie et de la mort tels que je les connaissais ; dans sa bouche, ces mots prenaient un sens différent. Sans doute aurais-je pu rester suspendu à mon sabre et exiger des explications ; je redoutais d'avoir fait preuve de lâcheté en échangeant ma sauvegarde contre un prix à payer odieux et que je ne concevais même pas. Mais, sur le moment, alors que ma vue s'obscurcissait peu à peu, je ne songeai même pas à lui demander de m'exposer les termes exacts du marché qu'elle me proposait ; il me fallait d'abord assurer ma survie puis tâcher de résoudre au mieux les conséquences de mon choix.

Très loin derrière moi, j'entendis Dewara crier : « Fou ! Pauvre fou ! Elle te possède désormais ! Tu lui appartiens ! Tu as ouvert la voie et nous as tous condamnés ! » Bien qu'assourdis par la distance, les mots me parvenaient clairement. Je me croyais au comble de la terreur, mais ils soulevèrent en moi une nouvelle vague d'épouvante : à quoi avais-je dit oui ? Qu'entraînerait pour moi la victoire de la femme-arbre ?

« Tu l'as demandé, il en sera donc ainsi, dit-elle. Je t'accueille ; viens nous rejoindre. » Je ne perçus nul triomphe dans sa voix ; elle accédait seulement à mon désir.

Je pensais qu'elle allait saisir mes poignets et me hisser, mais non : elle tendit la main vers ma tête. Mon père me faisait couper les cheveux court, au ras des oreilles, mais, pendant le temps que j'avais passé en compagnie de Dewara, ils avaient poussé. Elle en agrippa une touffe au sommet de mon crâne, mais, au lieu de s'en servir pour me tirer vers le haut, elle l'entortilla autour de ses doigts, du moins en eus-je l'impression, comme pour assurer sa prise.

L'esprit confus, je me rendis vaguement compte qu'elle parlait d'une voix forte ; elle ne s'adressait pas à moi mais à Dewara, de l'autre côté du précipice. « Etait-ce ton arme, Kidona ? Cet enfant de l'occident ? Ha ! La magie l'a choisi et me l'a donné. Je m'en servirai bien ; merci pour ce beau présent, Kidona ! »

Soudain elle baissa le ton, et je crois que je ne l'entendis plus que dans ma tête, alors que je m'évertuais à ne pas lâcher prise. Elle tirait maintenant sur mes cheveux sans paraître réussir à me soulever.

Je l'implorai : « Attrapez-moi les poignets ! » Sans prêter attention à ma supplique, elle se mit à me donner calmement des instructions. « La magie te fournira un objet ; garde-le toujours soigneusement auprès de toi. De toi, je vais prendre moi aussi un gage qui nous liera, fils de soldat ; j'entendrai ce que tu diras, je sentirai le goût de ce que tu mangeras et, en échange, je t'emplirai de ma nourriture. Tout ce que tu es, je le partagerai et j'apprendrai.

« Je te confie une grande mission : tu vas mettre un terme à la progression des intrus. Tu vas inverser la marée des envahisseurs et des ravageurs de nos terres. Je vais faire de toi l'instrument de notre victoire sur ceux qui cherchent à nous détruire. »

Tandis qu'éperdu de souffrance je m'efforçais de comprendre ses paroles, elle haussa de nouveau la voix : « C'est moi et ma magie qu'il sert désormais, Kidona ! Et toi, tu me l'as donné ! Va raconter ça à ton peuple à peau de cuir ! Tu m'as fait cadeau de ton arme, et maintenant je la prends ! »

Le sens de ses propos m'échappait complètement et je n'avais pas le temps d'y réfléchir. Ma terreur crût encore quand elle resserra sa prise sur mes cheveux ; elle exerça une violente traction sur eux et je les sentis s'arracher de mon crâne. La douleur me vrilla l'épine dorsale et je me convulsai comme un poisson au bout d'un harpon. Tout au fond de moi, une composante essentielle céda et me fut arrachée comme un fil d'un morceau de tissu.

Le visage de la femme-arbre se trouva soudain si près du mien que je sentis son haleine sur mes lèvres. Je ne voyais que ses yeux gris-vert quand elle dit : « Je te tiens maintenant. Tu peux lâcher. »

J'obéis et m'abîmai dans les ténèbres.

5

Le retour

Non loin de moi, mes parents se disputaient. Ma mère avait la voix tendue mais elle ne pleurait pas, signe d'extrême contrariété. Elle s'exprimait à mots secs, aux arêtes vives. « C'est aussi mon fils, Keft ; vous avez été… cruel de ne pas me prévenir. » A l'évidence, elle avait préféré « cruel » à un terme plus malsonnant.

« Séléthé, il y a des domaines qui ne relèvent pas des femmes. » Au ton de mon père, je le sus assis dans un fauteuil, penché en avant ; je l'imaginai les mains appuyées sur les cuisses, les coudes écartés, les épaules courbées pour supporter les remontrances de son épouse, le regard farouche.

« Dans le cas de Jamère, je ne suis pas seulement une femme, mais également sa mère. » A coup sûr, elle avait croisé les bras sur sa poitrine ; je la voyais d'ici, droite comme un I, impeccablement coiffée, les pommettes rouges. « Tout ce qui concerne mon fils relève de mon domaine.

— Quand il s'agit de votre fils, je vous le concède », répondit mon père avec affabilité. Puis il ajouta d'un ton plus sévère : « Mais il s'agissait en l'occurrence de Jamère en tant que fils militaire ; et, à ce titre, cette affaire ne regardait que moi. »

J'avais l'impression d'avoir traversé d'innombrables songes avant de parvenir ici et maintenant, mais je ne rêvais plus ; j'avais retrouvé mon ancienne existence, le chemin qui me ramenait chez moi. A l'instant où je compris cela, les inventions de mon esprit se dissipèrent comme brume au soleil, et j'oubliai tout dans ma hâte de reprendre le cours de ma vie. Je voulus ouvrir les yeux mais mes paupières restèrent collées ; la peau de ma figure me donnait une sensation d'épaisseur et de rigidité, et, quand j'essayai de remuer les lèvres, les muscles de mon visage me firent mal. Je reconnus ces perceptions : des années plus tôt, j'avais attrapé un grave coup de soleil et ma mère m'avait entièrement enduit de gelée d'agu. J'inspirai un peu plus profondément pour humer l'odeur de la plante ; oui, je ne me trompais pas.

« Il se réveille ! » L'espoir et le soulagement imprégnaient la voix de ma mère.

« Ce n'est qu'une crispation nerveuse, Séléthé, un réflexe. Cessez de vous ronger les sangs et allez prendre du repos, Qu'il se rétablisse ou non, vous n'y changerez rien en vous épuisant à demeurer à son chevet ; le veiller ainsi ne vous fait de bien ni à l'un ni à l'autre, et vous risquez de négliger nos autres enfants. Allez vaquer à vos occupations ordinaires ; s'il reprend conscience, je vous préviendrai. »

Il n'y avait nulle confiance dans le ton de mon père ; au contraire, j'y sentais une lourde résignation, comme si ses remontrances s'adressaient autant à lui-même qu'à son épouse. Je l'entendis s'adosser dans son siège et identifiai le craquement du fauteuil de lecture de ma chambre. Me trouvais-je donc chez moi, à la maison ? Je m'efforçai de me rappeler où je me croyais jusque-là, mais en vain ; comme un rêve qu'on cherche à se remémorer en plein jour, ce souvenir m'échappait.

Je perçus le bruissement des jupes de ma mère et son pas léger qui se dirigeait vers la porte ; elle l'ouvrit puis s'arrêta. D'une voix rauque, elle murmura : « Ne voulez-vous pas au moins m'expliquer ? Pourquoi avoir confié notre fils à un sauvage, à un homme qui avait motif de vous haïr personnellement avec la ténacité de sa race barbare ? Pourquoi avoir volontairement exposé Jamère au danger ? »

Mon père poussa un soupir lourd de menace, et, comme lui, j'attendis qu'elle sorte. Je savais qu'il ne lui apporterait nul éclaircissement. Bizarrement, je m'étonnais davantage qu'elle ne s'en allât pas que je ne m'interrogeais sur la réponse qu'il aurait pu lui donner ; sans doute étais-je si convaincu qu'il n'en fournirait pas qu'aucune ne me paraissait possible.

Pourtant, il accepta. Il avait déjà tenu de tels propos devant moi, mais, j'ignore pourquoi, murmurés sous le toit de ma mère, ils devenaient soudain lourds de sens. « Il y a des leçons que Jamère ne peut apprendre d'un ami, qu'un soldat ne peut apprendre que d'un ennemi.

— Quelles leçons ? Quelle science pouvait-il donc acquérir auprès d'un païen, à part celle de mourir inutilement ? » Je la sentais au bord des larmes, et je savais comme elle que, si elle avait le malheur de laisser échapper un sanglot, mon père la confinerait dans ses appartements jusqu'à ce qu'elle se reprît. Il ne supportait pas qu'une femme pleurât ; aussi fut-ce d'une voix tendue qu'elle poursuivit : « Vous aviez un fils idéal, plein de bonne volonté, obéissant et franc ; que pouvait lui enseigner un sauvage comme ce Kidona ?

— La méfiance. » Mon père s'exprimait d'une voix si basse que j'avais à peine perçu sa réponse, au point que je doutais qu'il l'eût prononcée. Il s'éclaircit la gorge et continua plus fort : « Je ne sais si vous êtes à même de comprendre, Séléthé ; pour cette fois, je vais tâcher de vous expliquer. Avez-vous entendu parler de la folie de Dernel ?

— Non », fit-elle dans un souffle. Je ne m'étonnai pas qu'elle ne connût pas le nom du capitaine Dernel ; sa célébrité dans l'armée n'était pas de celles qu'on envie. On lui reprochait notre défaite lors de la bataille de Tobalé face aux Landsingers ; un messager lui avait remis des ordres de son général selon lesquels il devait lancer une charge manifestement suicidaire. Dernel avait l'avantage de se situer en hauteur et pouvait constater que la situation avait changé depuis l'émission des instructions de l'arrière ; il en avait même fait la remarque à l'officier de service en quittant sa tente. Néanmoins, il avait décidé de se plier à la hiérarchie ; il avait obéi à un commandement caduc et mené 684 cavaliers à la mort, alors qu'il avait lui-même reconnu l'insanité de l'ordre. Tous les hommes de la cavalla savaient l'histoire du capitaine Dernel, dont le nom avait pris valeur de synonyme pour désigner un officier qui ne prend pas d'initiative et se contente d'appliquer les consignes de ses supérieurs.

« Ah ! Peu importe. Sachez seulement que je ne souhaite pas voir mon fils suivre l'exemple de Dernel. Vous l'avez dit, Jamère est un bon fils, très obéissant ; il obéit sans discuter ; il obéit au sergent Duril, il vous obéit. Il obéit, trait admirable chez un enfant et nécessaire chez un soldat. Depuis quelques années, je l'observais, je surveillais son développement et j'attendais qu'il désobéisse, qu'il discute, qu'il s'oppose ; j'attendais le moment où la tentation le prendrait de n'en faire qu'à sa tête. Mieux, j'espérais qu'un jour viendrait où il s'en remettrait à son jugement de préférence au mien ou à celui du sergent Duril.

— Vous vouliez qu'il se dresse contre vous ? Mais pourquoi ? » A l'évidence, ma mère n'en croyait pas ses oreilles.

Son époux eut un petit soupir. « Je me doutais que vous ne comprendriez pas. Séléthé, je désire pour fils mieux qu'un soldat docile ; je souhaite qu'il gravisse les échelons de la hiérarchie autant par ses capacités personnelles que par la nôtre à lui payer ses études militaires. Pour faire un bon officier, il ne faut pas seulement savoir obéir ; il faut acquérir le sens du commandement, c'est-à-dire prendre ses propres décisions, trouver par soi-même le moyen de se tirer d'un mauvais pas ; on doit avoir l'œil pour évaluer la situation sur le terrain et déterminer quand se fier à son instinct.

« Par conséquent, je l'ai placé délibérément face à des circonstances difficiles. Je savais qu'il en apprendrait

179

beaucoup auprès de Dewara, mais aussi que le Kidona finirait par le mettre dans une situation où il devrait faire confiance à son seul discernement ; il devrait douter de l'autorité, non seulement celle de Dewara, mais aussi la mienne, à cause de laquelle il se retrouverait pris au piège. Tactique cruelle, j'en conviens, mais il ne montrait nulle inclination à évoluer dans ce sens et il me fallait l'obliger à franchir cette frontière qui sépare l'enfant de l'adulte. J'espérais qu'il apprendrait à ne pas tenir compte d'ordres envoyés de l'arrière par des hommes bien en sécurité qui ignorent tout des conditions sur le front, à s'en remettre à son propre jugement, à découvrir qu'en fin de compte chaque soldat est son propre maître, à commander – à se commander lui-même, tout d'abord, afin d'être en mesure de commander les autres ultérieurement. » Il changea de position dans le fauteuil puis s'éclaircit à nouveau la gorge. « A comprendre que même son père ne sait pas toujours ce qui vaut le mieux pour lui. »

Un long silence s'ensuivit, puis ma mère déclara d'un ton glacial : « Je vois. Vous avez confié notre fils à un sauvage pétri de haine afin de lui enseigner que son père ne sait pas toujours ce qui vaut le mieux pour lui. Eh bien, désormais je le sais et je ne l'oublierai pas ; je regrette que Jamère n'ait pas appris cette leçon plus tôt. »

Jamais je n'avais entendu ma mère tenir des propos aussi durs à l'encontre de mon père. Je ne me doutais même pas qu'ils eussent de telles conversations.

« Peut-être avez-vous raison, auquel cas il n'aurait pas survécu longtemps dans l'armée, de toute façon. »

Je n'avais jamais perçu tant de froideur dans la voix de mon père ; mais j'y sentais aussi du chagrin et peut-être même des remords. L'idée qu'il pût s'en vouloir de mes mésaventures me fut insupportable ; j'essayai d'intervenir, et, incapable d'articuler un mot, je tentai de lever les mains. Je n'y parvins pas, mais je réussis à leur imprimer un mouvement de va-et-vient sur le lit et je sentis mes doigts frotter sur les draps. Toutefois, cela ne suffit pas. Je pris une grande inspiration, rassemblai toutes mes forces et soulevai la main droite. Bien que l'effort me fît trembler, je la maintins en l'air.

J'entendis ma mère prononcer mon nom avec un haut-le-corps, mais ce fut la paume rude de mon père qui se referma sur mes doigts – dont je me rendis compte alors seulement qu'ils étaient bandés eux aussi. « Jamère, écoute-moi. » Il parlait très fort et distincte-ment, comme si je me trouvais loin de lui. « Tu es à la maison ; tout va bien, tu n'as plus rien à craindre. Ne t'agite pas. Veux-tu de l'eau ? Serre ma main si tu as envie de boire. »

Non sans mal, j'exerçai une faible pression, et, peu après, on porta un verre frais à ma bouche. Les lèvres enflées et parcheminées, je bus avec difficulté, en trempant le bandage qui couvrait mon menton, puis on me rallongea sur mes oreillers où je sombrai à nouveau dans un profond sommeil.

Je devais apprendre par la suite que j'avais regagné la maison de ma mère avec une deuxième entaille à l'oreille en plus de celle que m'avait valu ma déso-béissance, ainsi que l'avait promis Dewara. Mais, pro-fitant de mon inconscience, il ne s'en était pas tenu là.

Les aboiements des chiens avaient prévenu mon père que quelqu'un s'approchait de son manoir dans la fraîcheur ténue du petit jour, et il avait vu la jument taldi me traîner jusqu'au seuil de l'entrée sur un travois en bois. J'avais les vêtements en lambeaux et certaines parties de ma personne à vif, car le véhicule grossier ne m'avait pas complètement protégé du frottement sur le sol ; quant à celles qu'aucun tissu ne cachait, elles avaient subi sous le soleil des brûlures si intenses que les cloques avaient crevé. Mon père m'avait d'abord cru mort.

Dewara, lui, était resté à l'écart, assis au loin sur sa monture dans la grisaille de l'aube. Alors que mon père et ses hommes accouraient devant la maison, attirés par le bruit, il avait pointé un fusil et abattu Kiksha ; touchée en plein poitrail, elle avait poussé un grand cri, chu à genoux et roulé sur le flanc pendant qu'il faisait volter son taldi et s'éloignait au galop. Nul ne l'avait poursuivi car il fallait en priorité me placer à l'abri des ruades d'agonie de la jument. En dehors de la double entaille à mon oreille et du cadavre de l'animal, le Kidona n'avait laissé aucun message à son ennemi. Plus tard, je sus qu'il n'avait pas retrouvé les siens, ou bien qu'ils le cachaient et refusaient de le livrer à la justice gernienne ; du seul fait qu'il possédait une arme à feu, il risquait la pendaison. Pourquoi l'avoir ainsi brandie ? Par provocation ou pour inviter mon père à le tuer de ses propres mains ?

De mes nombreuses blessures, une seule paraissait assez grave pour mettre ma vie en danger ; je souffrais de déshydratation, de brûlures dues à une exposition prolongée au soleil et de profondes éraflures consécutives à mon trajet sur le travois. De ma nouvelle encoche à l'oreille suintait un sang épais quand mon père m'avait trouvé, et il me manquait au sommet du crâne un morceau de cuir chevelu de la taille d'une pièce de monnaie. Le médecin avait secoué la tête après m'avoir examiné. « A part les coups de soleil et les excoriations, je ne m'explique pas ses lésions. Peut-être a-t-il reçu un choc violent sur la tête, d'où son coma ; je n'en sais rien. Nous verrons avec le temps comment il évolue. En attendant, occupons-nous de ses autres bobos. » Et il avait entrepris de nettoyer mes plaies de la terre et des petits cailloux qui s'y logeaient, puis de les bander ou de les suturer jusqu'à ce que je ressemble à une poupée de chiffon qu'on vient de raccommoder.

Je descends d'une famille solide et résistante, disait mon père ; de fait, une fois que je m'éveillai de ma longue inconscience, j'entamai une guérison lente et pénible, certes, mais indéniable. Ma mère exigea qu'on m'enduisît tous les jours de graisse de la tête aux pieds afin de protéger mes brûlures du contact de l'air ; cela évita à mes doigts de se coller les uns aux autres lorsque la peau morte se détacha pour laisser la place à la chair à vif, mais je n'ai jamais oublié la sensation que j'éprouvais, étendu sur de la gaze grasse, tandis que chaque pouce carré de mon corps me piquait. L'agu qui empêchait la plupart des infections dégageait une odeur âcre qui persista dans ma chambre pendant des semaines. La plaque de cuir chevelu arrachée cicatrisa, mais jamais mes cheveux n'y repoussèrent.

Parler me demandait des efforts douloureux et, pendant deux jours, mon père retint ses questions. Ma famille avait craint pour ma vie et je me rendais compte avec gêne, malgré les pansements qui me couvraient généralement les yeux, qu'à toute heure du jour ma mère ou l'une de mes sœurs se trouvait à mon chevet. Qu'elle ne confiât pas cette tâche à un domestique donnait la mesure de son inquiétude.

Elisi veillait sur moi un après-midi quand mon père entra ; il fit sortir ma sœur puis s'assit lourdement dans le fauteuil de lecture. « Fils ? » Je tournai légèrement la tête dans la direction d'où venait sa voix. « Veux-tu boire un peu ?

— Oui, s'il vous plaît », fis-je dans un chuchotement rauque.

Je l'entendis verser de l'eau dans le verre posé sur ma table de nuit. Je levai la main pour écarter de mon œil la compresse grasse qui le protégeait. J'avais eu tout le visage cloqué par le soleil, et la peau en train de guérir me démangeait. Je me redressai tant bien que mal dans mon lit puis je pris le verre que me tendait mon père ; les gants épais que me faisaient mes bandages rendaient mes gestes maladroits, mais je vis qu'il se réjouissait de me voir me débrouiller seul, et cette récompense valait bien la peine que je me donnais. Je bus puis il me prit le récipient des mains alors que j'essayais de le reposer à sa place au risque de le laisser tomber. A côté de lui, sur le meuble, se trouvait l'unique souvenir tangible de mon expérience. Le sergent Duril avait tenu à participer à ma mise au lit ; il avait récupéré un des petits cailloux qu'on avait extraits de mes blessures et l'avait mis de côté à mon intention. Le gravillon n'avait rien de remarquable ; il s'agissait sans doute d'une espèce de quartz, auquel se mêlaient des grains et des stries d'autres minéraux ; toutefois, il me rappelait que j'avais encore une fois échappé à la mort, et j'en tirais un singulier sentiment d'encouragement. Duril pensait probablement que je trouverais plus tard un côté humoristique à ce trophée lorsque je me remémorerais cet épisode douloureux.

Mon père toussota pour attirer mon attention. « Eh, bien, tu reprends un peu de poil de la bête ? »

J'acquiesçai de la tête. « Oui, père.

— Te sens-tu en état de parler ? »

J'avais l'impression d'avoir deux saucisses trop cuites à la place des lèvres. « Un peu, père.

— Très bien. » Il se laissa aller contre son dossier, réfléchit un moment puis se pencha de nouveau vers moi. « Je ne sais même pas quelles questions te poser, mon fils. Mieux vaut te laisser raconter ton aventure à ta manière, je crois ; qu'est-il arrivé ? »

Je me passai la langue sur les lèvres et le regrettai aussitôt au contact des petits bouts de peau secs et déchiquetés que je rencontrai. « Dewara m'a appris à vivre en Kidona, leur façon de chasser, de monter à cheval, de faire du feu, les aliments dont ils se nourrissent, la technique qui consiste à boire le sang d'un taldi en cas de disette, l'usage de la fronde pour tuer les oiseaux.

— Pourquoi t'a-t-il entaillé l'oreille ? »

Je fouillai ma mémoire. Je n'avais plus qu'un souvenir vague et brumeux de certaines périodes de mon séjour avec lui. « Il avait des vivres mais refusait de les partager ; alors… je l'ai quitté pour trouver moi-même de quoi subsister. Il m'a interdit de m'en aller, et je suis parti quand même, parce que je croyais qu'il avait l'intention de me laisser mourir de soif. »

Mon père hocha la tête, les yeux brillants d'intérêt. Il ne me reprocha pas d'avoir désobéi à Dewara ; pensait-il que j'avais appris la leçon espérée ? Valait-elle ce que j'avais dû endurer ? Une violente bouffée de colère m'envahit ; je la réprimai durement et prêtai l'oreille à ce qu'il me demandait. « Et c'est tout ? Il t'a infligé un tel traitement à cause de ça ?

— Non. Non, il s'agissait seulement de la première fois.

— Donc… tu l'as quitté. Mais ensuite tu es revenu auprès de lui en quête d'eau et de nourriture ? » Je me sentis désorienté mais aussi un peu déçu.

« Non, répondis-je vivement. Il m'a pourchassé, père ; je n'ai pas rampé à ses pieds en le suppliant de me sauver. Quand je suis parti sur la jument, il m'a suivi sur son étalon, m'a rattrapé et m'a entaillé l'oreille au passage avec son cou-de-cygne. Je n'ai pas attendu sans bouger qu'il me marque ainsi ; j'aurais préféré mourir. »

Ma véhémence parut l'interloquer.

« Bien sûr, Jamère, je m'en doute ; jamais tu n'aurais agi de cette manière. Mais quand il s'est lancé à ta poursuite…

— Au bout d'un jour et demi de chevauchée, j'ai découvert un trou d'eau, et j'ai su alors que je survivrais ; à ce moment, je pensais rentrer directement à la maison. Mais il m'a retrouvé ; ce soir-là, nous nous sommes battus, puis nous avons parlé, et, ensuite, il a commencé à m'enseigner les techniques de survie des Kidonas. » Je repris mon souffle et me sentis tout à coup très fatigué, comme si je m'exerçais à l'escrime depuis plusieurs heures au lieu de parler depuis quelques minutes ; j'en fis part à mon père.

« Je m'en rends compte, Jamère, et tu pourras bientôt te reposer. Explique-moi seulement pourquoi Dewara t'a mis dans cet état ; tant que je ne l'aurai pas appris de ta bouche, je ne saurai pas comment y réagir. » Un pli barra son front. « Tu comprends, n'est-ce pas, que le traitement qu'il t'a infligé représente un terrible affront pour moi ? Je ne puis le laisser passer sans réagir. J'ai envoyé des hommes à sa recherche ; il répondra devant moi de son insulte. Mais, avant de le juger, il me faut avoir en main tous les éléments de l'histoire qui l'ont conduit à cette insolence… Je ne suis qu'un homme, Jamère ; s'il y a eu entre vous un événement qui a déclenché sa fureur… si, même sans le vouloir, tu l'as profondément offensé, il faut te montrer honorable et m'en faire part. » Il changea de position dans le fauteuil puis il l'approcha de mon chevet. « Je crains d'avoir reçu de Dewara une plus grande leçon que toi, et tout aussi pénible. Je lui ai fait confiance, mon fils. Je savais qu'il te traiterait sans ménagement ; je savais qu'il ne transigerait pas avec les coutumes kidonas pour toi. C'était un ennemi, non un ami, mais un ennemi de confiance, si l'on peut accoupler ainsi ces termes : je me fiais à son honneur de guerrier. Il m'avait donné sa parole de t'inculquer son savoir comme à un jeune Kidona ; aussi… t'infliger ce qu'il t'a infligé… J'ai manqué de discernement, Jamère – et tu en paies le prix. »

Je pesai soigneusement mes mots. J'avais déjà réfléchi à l'expérience que j'avais vécue ; si j'avouais à mon père que j'avais failli de peu « m'ennomadiser », je perdrais son respect à jamais. Je devais lui révéler la vérité, mais uniquement ce que je le jugeais capable d'entendre. « Dewara a tenu parole, père.

— Il l'a outrepassée. Ces entailles à l'oreille… J'ai demandé au médecin de les suturer, mon fils ; tu garderas des marques, mais moindres que Dewara ne les voulait. Cela, j'aurais pu l'accepter puisque tu as reconnu lui avoir désobéi ; d'ailleurs, à dire le vrai, je pensais te voir rentrer avec au moins une balafre. Ça ne nuit pas à l'honneur d'un soldat. Mais te laisser exprès sans défense en plein soleil, t'exposer à la déshydratation et à l'insolation… il n'en avait jamais été question, et je n'ai jamais entendu parler d'une pareille sanction appliquée aux apprentis guerriers kidonas. Je crois qu'il t'a porté un coup sur le crâne. T'en souviens-tu ? »

Je fis signe que non, et il hocha la tête. « Il ne faut peut-être pas s'en étonner ; ce genre de choc peut affecter la mémoire. A mon avis, tu as dû rester longtemps sans connaissance pour souffrir de si graves brûlures. »

L'aveu qu'il venait de me faire tournoyait dans mes pensées ; je le répétai tout haut afin qu'il l'entende de ma bouche. « Vous saviez que je lui désobéirais ; vous saviez que je reviendrais avec au moins une entaille s'il me rattrapait. »

Il se tut quelque temps ; sans doute ne s'attendait-il pas à devoir reconnaître sa responsabilité devant moi. « J'avais envisagé cette conséquence de ta formation, en effet. » Il se redressa légèrement et me regarda un peu de côté. « Estimes-tu que l'apprentissage reçu valait ces souffrances ? »

Je réfléchis. Qu'avais-je appris de Dewara ? Je n'en avais pas encore d'idée précise. Il m'avait enseigné quelques techniques de monte et de survie. Mais mentalement ? Avais-je vraiment vu ce qu'il m'avait montré, ou bien m'avait-il seulement plongé dans l'illusion à l'aide de drogues ? Je l'ignorais, mais j'avais la certitude que mon père ne pouvait m'aider en rien à répondre à ces questions. Mieux valait ne pas les mettre sur le tapis ; mieux valait faire en sorte qu'il renonce à toute volonté de réparation. « Ce que j'ai appris valait probablement ces cicatrices ; et puis, ainsi que vous l'avez dit, un militaire doit s'attendre à récolter quelques balafres au cours de sa carrière. » En espérant mettre un terme à son interrogatoire, j'ajoutai : « S'il vous plaît, père, laissez-le tranquille. J'aimerais que cette affaire n'aille pas plus loin ; je lui ai désobéi, il m'a entaillé l'oreille comme il l'avait promis. Tenons-nous-en là. »

Il m'observait, les yeux arrondis, tiraillé entre la stupéfaction et le soulagement. « Tu sais que mon devoir me l'interdit, mon fils. Te laisser plus qu'à demi mort sur le seuil de notre maison… Si un Kidona se permet de traiter ainsi le fils militaire d'une famille noble et que nous ne réagissions pas, nous incitons les autres Nomades à en faire autant avec d'autres aristocrates.

Dewara ne comprendra ni l'indulgence ni le pardon ; je n'obtiendrai son respect que par la contrainte. » Il poursuivit en se frottant l'arête du nez d'un geste las : « J'aurais dû mieux peser les conséquences de ma décision avant de te confier à lui ; hélas, je ne m'en rends compte que trop tard. Je risque d'avoir semé la graine de l'agitation chez les Kidonas, et je ne puis m'en détourner ni rester en retrait en laissant à d'autres la tâche de régler le problème. Non, mon fils ; il me faut connaître tous les détails de l'histoire puis prendre les mesures nécessaires. »

Pendant qu'il parlait, j'avais commencé à gratter doucement les cloques, crevées depuis longtemps, de mon avant-bras gauche ; grâce à l'application de graisse et de beurre, je perdais de grands lambeaux de peau morte et humide, comme un poisson migrateur à la fin de la remonte, et j'éprouvais constamment la tentation puérile de les arracher. Je me passais délicatement le pouce sur une zone qui me démangeait, sans toutefois la gratter vraiment, et j'évitais ainsi de croiser le regard de mon père.

Il attendit un moment puis me relança : « Jamère ? »

Je pris ma décision : je lui mentirais. Je m'étonnai de la facilité avec laquelle les mots me vinrent.

« Il m'a emmené sur les plateaux où il a voulu m'enseigner une technique pour franchir un précipice ; j'ai jugé l'exercice imprudent, inutilement dangereux et j'ai refusé de m'y plier. Je me suis peut-être exprimé de façon un peu trop véhémente ; je lui ai dit que je trouvais l'idée stupide et qu'il fallait être fou pour l'accepter. Il a essayé de me contraindre par la force, j'ai résisté, et je crois l'avoir frappé au visage. » Il s'agissait là d'une insulte mortelle pour un Kidona, et la réaction de Dewara paraîtrait plausible. Je m'interrompis puis estimai en avoir assez raconté. « Je ne me rappelle plus rien avant mon réveil chez nous. »

Mon père garda une immobilité de statue ; son silence disait clairement la déception que je lui inspirais. Je ne regrettais pas d'avoir tu la vérité, mais je regrettais de n'avoir pas trouvé un meilleur mensonge. J'attendis qu'il en suppute toutes les conséquences. La responsabilité de ce que j'avais subi devait retomber sur Dewara ou sur moi ; je l'avais endossée, non parce que je le méritais, mais parce que, dans le cas contraire, et malgré mon jeune âge, je me rendais compte que les répercussions risquaient de s'étendre très loin. Si le Kidona m'avait maltraité sans grave provocation de ma part, mon père devait le poursuivre et le sanctionner sans pitié ; si j'avais insulté le guerrier, mon père pouvait se montrer moins implacable. Je savais aussi que m'accuser entraînait des suites à long terme ; on s'étonnerait que mon père ne traque pas Dewara avec toute la rigueur attendue, un doute planerait toujours sur moi : qu'avais-je fait au Kidona qui me valût un tel traitement et une telle insulte ? Si l'on pouvait dire aux relations de ma famille que j'avais commis la faute de frapper Dewara au visage, ma punition et l'absence de représailles deviendraient compréhensibles. Mon père devrait supporter l'humiliation que je n'eusse pas vaincu le guerrier lors d'un combat loyal, mais il pourrait tirer un peu d'orgueil à l'idée que j'avais donné un coup de poing à Dewara. Un peu tardivement, je me mordis les doigts d'avoir prétendu que j'avais refusé de franchir un précipice, car cela me donnait l'air un peu couard ; mais je n'y pouvais plus rien, aussi chassai-je cette idée. Je souffrais, j'étais épuisé et, comme souvent au cours de ma convalescence, j'avais l'impression que mes pensées ne m'appartenaient pas.

Pas un instant je n'envisageai d'exposer la vérité à mon père. Les premiers jours qui avaient suivi mon retour chez moi, pendant mes imprévisibles périodes d'éveil, j'avais fini par la concevoir ainsi : dans un rêve, j'avais refusé d'obéir à l'ordre de Dewara de tuer la femme-arbre ; je lui avais désobéi, persuadé qu'il commettait une erreur. Mais je me trompais ; il m'avait mis en garde contre elle et l'avait décrite comme un adversaire redoutable. J'avais retenu mon bras à l'instant où s'offrait l'occasion de la frapper et j'ignorerais toujours ce qui se serait produit si j'avais bondi pour l'abattre dès que je l'avais aperçue. Je devais désormais en supporter les conséquences. J'avais péri dans ce monde onirique et, du coup, frôlé la mort dans mon univers quotidien. Avais-je seulement la possibilité de discuter de ce « rêve » avec mon père ? J'en doutais. Depuis que j'avais découvert sa secrète opinion de moi, que je l'avais entendu exprimer devant ma mère ses réserves quant à ma capacité à commander, je sentais une curieuse distance s'installer entre nous. Il m'avait soumis aux épreuves d'un étranger hostile sans un mot d'avertissement ; avait-il seulement songé que je risquais de ne pas en revenir vivant ? Ou bien considérait-il ce risque comme acceptable ? Avait-il froidement jugé préférable de me perdre aujourd'hui comme fils que d'encourir un éventuel déshonneur de ma part une fois que je serais entré dans l'armée ? Je le regardai, l'estomac retourné par la colère et le désespoir.

Dans un murmure, je prononçai les premiers mots qui me vinrent « Je crois n'avoir rien d'autre à vous dire pour le moment. »

Il acquiesça de la tête d'un air compatissant, sourd à l'émotion qui imprégnait mes propos. « Tu es encore très fatigué, mon fils. Nous en reparlerons peut-être plus tard. »

Il y avait de l'affection dans sa voix, et un nouveau tourbillon de doute m'emporta. Avais-je réussi en partie le défi qu'il m'avait lancé ? M'estimait-il capable de commander des hommes ? Pire, je me mis soudain à douter de mon propre avenir. Peut-être mon père voyait-il en moi plus clairement que je n'y voyais moi-même ; peut-être me manquait-il l'étincelle qui faisait les bons officiers. J'entendis la porte de ma chambre claquer doucement, et j'eus l'impression qu'elle se fermait sur la carrière à laquelle je me préparais depuis toujours.

Je me rallongeai, inspirai profondément et tâchai de me calmer ; je parvins à me détendre physiquement, mais les pensées qui encombraient mon crâne se pourchassèrent de plus belle au point de me donner le sentiment qu'elles creusaient une ornière dans mon cerveau à force de parcourir indéfiniment le même cercle. Pendant mes journées d'alitement, en proie à une faiblesse que n'expliquaient pas mes blessures, je tournai et retournai mes souvenirs en tous sens en m'efforçant de les comprendre.

Je n'arrivai à rien ; la logique s'y cassait les dents. Si tout n'avait été qu'un rêve, je n'avais rien à reprocher à Dewara. Certes, il m'avait drogué, d'abord avec la fumée du feu de camp puis, si je n'avais pas imaginé cette scène, en me fourrant la grenouille séchée dans la bouche ; mais toute la suite ne relevait évidemment que de l'illusion, ce que j'avais vécu s'était passé dans ma tête et non dans la réalité. Mais, dans ce cas, pourquoi la fureur du Kidona à mon encontre ? Car je n'avais aucun doute là-dessus : il m'en voulait tant qu'il m'aurait tué s'il l'avait osé, et seule la crainte que lui inspirait mon père m'avait sauvé la vie. Mais pourquoi me punir d'une faute imaginaire dont il ne pouvait rien savoir ? Se pouvait-il qu'il m'eût réellement suivi dans mon rêve ? Que, par quelque moyen singulier, nous eussions pénétré et séjourné dans un monde des esprits propre aux Nomades ?

Ce raisonnement absurde menait à une autre conclusion : ce songe n'était pas le mien. J'en avais la conviction ferme et indiscutable. Les images présentaient un aspect fantastique totalement étranger à ma pensée ; jamais je n'aurais pu inventer un système de passerelles aussi extravagant ni un tel précipice, et je n'aurais certainement pas donné au terrifiant ennemi que je devais combattre les traits d'une grand-mère obèse ! Dans mon rêve à moi, c'est un géant à deux têtes ou un chevalier en armure de l'ancien temps qui aurait gardé un gué ou un pont, car ces personnages incarnaient les adversaires des contes que je connaissais.

Même mes réactions me paraissaient anormales et me laissaient perplexe, comme si j'avais lu une histoire venue d'une contrée lointaine sans comprendre le héros ni le dénouement. Je ne parvenais même pas à savoir pourquoi j'attachais tant d'importance à ce rêve ; j'aurais voulu qu'il s'efface comme les autres à mon réveil, mais il s'accrochait à moi.

A mesure que passaient les jours monotones de ma convalescence, il se fondit peu à peu aux souvenirs de mon séjour auprès de Dewara, au point que toute mon aventure finit par prendre un aspect irréel. J'avais du mal à classer de manière chronologique les événements qui l'avaient ponctuée ; je pouvais faire au sergent Duril la démonstration des techniques que le Kidona m'avait enseignées, mais non me rappeler à quel moment précis je les avais apprises. Elles faisaient désormais partie de moi, inscrites dans ma chair au même titre que l'acte de respirer ou de tousser. Je n'avais nulle envie de partager ma vie avec le Kidona, mais je n'y pouvais rien ; un peu de lui s'était infiltré dans mon sang, à la façon dont, selon son accusation, la balle de fer de mon père avait souillé son âme. Parfois je contemplais ma collection de cailloux et, les yeux fixés sur le gravillon que le médecin avait extrait d'une de mes plaies, je me demandais quelle part de réalité je devais accorder à mon expérience. Cette petite pierre et mes cicatrices représentaient les seules preuves matérielles qu'elle avait bien eu lieu. De temps en temps, je portais la main à la plaque de peau nue au sommet de mon crâne ; je voulais me croire inconscient quand

Dewara m'avait frappé là. Mon cerveau avait fait en sorte d'incorporer la douleur à l'illusion.

Une seule fois, je tentai de parler de mon voyage onirique. Cela se passait six semaines environ après mon retour chez moi ; j'avais quitté mon lit et mon rétablissement touchait à sa fin. Certaines zones, mes avant-bras et mes pommettes, restèrent mouchetées de rose pendant des mois après ma guérison, mais je me levais désormais le matin pour me restaurer en compagnie des miens. Yaril, ma plus jeune sœur, faisait apparemment des rêves très inventifs et nous infligeait souvent au petit déjeuner des comptes rendus circonstanciés de ses imaginations aberrantes, au profond ennui des uns et au grand agacement des autres. Ce matin-là, en plein milieu d'une de ses histoires échevelées où une volée d'oiseaux venait de la sauver des crocs de moutons carnassiers, mon père la fit sortir de table. « Quand une femme n'a rien d'intelligent à dire, mieux vaut qu'elle se taise ! » la tança-t-il sévèrement en l'envoyant au salon sans manger.

Le repas terminé, j'allai la retrouver, car je la savais la plus sensible de nous tous et prompte à pleurer pour des réprimandes qu'Elisi ou moi aurions aussitôt chassées de notre esprit avec un haussement d'épaules. Je ne me trompais pas ; assise sur un divan, elle donnait le change en travaillant sur un ouvrage de broderie, mais elle avait les yeux rouges et ne releva pas la tête quand j'entrai. Je pris place à côté d'elle, lui tendis le petit pain que j'avais chapardé sur la table et murmurai : « Tu sais, j'avais envie de savoir ce qui allait t'arriver dans ton rêve, moi ; tu ne veux pas continuer ton histoire ? »

Elle me remercia du regard en prenant le petit pain ; elle en rompit un morceau, le porta à sa bouche puis répondit d'une voix rauque : « Non ; ce sont des bêtises, comme dit père ; je perds mon temps à vous les raconter et vous le vôtre à les écouter. »

Je ne pouvais pas critiquer mon père devant ma petite sœur. « Des bêtises, d'accord, mais pas plus que beaucoup d'autres fantaisies qui nous amusent. A mon avis, il juge seulement déplacé d'en parler au petit déjeuner ; mais j'aimerais bien entendre tes aventures quand nous avons du temps ensemble, comme maintenant. »

Elle avait d'immenses yeux gris qui m'évoquaient toujours ceux d'un chat-cendré, empreints en cet instant d'une expression solennelle. « Tu es gentil, Jamère ; mais je me rends bien compte quand tu te forces. Je sais que mes rêves ne t'intéressent pas du tout, ni mes activités de la journée ; tu veux seulement t'assurer que père n'a pas trop écorné mon amour-propre en me renvoyant de table. »

Elle avait parfaitement raison en ce qui concernait ses songes, mais j'évitai de me montrer trop terre à terre. « Non, crois-moi, je m'intéresse aux rêves parce que, pour ma part, j'en fais très peu ; en revanche, tu as l'air d'en faire quasiment chaque nuit.

— Il paraît que tout le monde rêve la nuit, mais que, seules certaines personnes s'en souviennent. »

Je souris. « Et si tout le monde oubliait ses songes le matin venu, comment pourrait-on le prouver ? Non. Quand je pose la tête sur l'oreiller et que je ferme les yeux, plus rien ne se passe dans mon esprit jusqu'à mon réveil, contrairement à toi ; on dirait que tu remplis tes heures de sommeil d'aventures et de fantaisies. »

Elle détourna le visage. « Je me réfugie peut-être dans mon imagination parce que je n'ai pas grand-chose d'autre pour me distraire de la réalité.

— Allons ! Je n'ai pas l'impression que tu mènes une existence si dure que ça.

— Non ; je mène une existence sans intérêt », répliqua-t-elle avec une sorte d'amertume. Comme je la regardais, interdit, elle secoua la tête puis demanda : « Tu n'as donc jamais fait de rêve si bizarre que tu te réveilles le cœur battant, en ne sachant plus ce qui est réel, notre monde ou celui d'où tu émerges, Jamère ?

— Non. » Puis : « Enfin, si, peut-être, une fois. »

Ses yeux de chaton se braquèrent sur moi. « Vraiment ? Raconte-moi, Jamère. » Et elle se pencha vers moi comme s'il s'agissait d'un sujet de la plus haute importance.

« Eh bien… » Comme je m'interrompais pour décider par où commencer, une étrange sensation s'empara de moi ; la cicatrice au sommet de mon crâne se mit à me brûler et, de là, une douleur cuisante me traversa de haut en bas le long de l'épine dorsale. Je fermai les yeux et me détournai vivement de Yaril ; je me sentais au bord de l'évanouissement. Indéniable, le violent élancement fit resurgir le songe avec un luxe affreux de détails : à nouveau, je perçus l'odeur de la femme-arbre et je serrai de toutes mes forces la lame qui me tranchait les doigts. Je pris une inspiration hachée avant de tenter de parler ; tout d'abord, je restai la gorge nouée puis je parvins à dire : « C'était un rêve effrayant, Yaril ; je n'ai pas très envie d'y revenir. » La souffrance cessa aussi brusquement qu'elle avait pris naissance. Il me fallut un moment pour reprendre mon souffle et forcer mes mains à se décrisper. Enfin je réussis à faire face à Yaril ; elle me regardait d'un air inquiet.

« Quel genre de rêve peut-il bien épouvanter un homme à ce point ? »

Sa naïveté enfantine qui me voyait comme un adulte, moi qui n'avais que quelques années de plus qu'elle, me réduisit au silence mieux encore que le trait de souffrance : cette brusque douleur n'était sûrement qu'une espèce d'hallucination qui me faisait revivre le terrible songe de ma chute. Malgré le choc que m'avait causé cette brève expérience, ma sœur me considérait comme un homme, et je ne voulais en rien diminuer son opinion de moi. Je me bornai donc à secouer la tête. « De toute manière, la bienséance m'interdirait d'aborder ce sujet devant une dame. »

Ses yeux s'arrondirent de surprise : son frère Jamère faisait donc des rêves inconvenants pour une dame ? Je vis aussi son plaisir à ce que je l'eusse désignée comme une « dame » et non comme une enfant. Elle se laissa aller contre le dossier du divan. « Dans ces conditions, Jamère, je ne t'interrogerai plus là-dessus. »

Quelle innocence était la nôtre !

Les jours succédèrent aux jours pour devenir des mois, comme les feuilles mortes s'entassent pour former de l'humus. J'écartai mon rêve de mes pensées et m'efforçai de l'oublier. Mes brûlures s'effacèrent, mes sutures à l'oreille guérirent plus lentement, et les entailles laissèrent de simples marques qui ne me dérangeaient pas. Je gardai au sommet du crâne une zone glabre, là où le tissu cicatriciel avait remplacé le cuir chevelu. Ma vie continua et je repris mes leçons et mes exercices. Je conservai tout au fond de moi, petite et douloureuse, l'idée que mon père, en dépit des encouragements qu'il me dispensait, doutait de moi, et ce doute finit par devenir le mien, rival que je ne pus jamais complètement dominer.

Je ne fis qu'une seule autre concession à mon expérience. A la fin de l'automne, je déclarai à mon père que je souhaitais partir seul à la chasse afin d'éprouver mes capacités ; il jugea ma demande stupide mais j'insistai et il m'accorda finalement six jours de liberté. Je lui annonçai que j'allais traquer le gibier le long des hautes rives du fleuve, et, de fait, j'entamai mon excursion dans cette direction ; je me rendis là où Dewara et ses femmes campaient lors de notre première rencontre. Je ne trouvai guère comme traces de leur séjour que les cendres et les pierres d'un feu et une zone aplanie là où se dressait leur tente ; le fourreau de mon vieux sabre de cavalerie traînait par terre, son cuir effrité peu à peu par les intempéries. Je ne vis nulle part l'arme elle-même. Peut-être un voyageur de passage l'avait-il ramassée, mais il me paraissait peu probable qu'il n'eût pas emporté l'étui correspondant qui gisait tout près. Je laissai tomber le fourreau et m'éloignai. On ne rappelle pas à soi une épée disparue, du moins dans mon monde. Ma cicatrice à la tête m'élança brièvement ; je la frottai puis me détournai de l'emplacement du bivouac. Je n'avais pas envie de repenser à cet épisode pour le moment.

Je dirigeai les pas de Siraltier vers l'intérieur des terres. La plaine avait changé au fil des saisons, mais j'en tins compte pour calculer le temps qu'il faudrait à ma monture, étant donné sa haute taille et sa longue foulée, pour franchir la distance que la taldi avait couverte au grand galop. Les deux premiers jours, je progressai avec régularité, poussant mon cheval le matin et le laissant aller à son allure l'après-midi. Les pluies d'automne avaient laissé des points d'eau plus nombreux qu'à l'époque où j'avais traversé ce territoire, et les petits ruisseaux avaient repris leur façonnage des plateaux et des gorges. J'avais cru que ce trajet solitaire réveillerait mes souvenirs et me permettrait de les apaiser définitivement, mais au contraire les événements du printemps m'apparaissaient encore plus étranges et incompréhensibles.

Je finis par retrouver le site où Dewara et moi avions bivouaqué ensemble pour la dernière fois. J'y arrivai en début d'après-midi ; au bord de la falaise, je contemplai la vue qui s'offrait à moi. Les pierres noircies par le feu étaient toujours là, entourées de touffes d'herbe nouvellement poussées. Dans les cendres, je découvris les morceaux brûlés de l'arc-à-feu que j'avais fabriqué sous la tutelle du Kidona et la poche de cuir de la fronde qu'il m'avait donnée pour m'exercer ; apparemment, il avait jeté dans les flammes tout ce qu'il m'avait remis ou fait créer qui relevait de son peuple. J'y réfléchis quelque temps, ainsi qu'à la façon dont il avait abattu la jument que j'avais montée ; considérait-il

Kiksha comme souillée par mon contact, impropre à l'usage d'un guerrier kidona ? Il ne m'avait laissé aucune réponse, et celles auxquelles j'aboutissais resteraient toujours du domaine de la spéculation, je le savais.

Puis, au risque de me rompre le cou, j'entrepris de descendre le long de l'à-pic à la recherche de l'entrée de la caverne. De profondes cogitations m'avaient mené à la conclusion qu'il devait y avoir une corniche sur laquelle nous avions atterri, qui donnait sur une grotte où nous avions pénétré et où il avait placé dans ma bouche la grenouille hallucinogène. J'étais certain de cette explication.

Je fis chou blanc : pas de corniche sur laquelle je pusse me tenir à l'aise, encore moins atterrir sans encombre, ni de caverne. Il n'existait rien de tel. Je rebroussai chemin, m'assis au bord du précipice et regardai le fleuve qui coulait au loin. J'avais donc tout rêvé ou imaginé au cours d'une hallucination provoquée par la fumée du feu dans lequel Dewara avait mis je ne sais quoi à brûler. Tout n'était qu'illusion, d'un bout à l'autre. A l'aide d'un honnête briquet à silex en acier, j'allumai une flambée à l'emplacement de la précédente, et je passai la nuit là, mais sans dormir. Roulé dans ma couverture, le regard dans les étoiles, je songeai aux croyances des sauvages et me demandai si le dieu de bonté leur avait fourni une vérité différente de la nôtre ; mais régnait-il seulement sur eux ? Leurs vieilles divinités déclinantes subsistaient-elles et avais-je visité un des mondes de ces déités païennes ? Dans l'obscurité, je sentis un frisson d'angoisse me parcourir à cette idée. Ces univers sombres et cruels existaient-ils réellement, à un rêve de distance du nôtre ?

Le dieu de bonté peut tout, affirment les Ecritures : créer un cercle carré, faire naître la justice de la tyrannie des hommes et croître l'espoir à partir d'une graine flétrie en plein désert. S'il est capable de tout cela pour son peuple, les anciens dieux disposaient-ils d'un pouvoir similaire pour les leurs ? Avais-je entr'aperçu une réalité à laquelle mes semblables n'avaient pas accès ?

Un adolescent qui approche de l'âge adulte se perd dans la méditation de telles questions, et je n'y manquai pas cette nuit-là. Ces pensées n'incitaient pas au sommeil, et le lendemain matin je me levai avec le jour sans avoir fermé l'œil et pourtant sans impression de fatigue. Comme les premiers rayons du soleil frappaient mon campement, le dieu de bonté parut répondre à une prière car la lumière joua un instant sur un affleurement rocheux ; l'aurore étincela quelques secondes sur des parcelles de mica puis l'astre poursuivit son ascension, l'angle d'incidence changea et je n'eus plus devant les yeux qu'un pointement de pierre poussiéreux. Je m'en approchai, m'accroupis et en palpai de la main la rude réalité. Voilà d'où venait, j'en avais la certitude, le petit caillou enfoncé dans ma chair ; ce cruel souvenir, tout au moins, avait assurément son origine dans notre monde. Je montai sur Siraltier et pris la route du retour.

Le soir suivant, comme pour me récompenser d'avoir trompé mon père, j'entendis un bruissement dans les buissons au bout d'une ravine où j'avais décidé de camper, car il s'y trouvait de l'eau ; je découvris un jeune daim des Plaines que j'abattis d'un seul coup de feu. Je l'égorgeai pour le vider de son sang, lui tranchai les pattes arrière entre l'os et le tendon puis le suspendis à un arbre bas. Je l'éviscérai puis glissai un bâton dans sa cavité thoracique pour la maintenir ouverte et laisser la viande refroidir. Malgré sa petite taille et ses bois qui n'apparaissaient que comme une série de minuscules pointes, il suffirait à justifier mon expédition.

Je ne m'étonnai pas outre mesure quand le sergent Duril apparut alors que je faisais cuire le foie de la bête. « Rien ne vaut un bon foie frais », fit-il en mettant pied à terre. Je ne lui demandai pas s'il me suivait depuis longtemps ni pourquoi il se trouvait là ; nous partageâmes la venaison pendant que nos chevaux entravés paissaient ensemble et que les étoiles s'allumaient au ciel. L'automne était assez avancé pour que nous appréciions la chaleur du feu.

Roulés dans nos couvertures, nous nous taisions et feignions de dormir depuis quelque temps quand il me demanda : « Veux-tu me parler ? »

Je faillis répondre : « Je ne peux pas. » Mais avouer la vérité aurait entraîné toute une série de questions, d'interrogations et de soucis ; il m'aurait fallu mentir, or on ne mentait pas à un homme comme le sergent Duril. Je me contentai donc de dire : « Non, sergent, je ne crois pas. »

Voilà ce que j'avais appris de Dewara.

mon père, mais je lui avais menti afin de lui laisser croire que j'avais eu le cran de défier les Kidonas. Si j'imaginais gagner ainsi son respect, je me trompais : autant que je pusse le constater, son attitude envers moi n'avait pas changé.

Pendant quelque temps, je m'évertuai à mériter son estime et je redoublai d'efforts, non seulement dans le domaine de l'escrime et des techniques de la cavalla, que j'adorais, mais aussi dans celui des études, ma bête noire. Mes résultats grimpèrent en flèche et, au vu des rapports mensuels de mes progrès, il me félicita de mon travail. Mais il employait les mêmes mots que j'avais toujours entendus de sa part. Comme naguère je ne soupçonnais rien alors que déjà il ne croyait pas en moi, ses louanges sonnaient désormais creux à mes oreilles ; quand il me réprimandait, ses reproches me touchaient deux fois plus durement, et le peu de considération dans laquelle je me tenais donnait des proportions exagérées à la déception que je lui inspirais.

Au fond de moi-même, je le savais, jamais je ne pourrais rien accomplir qui m'assurât son estime. Je pris donc en toute conscience la décision d'oublier mes expériences dans les Plaines ; rencontrer une femme-arbre dans le monde des esprits et mentir à mon père ne cadrait pas avec la perception normale que j'avais de mon existence, et je les en chassai donc. Je pense que la plupart des hommes agissent ainsi pour préserver l'unité quotidienne de leur vie : ils rejettent toute expérience qui ne s'adapte pas à leur vision d'eux-mêmes.

A quel point notre appréhension de la réalité serait-elle différente si, au contraire, nous refusions les événements quotidiens qui ne peuvent coexister avec nos rêves ?

Toutefois, cette idée ne me vint que longtemps plus tard car le reste de ma quinzième année retint toute mon attention : à la suite de mon rétablissement, je subis une poussée de croissance dont mon père lui-même resta pantois ; je dévorais comme un loup affamé à chaque repas et employais tout ce que j'ingérais à gagner en stature et en muscles. L'année de mes seize ans, je changeai trois fois de pointure de bottes et quatre fois de carrure en l'espace de huit mois. Ma mère déclarait fièrement à ses amies que, si je n'atteignais pas vite ma taille adulte et ne cessais de grandir, elle devrait engager une couturière rien que pour maintenir ma garde-robe à jour et me permettre de sortir convenablement habillé.

Comme la plupart des garçons de mon âge, je m'intéressais essentiellement à moi-même et à mes préoccupations personnelles. Je remarquai à peine le départ de mon jeune frère au séminaire, préalable à son entrée dans la prêtrise, ni la promotion de Yaril à qui l'on permit les jupes longues et le chignon, tout entier que j'étais à essayer de porter la première touche à mon maître d'escrime ou à améliorer ma marque au fusil. Je considère aujourd'hui cette période comme la plus égoïste de ma vie, tout en regardant cet égocentrisme comme nécessaire à un jeune homme qui croulait sous les études et les exercices.

Les événements du monde me touchaient rarement tant mon éducation m'absorbait, et les nouvelles parvenaient jusqu'à moi à travers le filtre de la vision que j'avais de mon avenir. Je savais que le roi et ceux qu'on appelait les « anciens aristocrates » se disputaient le pouvoir et les revenus des impôts. Mon père discutait parfois de politique avec mon frère aîné Posse après le dîner, et, bien qu'un militaire n'eût pas à se mêler de pareils sujets, j'écoutais ses propos. Il avait voix au Conseil des seigneurs et envoyait régulièrement des messages pour y exprimer ses vues ; il prenait toujours le parti du roi Troven. Il fallait que l'ancienne noblesse ouvre les yeux et accepte la vision nouvelle de notre souverain, d'après laquelle le royaume s'étendait vers l'est à travers les Plaines et non plus vers l'ouest jusqu'à l'océan, au lieu de chercher à rallumer le conflit avec Canteterre dans l'espoir de reconquérir les provinces côtières perdues. Du point de vue de mon père, le roi suivait la voie de la sagesse, et tous les nouveaux nobles appuyaient sa volonté d'expansion vers l'orient. Je prêtais peu d'attention aux détails de la querelle ; elle nous concernait, certes, mais les débats et les prises de position se passaient à la capitale, Tharès-la-Vieille, loin à l'ouest de chez nous. L'usage autant que la facilité me commandaient, en tant que fils militaire, d'acquiescer à l'opinion de mon père et de la faire mienne.

Les nouvelles en provenance des frontières de l'est excitaient davantage mon enthousiasme. La peste ocellionne y dominait ; la menace qu'elle représentait s'était peu à peu insinuée dans notre conscience au cours des années où je m'avançais vers l'âge adulte ; toutefois, malgré l'horreur des récits de ses ravages, ils restaient les échos d'une catastrophe lointaine. Parfois, la maladie faisait intrusion chez nous, comme lorsque le vieux Perdil demanda un congé à mon père afin d'aller se recueillir sur la tombe de ses deux garçons ; soldats comme lui, ils avaient succombé au fléau avant d'avoir le temps d'engendrer des fils qui pussent poursuivre la lignée et la carrière. Ceux de ses filles deviendraient cordonniers comme leur père, ainsi qu'il l'avait confié au mien avec chagrin. Ces disparitions avait rendu le fléau un peu plus substantiel à mes yeux, car j'avais connu Kifer et Roli ; ils n'avaient que quatre et cinq ans de plus que moi, et ils gisaient désormais dans des fosses lointaines près de la frontière. Mais, en général, la peste restait à sa place, confinée aux avant-postes militaires et aux colonies des contreforts de la Barrière, et s'assimilait aux nombreux dangers de ces régions : serpents et insectes venimeux, attaques imprévisibles et irrationnelles des Ocellions, grands fauves et daims à bosse agressifs et féroces. On se méfiait particulièrement de la maladie durant les étés chauds, où elle se déchaînait et consumait les hommes comme de l'amadou ; elle ne refluait qu'à l'arrivée de l'hiver et de ses températures plus clémentes.

Des troupes défilèrent pendant toute la saison estivale de ma dix-septième année. Chaque semaine, elles traversaient nos terres par la route du fleuve ; il s'agissait de larges contingents qui allaient remplacer les hommes décimés par le mal et non du petit ruisselet régulier de nouveaux soldats en route pour leur première affectation à la frontière. Des processions funèbres à destination de l'ouest passaient devant chez nous dans le grincement des chariots remplis de cercueils et drapés de noir, et le claquement de sabots des chevaux en sueur, noirs eux aussi ; dans leur triste voyage qui les ramenait vers l'occident civilisé, ils rapportaient les dépouilles d'hommes et de femmes issus de familles assez fortunées ou haut placées pour obtenir qu'on les rapatrie chez elles pour y être enterrées. Mon père n'en parlait guère, mais ma mère craignait la contagion et nous interdisait strictement d'approcher du fleuve quand ces tragiques cortèges le longeaient.

Chaque été, la peste revenait par vagues qui dévastaient nos troupes. Selon mon père, étant donné les informations dont il disposait, le taux de mortalité s'établissait entre vingt-trois et quarante-six pour cent chez les soldats valides ; chez les vieux, les femmes et les très jeunes, la faux de la mort moissonnait de façon beaucoup plus efficace et ne laissait guère de survivants. Le mal réduisait un homme en pleine santé à un squelette ambulant en l'espace de quelques jours. Parmi ceux qui ne succombaient pas, certains se remettaient et reprenaient une existence quasi normale, mais la plupart n'avaient plus la robustesse qu'exigent les tâches d'un cavalier, et quelques-uns souffraient d'une perte du sens de l'équilibre, déficience terrible pour un soldat à cheval. Les rescapés que je voyais présentaient une maigreur anormale ; fils militaires des amis de mon père, ils faisaient une halte dans le long trajet de retour à Tharès-la-Vieille pour nous rendre visite et dîner avec nous. Ils mangeaient, buvaient comme tout un chacun, et certains même se forçaient à ingérer plus que la quantité normale, mais ils ne parvenaient jamais à retrouver toute la force et la vitalité dont ils jouissaient auparavant, et ils semblaient plus souvent sujets aux fractures et aux déchirures musculaires. Il n'y avait rien de plus affreux à voir que ces jeunes officiers, naguère vigoureux et éclatants de santé, à présent décharnés et apathiques, qui se retiraient de l'armée au moment où ils auraient dû prendre leur premier commandement. Ils paraissaient souffrir d'un épuisement que n'expliquait pas la fatigue d'une longue journée en selle, et ils évoquaient des villes frontalières pleines de veuves et d'orphelins dont les maris et pères, simples soldats, avaient succombé, non à la guerre, mais à la maladie.

Puis ce fut l'automne, et les vents humides de l'hiver éteignirent les feux du fléau. Avec la fin de l'année arrivèrent mon dix-huitième anniversaire et la fête de la Nuit noire, dont on n'observait guère les traditions chez nous. Mon père considérait la Nuit noire comme une superstition païenne, vestige de l'époque des anciens dieux. Certains la désignaient encore sous l'appellation de Nuit de la Femme noire ; selon l'ancienne coutume, toute épouse pouvait tromper son mari cette nuit-là sans se voir obligée d'en porter la responsabilité, car elle n'avait à obéir à nulle autre volonté que la sienne. Ma mère et mes sœurs ne se conformaient pas à ces pratiques aberrantes, naturellement, mais elles enviaient, je le savais, les maisons de notre région où l'on célébrait la Nuit noire par des bals masqués, des banquets plantureux et des présents, bijoux incrustés de perles ou d'opales et enveloppés dans du papier étoilé. Chez nous, la nuit la plus longue et la plus sombre de l'hiver se passait sans guère de faste : ma mère et mes sœurs lançaient sur le bassin de petits bateaux illuminés d'une bougie, mon père remettait à chacune une enveloppe contenant un peu d'argent, et tout était dit.

J'avais toujours soupçonné que l'éclat de mon anniversaire provenait de ce que mon père interdisait chez nous les réjouissances débridées de la Nuit noire, si bien que, par compensation, le jour de ma naissance devenait la fête de la Mi-hiver. Souvent, ma mère donnait un dîner en mon honneur auquel elle conviait des invités des propriétés voisines ; mais, en l'occurrence, la célébration de mes dix-huit ans marquait mon entrée dans l'âge adulte, et, restreinte à la famille proche, elle revêtit un aspect plus solennel et plus grave que d'habitude, voire inquiétant.

Pour présider la cérémonie, mon père avait fait revenir Vanze du monastère occidental où il poursuivait ses études. Il n'avait pas encore mué, mais c'est néanmoins avec fierté que, le livre familial ouvert entre les mains, vêtu de la tunique ecclésiastique, il lut à haute voix les versets des Ecritures qui me concernaient.

« Le deuxième enfant mâle de tout noble sera le fils militaire de son père, né pour servir. Dans son poing, il prendra l'épée et par elle il défendra le peuple de son père. Il sera tenu comptable de ses actions, car c'est par son épée et sa plume que sa famille connaîtra la gloire ou le déshonneur. Que dans son jeune âge il serve le roi légitime et dans sa vieillesse retourne chez lui protéger la maison de son père. »

Tandis que mon frère prononçait ces mots, je levai bien haut les présents de mon père. D'une main je tenais mon nouveau sabre de cavalla dans son fourreau de cuir noir luisant, de l'autre un cahier relié en peau : mon arme et le support du récit de mes actes. Ce dernier cadeau représentait un jalon important pour ma famille ; il marquait non seulement mon accession à un âge où je devais me comporter en adulte mais aussi la garde qu'on me transmettait d'un flambeau familial. Mon père était un nouveau noble et le premier à porter le titre de seigneur Burvelle dans les régions orientales ; cela faisait de moi le premier fils militaire de la lignée, ce qui me valut l'expérience inédite d'occuper la place d'honneur en tête de table. Le livre que j'avais reçu venait de Tharès-la-Vieille, où les presses royales avaient imprimé notre blason sur sa couverture.

Durant le silence qui suivit la lecture, je contemplai ma famille réunie autour de la table, et ma place en son sein. A ma droite se trouvait mon père, ma mère assise à ses côtés ; à ma gauche, mon frère aîné, Posse, qui hériterait de la propriété et des terres qui en dépendaient ; après lui venait Vanze, mon cadet, rappelé chez nous pour lire les Saintes Ecritures en mon honneur ; voisines de Vanze d'un côté de la table et de ma mère de l'autre se tenaient mes deux sœurs, Elisi, élégante, et Yaril avec ses airs de chaton. Elles feraient de bons mariages, amoindriraient la fortune familiale par leurs dots mais nous enrichiraient par les alliances sociales qu'elles formeraient. Dans la naissance de ses enfants, mon père avait bénéficié de la faveur du sort : il avait engendré tous les rejetons qu'un homme peut espérer, et une fille en supplément.

Et moi, Jamère, j'étais le second garçon, le fils militaire. En ce jour, mon rôle prenait réalité. La tradition restait respectée depuis les débuts de ma lignée : l'aîné héritier, le troisième dédié au dieu de bonté, le deuxième soldat, chargé d'apporter honneur et renommée au nom familial. Tout fils militaire recevait le jour de ses dix-huit ans un journal comme celui que j'avais entre les mains, relié en veau, les feuillets solidement cousus, les pages crème épaisses et résistantes, et les mots que j'y coucherais me tiendraient « comptable de mes actes », selon l'expression des Ecritures. Ce livre et le robuste plumier qui s'agrafait à l'intérieur m'accompagneraient partout et ne me quitteraient pas plus que mon épée ; le journal était fabriqué de façon à s'ouvrir à plat afin que je pusse y écrire aisément, assis à un bureau ou par terre près d'un feu de camp. Le boîtier renfermait non seulement deux robustes porte-plume, une réserve d'encre et des plumes, mais aussi des crayons de couleur plus ou moins gras pour mes esquisses topographiques et naturalistes. Une fois ce volume achevé, il retournerait à Grandval et prendrait sa place sur une étagère de la bibliothèque dans les archives de la famille, en compagnie des livres où l'on consignait les résultats des récoltes, l'état des troupeaux, mais aussi les naissances, les mariages et les décès. Celui que je tenais deviendrait le premier tome du premier compte rendu du premier fils militaire à porter le blason de mon père. Quand je l'aurais terminé et renvoyé chez nous, j'en entamerais aussitôt un nouveau où, suivant mon devoir, je continuerais à noter tous les événements importants de ma carrière au service de mon roi, de mon pays et de ma famille.

Dans la demeure de mon oncle Sefert à Tharès,

des rangées entières de journaux semblables s'alignaient sur tout un mur de sa vaste bibliothèque. Sefert Burvelle, l'aîné de la famille, avait hérité de la résidence, du titre et des terres, et il lui revenait de préserver l'histoire de la lignée. Mon père, Keft Burvelle, était son frère, le second, le fils militaire de sa génération ; quarante-deux ans avant mon dix-huitième anniversaire, il avait enfourché sa monture de cavalla et pris la direction de la frontière avec son régiment. Il n'avait pas regagné Aiguepierre, le domaine ancestral, pour y couler sa retraite, mais tous ses journaux s'y trouvaient ; ses textes occupaient deux étagères pleines de la bibliothèque de son frère et racontaient principalement nos ultimes batailles contre les Nomades lors de l'expansion du royaume dans les régions sauvages.

Le temps passant, il avait pris du grade, obtenu des quartiers privés au fort et écrit chez lui pour se déclarer prêt à accueillir sa fiancée. Séléthé Rode, âgée alors de vingt ans mais promise à lui depuis qu'elle en avait seize, l'avait rejoint en diligence, en chariot et à cheval, pour s'unir à lui dans la chapelle de fort Renalx. En bonne épouse d'officier de cavalerie, elle avait donné de nombreux enfants au lieutenant, qui, de son côté, avait été promu capitaine avant de prendre sa retraite avec le rang de colonel. Dans leur jeunesse, ils pensaient que tous leurs descendants mâles suivraient la même carrière, car tel est le destin des garçons d'un fils militaire.

La bataille d'Eaux-Amères avait changé tout cela. Mon père s'était si bien distingué lors des deux dernières charges qu'en apprenant sa conduite le roi

Troven lui avait octroyé quatre cents arpents de la terre arrachée aux Nomades dans la souffrance et le sang. La propriété s'accompagnait d'un titre et d'un blason, ce qui faisait du colonel Burvelle le premier anobli de la nouvelle aristocratie créée par le souverain afin qu'elle s'installe dans l'est pour y instaurer notre civilisation et l'imprégner de nos traditions.

C'était le blason de mon père, non celui de son frère aîné, qui apparaissait nettement gravé dans le cuir odorant du journal que je présentais à ma famille. Il représentait un esponde couvert de fruits près d'une rivière. Le livre que je tenais reviendrait au manoir de Grandval, non à la demeure ancestrale d'Aiguepierre à Tharès, et il occuperait la première place de la première étagère réservée aux fils militaires de la lignée de mon père. En cet instant même, nous fondions une dynastie sur l'ancienne limite des terres sauvages et nous le savions tous.

Le silence s'éternisait tandis que je brandissais mon journal en savourant mon nouveau statut, et mon père finit par le rompre : « Eh bien, nous y voilà, Jamère. Ton avenir attend que tu le vives et l'écrives. » Il s'exprimait avec tant de gravité que je ne trouvai rien à répondre.

Avec soin, je reposai mes présents sur le coussin rouge qui avait servi à me les remettre. Pendant qu'un domestique les emportait, je m'assis et mon père prit son verre de vin ; sur un signe de sa part, un valet nous resservit tous. « Buvons à notre fils et frère en souhaitant à Jamère de nombreux hauts faits et mille occasions de se couvrir de gloire ! » lança-t-il. Tous levèrent leur verre en se tournant vers moi, je leur rendis la pareille et nous bûmes à l'unisson.

« Merci, père », dis-je, mais il n'en avait pas terminé. Il leva de nouveau son verre. « Et… » Il se tut et attendit que je le regarde. J'ignorais quel nouveau cadeau il me réservait mais j'espérai avec ferveur qu'il s'agissait de me laisser choisir un cheval de la cavalla ; Siraltier faisait une excellente monture mais je rêvais d'une bête plus fougueuse. Je retins mon souffle. Mon père sourit, non à mon adresse, mais comme à part lui, du sourire satisfait de celui qui a bien travaillé pour lui-même et pour sa famille ; il parcourut la tablée des yeux. « Et buvons à un avenir de bon augure pour nous tous. Après de longues et délicates négociations, mon garçon, j'ai enfin réussi. Sers honorablement pendant trois ans à la frontière, orne ton col des étoiles de capitaine, et sire Grenaltère t'accordera la main de sa cadette, Carsina. »

Avant que j'eusse le temps de prononcer un mot, Yaril serra les mains sur sa poitrine et s'exclama « Oh, Jamère, grâce à toi, Carsina et moi allons devenir sœurs ! C'est merveilleux ! Et plus tard, nos enfants seront cousins et joueront ensemble !

— Yaril, contiens-toi, je te prie. Nous fêtons ton frère aujourd'hui. » Ma mère avait grondé ma bouillante sœur à mi-voix mais je l'avais entendue, et, malgré son ton sévère, ses yeux brillaient de plaisir : elle avait pour la fillette en question la même affection que ma cadette. Carsina était une enfant vive, charmante, aux cheveux blond de lin et au visage rond, et la meilleure amie de Yaril. Elle venait souvent le sixdi avec sa grande sœur et sa mère se joindre aux femmes de notre maison pour méditer, broder et bavarder. Sire Grenaltère avait servi aux côtés de mon père, et ils avaient tous deux gagné leurs terres et leur blason dans les mêmes engagements ; quant à dame Grenaltère et ma mère, elles avaient fréquenté ensemble la même école d'arts d'agrément et vécu de conserve leur vie d'épouses d'officiers de la cavalla. Fille de nouvel aristocrate, Carsina recevrait la meilleure éducation sur tous les devoirs d'une femme de militaire, au contraire des filles de l'ancienne noblesse qui, disait-on, désespéraient au point de songer au suicide lorsqu'elles découvraient toutes les tâches qui leur incombaient dans une demeure près de la frontière, avec les Nomades à leur seuil. Carsina Grenaltère représentait un bon parti pour moi, et le fait que sa dot s'ajouterait à la fortune de mon frère au lieu de nous revenir, à mon épouse et moi, ne me gênait pas : il en allait ainsi depuis toujours, et je me réjouissais qu'elle agrandît la propriété familiale. Dans un lointain avenir encore bien vague, lorsque je prendrais ma retraite de la cavalla, je savais qu'on nous accueillerait à Grandval afin que nous y achevions d'élever nos enfants. Mes fils deviendraient militaires comme moi et Posse assurerait de bons mariages à mes filles.

« Jamère ? fit mon père d'un ton sévère, et je me rendis compte que, perdu dans mes réflexions, j'avais négligé de répondre à son annonce.

— Je reste sans voix devant le présent que vous m'offrez, père. Je m'efforcerai de me montrer digne de ma dame et de faire la preuve aux yeux de sire Grenaltère de la noblesse de ma lignée.

— Très bien. Je me félicite de te voir conscient de l'honneur qu'il nous octroie en confiant l'une de ses filles à notre maison. A ta future épouse donc ! »

Et, une fois encore, nous levâmes nos verres et bûmes.

Ce fut ma dernière soirée d'adolescent chez mes parents. Mon dix-huitième anniversaire marqua l'abandon de mes occupations d'enfant ; dès le lendemain, j'adoptai les horaires d'un homme adulte, me levai à l'aube, partageai le petit déjeuner austère de mon père et de mon frère puis les accompagnai lors de leur tournée à cheval. Chaque jour nous nous rendions dans un nouveau secteur de la propriété pour y entendre les comptes rendus des contremaîtres ; mon père avait connu la plupart d'entre eux à la cavalerie, et, aujourd'hui trop âgés pour l'armée, ils étaient heureux de pouvoir accomplir une tâche utile. Leur ancien colonel leur fournissait un bon logement et allouait à chacun un potager, une pâture pour une vache ou deux chèvres et une demi-douzaine de poules. Il avait aidé nombre d'entre eux à trouver une épouse dans les villes de l'ouest, car il savait que, si les fils de ces hommes devaient faire carrière dans l'armée, leurs filles pouvaient attirer, en vue de mariage, des savetiers, des marchands ou des fermiers, tous métiers dont notre petit village fluvial avait besoin pour se développer.

Je côtoyais ces hommes depuis ma plus tendre enfance mais, au cours des jours suivants, je les découvris plus intimement. Bien qu'ils ne fussent plus que de simples civils, ayant renoncé à leur grade en même temps qu'à leur uniforme, mon père leur donnait toujours du « caporal » ou du « sergent », et je crois qu'ils appréciaient cette marque de reconnaissance de leur passé.

Le sergent Geoffroi avait la responsabilité de la gestion de nos ovins dans leur pacage vallonné au bord du fleuve. Nous avions eu ce printemps-là une portée exceptionnelle d'agneaux, de nombreuses brebis avaient mis bas des jumeaux, et toutes n'avaient pas assez de lait ou de patience pour alimenter deux petits ; Geoffroi avait donc eu du travail par-dessus la tête et dû recruter des gamins au village des Ternus soumis pour aider à l'allaitement au biberon. Les enfants prenaient leur tâche avec enthousiasme, heureux de prêter main-forte pour un sou par jour et un sucre d'orge. Mon père tirait fierté d'avoir su pacifier les Ternus et de former leurs rejetons à des entreprises utiles ; il affirmait que tout nouveau noble avait le devoir d'apporter ce genre de bienfaits aux peuples naguère sauvages des Plaines et des plateaux. Lors des dîners et des réceptions que ma mère et lui donnaient, il orientait souvent la conversation sur la nécessité de telles pratiques charitables et encourageait les autres familles de la nouvelle aristocratie à suivre son exemple.

Il manquait au caporal Curfe un bout du pied droit, mais cela ne le ralentissait guère ; en charge de nos champs de fourrage et de céréales, des semailles jusqu'aux moissons, il avait leur irrigation pour cheval de bataille, et mon père et lui discutaient souvent de la faisabilité d'un projet d'une telle envergure. Il avait vu des Nomades employer ce moyen pour amener l'eau jusqu'à leurs cultures saisonnières, dans l'est, et désirait ardemment tenter de reproduire ce qui marchait si bien chez eux. Mon père, lui, tenait qu'il fallait cultiver en fonction de ce que la terre pouvait naturellement donner, selon la volonté du dieu de bonté, mais Curfe brûlait de conduire l'eau jusqu'aux terrains en altitude. Je doutais de voir la question tranchée de mon vivant. Curfe œuvrait d'arrache-pied à essayer toutes sortes de méthodes pour rendre sa fertilité à la terre après sa troisième année de pousse.

Le sergent Refdom, lui, s'occupait du verger, domaine où nous nous aventurions depuis peu. Mon père ne voyait pas de raison pour que les arbres fruitiers ne prospèrent pas sur les versants qui dominaient les champs de céréales, et moi non plus, mais ils ne s'y acclimataient pas ; les pruniers avaient presque tous failli succomber à la cloque, et une espèce de ver fouisseur s'attaquait aux pommes dès leur formation. Mais le sergent Refdom ne s'avouait pas vaincu et il avait introduit une nouvelle variété de cerisiers qui paraissait bien s'implanter.

Nous regagnions la maison en milieu de matinée, nous restaurions de quelque en-cas à la viande et de thé puis mon père m'envoyait à mes études et mes exercices. Il estimait avisé de m'enseigner les rudiments de la gestion de notre propriété car, au sortir de ma carrière militaire, je devrais y revenir pour servir de bras droit à mon frère, alors au déclin de sa vie. Si avant cela, Posse se trouvait réduit à l'incapacité par suite d'une maladie ou d'un accident, la loi lui permettait de demander au roi le retour de son frère militaire en vue de « la défense des terres paternelles ». Je priais le soir pour que ce sort me fût épargné, non seulement par affection pour mon solide grand frère mais aussi parce que je me savais né pour la cavalla. Le dieu de bonté lui-même m'avait fait second fils, et j'ai la conviction qu'il instille à ceux qu'il choisit le caractère et l'esprit d'aventure que tout soldat doit posséder. Certes, une fois révolu le temps des batailles, il me faudrait retourner à notre propriété pour endosser sans doute les devoirs du caporal Curfe ou du sergent Refdom ; tous mes fils entreraient dans l'armée et j'aurais la responsabilité de former le fils militaire de mon frère aîné, mais la dot de mes filles proviendrait des biens de la famille, et il m'incombait de savoir les administrer afin que, lorsque le moment viendrait pour moi de contribuer directement à leur gestion, je pusse me rendre utile.

Mais j'avais le cœur plein de rêves de combat, de patrouille et d'exploration en compagnie de nos forces qui progressaient toujours plus loin dans les régions sauvages et acquéraient territoires, richesses et ressources pour le bon roi Troven. Dans les zones frontalières de l'est, nos troupes se heurtaient sans cesse aux occupants d'origine qu'elles s'efforçaient de sédentariser et auxquels elles tâchaient de faire comprendre que, pour le bien de tous, ils devaient accepter notre civilisation ; ma plus grande crainte était qu'elles parviennent à les soumettre avant mon entrée dans l'armée et qu'au lieu de guerroyer je passe ma carrière à des tâches administratives. Je me voyais présent lorsque la Route du roi traverserait enfin la Barrière pour déboucher sur les côtes de la mer Extrême ; je voulais faire partie des premiers à parcourir à cheval, triomphant, cette longue voie sur toute sa distance et jeter ma monture au galop dans le ressac d'un océan lointain sur une plage inconnue.

Durant cette dernière année chez moi, je consacrais le reste de la matinée à étudier et tout l'après-midi à m'entraîner aux armes. Les deux heures de délassement qu'on m'allouait naguère et que j'occupais par de la lecture ou quelque autre distraction disparurent ; au profit d'occupations plus adultes, je dus renoncer à ma passion enfantine de classification et de recherche du nom des pierres qui m'avaient « tué ». Passer une heure à écouter Elisi faire ses gammes ou à aider Yaril à cueillir des fleurs destinées aux vases du salon et de la salle à manger était désormais du temps perdu. La compagnie de mes sœurs me manquait, mais je savais l'heure venue de tourner toute mon attention vers le monde des adultes.

Malgré le manque d'intérêt de certains cours, je m'imposais une discipline de fer, conscient que mon père et mes précepteurs me jugeaient non seulement sur ma capacité à réciter mes leçons mais aussi sur mon attitude. L'homme qui souhaite commander un jour doit apprendre d'abord à recevoir des ordres ; en outre, si haut que je monte en grade, il resterait toujours quelqu'un au-dessus de moi devant qui je devrais m'incliner et dont il me faudrait accepter l'autorité. Il m'incombait de me montrer prêt à enfiler le harnais de la subordination et à le supporter de bon gré.

A cette période, j'avais pour unique ambition celle qui m'accompagnait depuis ma naissance : faire la fierté de ma famille. J'obligerais mon père à m'accorder son estime.

Le soir, après le dîner, je me joignais à lui et à Posse dans son bureau pour une conversation entre adultes sur l'état de la propriété, la politique et les dernières nouvelles du royaume. Comme je n'aurais pas le droit de fumer ni de boire pendant mon séjour à l'Ecole, il m'avait conseillé de ne pas prendre goût au tabac et de limiter ma consommation d'alcool au vin qu'on servait toujours aux repas et à un seul verre d'eau-de-vie au sortir du souper. Ces contraintes me paraissaient raisonnables et ne me pesaient pas.

Cette année de mes dix-huit ans, j'appréciai particulièrement la troisième semaine de chaque mois, entièrement consacrée au sergent Duril et à ses « cours de finition », comme il disait en riant. Je montais Siraltier tous les jours désormais et je travaillais à me montrer à la hauteur de mon excellent destrier ; Duril, lui, s'occupait de m'endurcir afin de me préparer au métier de cavalier et me faisait peaufiner l'exécution des mouvements d'exercice les plus complexes.

Instructeur des nouvelles recrues au dernier avant-poste où il avait servi, il connaissait son affaire. Il m'obligeait à répéter les manœuvres de précision jusqu'à ce qu'il me semble sentir chaque muscle de Siraltier et que je sache exactement me positionner sur lui en fonction de ses mouvements ; nous pratiquions les sauts de combat, les ruades, les voltes, le pas relevé et la difficile démarche cadencée.

Nous partions souvent ensemble dans les vastes étendues incultes de la Plaine ; à présent que j'avais atteint ma majorité, Duril me traitait plus en égal. Il m'enseignait la science des plantes et des créatures de la région sous l'aspect utilitaire que leur voyaient ses troupes et celles de mon père, c'est-à-dire comme moyens de survie, et réduisait peu à peu mes réserves d'eau et de vivres à mesure que j'apprenais à tenir plusieurs jours sans rien d'autre que ce que je parvenais à tirer de mon environnement. Il se révélait un maître exigeant, plus dur par certains côtés que Dewara, mais il donnait lui-même l'exemple et ne franchissait jamais la limite entre sévérité et brutalité. Je savais qu'il transportait des victuailles de secours dans ses fontes, mais il se restreignait autant que moi et se prenait comme sujet d'expérience pour me démontrer qu'il ne fallait pas grand-chose pour survivre si l'on mettait son ingéniosité à contribution. S'il voulait m'apprendre à trouver des foreurs de cactus, il me montrait comment repérer les trous qu'ils laissaient dans les raquettes épineuses des oponces, puis atteindre à l'aide d'un couteau le cœur de la colonie où les grosses larves jaunes fournissaient un repas nourrissant quoique grouillant au soldat sur le point de mourir de faim. Vétéran de nombreuses campagnes et conteur né, il illustrait ses leçons d'anecdotes tirées de sa propre expérience, et je regrettais souvent que mes livres d'histoire ne ressemblent pas davantage à son enseignement, car les guerres des Plaines et sa vie se confondaient. Il ne me demandait jamais rien dont il ne se fût montré capable d'abord, ce

225

qui suscitait chez moi un respect sans limite pour mon professeur et son caractère bourru.

Vers la fin de ma formation, dans la chaleur écrasante de l'été, il m'emmena dans une excursion de cinq jours pour faire mes preuves dans la région aride et broussailleuse à l'est de Grandval. Le troisième matin, il m'ôta mon chapeau et me laissa chevaucher tête nue en plein soleil sans rien dire jusqu'au moment où je m'arrêtai enfin et me fabriquai un couvre-chef grossier à l'aide de branches de sauge. Un sourire fendit alors son visage buriné. Je craignis qu'il ne se moquât de moi, mais il déclara : « Très bien. Tu as compris que te protéger d'une insolation compte plus que préserver ta dignité. Pas mal d'officiers ont dû quitter l'armée parce qu'ils ont fait passer leur amour-propre avant le devoir de garder l'esprit clair pour prendre de bonnes décisions ; et c'est encore pire quand un commandant empêche ses hommes de faire le nécessaire pour assurer leur survie. Je pense au capitaine Herken ; en patrouille, il est arrivé à un point d'eau où il comptait remplir les outres et l'a trouvé à sec. Ses hommes ont voulu se servir de leur urine – on peut la boire si on n'a vraiment rien d'autre ou s'en tremper les vêtements pour se rafraîchir – mais il le leur a interdit en disant que jamais aucun de ses soldats n'aurait l'haleine qui sentirait la pisse. Il a condamné à mort un tiers de sa troupe pour éviter une odeur désagréable. Mieux vaut un chapeau en brindilles de sauge et une cervelle capable de réfléchir qu'une tête nue et les ordres stupides d'un crétin atteint d'insolation. »

Ce n'était pas la première fois qu'il me narrait de

semblables histoires de combat pour la survie. Je ne les répétais pas à la maison, naturellement, et je n'en parlais jamais avec mon père ; je comprenais, je pense, qu'en me confiant au sergent il lui donnait carte blanche pour me transmettre le savoir durement acquis qu'il jugeait utile. Duril ne sortait pas d'une haute lignée mais, en tant que militaire et sous-officier, il avait droit au respect de son ancien colonel.

Ce soir-là, devant un petit feu dont le combustible résineux émettait une épaisse fumée, près d'un trou d'eau entouré de buissons d'épineux, il orienta la conversation sur l'histoire de la cavalla. Pour lui, elle ne se réduisait pas à une liste de dates, de lieux lointains ni au décortiquage des stratégies de campagne : elle formait son existence même. Engagé tout jeune adolescent, à l'époque où les forces montées ne faisaient guère que patrouiller le long des frontières de la Gernie et contenir les Nomades, il avait choisi une carrière qui ne paraissait pas ouvrir de perspectives prometteuses. Choisi, dis-je, car moi seul connaissais, je crois, le plus grand secret de Duril : ce n'était pas un vrai fils militaire mais seulement le quatrième garçon d'un chausseur de Tharès-la-Vieille, et sa famille l'avait abandonné à la cavalla royale par une sorte de désespoir fataliste : il n'y avait de travail que pour un nombre limité de cordonniers dans la ville où il aurait fini par crever de faim ou devenir voleur des rues. Il m'avait brossé un rapide tableau de la Gernie de ce temps-là : la Longue Guerre avec Canteterre s'était achevée par notre défaite sous le règne du roi Darouel, père de notre actuel souverain ; la lutte qui durait depuis plusieurs générations se terminait par la perte de nos territoires côtiers et de notre région productrice de charbon qui avait le meilleur rendement. Canteterre avait fait main basse sur nos ports et nous interdisait l'accès à la mer Fermée. Privée d'issues vers l'extérieur et des riches gisements de charbon qui formaient le gros de ses exportations, la Gernie s'affaiblissait comme un homme qui jeûne ; sa flotte vaincue, mortifiée, dépouillée de ses navires et de leurs mouillages, l'emportait à peine en humiliation sur ses forces terrestres, fantassins et cavaliers, rejetés, moqués quand ils abandonnaient leur uniforme pour devenir mendiants, tenus pour des pleutres et des incompétents s'ils choisissaient de rester au service du roi. Voilà ce qu'avait connu le sergent Duril à ses débuts dans l'armée ; il avait commencé par cirer les bottes d'officiers de la cavalla qui ne les portaient plus que rarement, car nos anciens ennemis nous avaient écrasés et il n'y avait plus de batailles où se couvrir de gloire.

Il servait depuis trois ans dans la cavalerie quand le roi Darouel était mort et que Troven avait hérité de la couronne. A l'entendre, le jeune souverain avait à lui tout seul mis un terme à la chute du royaume dans le désespoir ; il avait pris le deuil trois jours pour son père puis, au lieu de réunir le Conseil des seigneurs, il avait convoqué ses chefs militaires. Alors qu'il leur offrait ce qui restait du Trésor royal bien écorné pour rebâtir une Gernie puissante, ses nobles maugréaient : ils refusaient de se laisser entraîner dans un nouveau conflit avec Canteterre ; au bout de quatre générations de guerre quasi incessante, ils se retrouvaient non seulement vaincus mais au bord de la faillite.

Mais le regard du jeune monarque ne se tournait pas vers Canteterre ni les provinces perdues. Non, le roi Troven, las des attaques des Nomades contre ses lointaines colonies, avait décidé que, si les indigènes n'acceptaient pas de respecter les bornes frontalières plantées par accord mutuel quarante ans plus tôt, lui non plus n'en tiendrait pas compte, et il avait envoyé sa cavalla sur place avec instruction non seulement de refouler les Nomades mais aussi de reculer les frontières et de s'emparer de nouveaux territoires en remplacement de ceux que nous avait pris Canteterre.

Certains seigneurs ne le soutenaient pas dans cette ambition. Généralement, on regardait les Plaines comme des zones désertiques impropres à l'agriculture et au pâturage du bétail, trop chaudes en été, trop froides en hiver, et on les méprisait. Nous commercions avec les peuples de la région, mais uniquement pour obtenir des produits bruts tels que des fourrures de l'extrême nord ; ils ne cultivaient pas la terre et ne possédaient pas d'industrie. Nomades pour la plupart, ils suivaient leurs troupeaux, et même ceux qui entretenaient de petits champs obéissaient à un mode de vie migratoire, hivernant ici, estivant ailleurs. De leur propre aveu, la terre n'appartenait à personne ; de quel droit quelqu'un, eux ou nos propres aristocrates, s'opposerait-il à ce que nous nous y installions et la rendions productive ?

Duril se rappelait la brève et sanglante Révolte des nobles. Sire Egérit, devant le Conseil des seigneurs, avait demandé pourquoi leurs fils devraient encore donner leur sang pour quelques arpents de sable, de cailloux et de buissons de sauge ; le traître avait prôné le renversement du jeune roi Troven et l'alliance avec l'ennemi d'hier afin d'obtenir des concessions portuaires. Le souverain avait résolument écrasé la rébellion puis, au lieu de punir les rebelles, récompensé les familles qui lui avaient fourni leurs fils militaires pour combattre leurs pairs ; il avait aussi modifié l'équilibre de son armée en injectant des hommes et de l'argent dans la cavalla, les troupes montées issues de la chevalerie d'antan, car il estimait ce corps comme le plus à même d'affronter les Nomades, eux-mêmes toujours à dos de taldi. En l'absence de ports et de navires, il avait dissous la marine royale ; certains avaient ri de l'idée de mettre des marins à dos de cheval et des commodores à la tête de forces terrestres, à quoi le roi avait répondu simplement qu'il pensait ses fils militaires et leurs commandants capables de se battre partout où leur patriotisme l'exigeait. Ses hommes avaient été sensibles à sa confiance.

Et ainsi le royaume de Gernie avait agrandi sa superficie d'un tiers depuis la jeunesse du sergent Duril.

La Guerre des Plaines n'avait à l'origine rien d'une guerre ; il s'agissait d'escarmouches entre les Nomades et les nôtres : ils attaquaient nos avant-postes militaires et les nouvelles colonies qui naissaient dans leur voisinage, et nous ripostions par des représailles contre leurs petites troupes errantes. Tout d'abord, les indigènes avaient cru que le roi Troven se contentait de réaffirmer ses droits sur son territoire ; en nous voyant non seulement déplacer les bornes frontalières mais ensuite établir des forteresses puis des colonies, ils avaient fini par comprendre que le souverain ne plaisantait pas. Vingt ans de conflit s'en étaient suivis.

Selon leur propre décompte, les Nomades se répartissaient en sept peuples, mais nos observations montraient qu'il existait en réalité plus de trente clans ou tribus différentes, qui se déplaçaient souvent en groupes réduits. Elles erraient et, à leur façon, régnaient sur les Plaines, les plateaux et les monts vallonnés du nord ; certaines élevaient des moutons ou des chèvres, d'autres les bêtes à long cou, à la robe brun grisâtre, qui leur tenaient lieu de bétail et qu'aucun climat ne semblait rebuter. Trois des tribus parmi les plus petites vivaient de la cueillette et de la chasse, et passaient aux yeux des autres pour primitives ; leurs membres se tatouaient la face de tatouages rouges à motifs en spirale et se disaient apparentés aux rats aboyeurs, rongeurs de la plaine capables de cribler des arpents entiers de leurs galeries et terriers souterrains. Comme ces animaux, les Hommes-rats creusaient des tunnels dans la terre où ils engrangeaient semences et grains. Ils n'avaient guère opposé de résistance à notre expansion vers l'est et avaient même manifesté un certain plaisir devant la célébrité que leur valaient leurs singulières coutumes ; nombre d'artistes et d'écrivains venus de Tharès leur avaient rendu visite pour étudier leur étrange mode de vie et les avaient enrichis au passage de tissus, de ciseaux et d'autres objets de troc.

Les Kidonas, eux, étaient des prédateurs, des pillards qui subsistaient en attaquant les autres. Les tribus se déplaçaient selon un parcours saisonnier correspondant aux pâturages de leurs troupeaux, et les Kidonas les suivaient comme les carnassiers suivent l'antilope migrante des Plaines. Depuis des générations, des commerçants gerniens achetaient des fourrures aux clans des plateaux et des monts lors de la réunion traditionnelle des tribus à l'automne, mais, la plupart du temps, nos deux peuples n'entretenaient aucun contact.

« Ce qu'ils possédaient ne nous intéressait pas et on savait qu'ils se battraient comme des démons pour le garder. Les rares fois où on avait croisé le fer avec eux, ils nous avaient vaincu grâce à leur magie. Comment combattre quelqu'un qui peut jeter un cheval à genoux ou dévier une balle d'un geste de la main ? On leur fichait donc la paix. Tournés vers la mer, on avait notre territoire, ils avaient le leur. Si les Canteterriens ne nous avaient pas étranglés, on aurait peut-être toujours laissé les Nomades tranquilles ; mais il fallait absolument regagner du terrain pour le royaume et du coup on s'est tournés de leur côté. On savait depuis toujours que le fer avait le pouvoir d'annuler la magie des Plaines ; le problème consistait à s'approcher assez des Nomades pour l'utiliser contre eux. Dans l'ancien temps, un de nos rois avait envoyé des chevaliers venger la mort du fils d'un noble assassiné. La magie des sauvages n'a pas pu jeter à terre un seul Gernien en armure ni son cheval caparaçonné, mais ils se sont enfuis et on n'a jamais réussi à les rattraper ! On a essayé les archers, mais leurs chamanes tordaient les arcs d'un claquement de doigts. Les balles en plomb ? Ils les freinaient en l'air, les prenaient et s'en servaient comme ornements. Mais le jour où on a appris à charger nos mousquets avec des balles en fer, là, ça a retourné la situation. Ils ne pouvaient pas les dévier, et, en embuscade, un seul coup de grenaille pouvait décimer toute une troupe de pillards ; on pouvait tirer un de leurs chamanes de guerre sur sa selle à deux ou trois fois la distance habituelle, et on n'avait même pas besoin de le tuer : il suffisait de le lester d'assez de fer pour que sa magie s'envole.

« Et pourtant, à cette époque, si les tribus avaient pensé à s'allier pour nous combattre, elles nous auraient sans doute refoulés. C'étaient des Nomades, leurs enfants naissaient en selle et ils montaient à cheval comme personne ; mais ces qualités faisaient aussi leur faiblesse. En cas de sécheresse, d'épidémie ou de dispute territoriale, s'ils voyaient qu'ils n'obtiendraient pas la victoire, ils prenaient leurs cliques et leurs claques et s'en allaient dans une autre région ; et, devant nous, ils n'ont pas changé leurs habitudes ; à mesure que nous avancions, ils reculaient, cédaient le terrain en y perdant leur bétail et leurs possessions. Certains des clans les plus petits se sont sédentarisés, évidemment, ils ont fait la paix avec nous et compris qu'ils devaient vivre comme des gens normaux, dans une maison, toujours au même endroit. Mais d'autres ont continué le combat jusqu'à ce qu'ils se retrouvent acculés à la Barrière. Des troupes à cheval n'ont rien à faire dans la forêt et les montagnes, et les combats ont pris une tournure pas jolie-jolie. On avait rabattu les différentes tribus les unes vers les autres, et certaines se sont entre-tuées ; elles savaient qu'elles avaient perdu pratiquement toutes leurs anciennes terres de pâture, qu'on avait récupéré la majorité de leurs troupeaux ou qu'ils avaient crevé. Du haut des plateaux des Plaines, elles voyaient nos places fortes et nos villes là où leurs bêtes broutaient avant. La bataille de Grandval a été une des pires ; on dit que tous les hommes de la tribu des Ternus en âge de porter les armes y ont péri. On a pris sous notre aile leurs femmes et leurs enfants, naturellement ; on ne pouvait pas faire autrement. On les a fixés et on leur a appris à vivre comme il faut, à cultiver la terre, à lire et à écrire. Le combat avait été violent et sans pitié mais, finalement, ils y ont trouvé leur compte ; ton père s'est bien occupé d'eux, il leur a donné des moutons, des semences, et il leur a montré comment se construire une existence sans déménager tout le temps.

« En revanche, les Portrens, eux, ont préféré mourir jusqu'au dernier, hommes, femmes et enfants ; on n'a rien pu faire pour les en empêcher. Quand ils ont compris que la bataille s'engageait mal pour eux, qu'ils allaient devoir s'incliner et devenir de loyaux sujets du roi Troven ou se réfugier dans les montagnes, ils ont tourné casaque et ils se sont jetés dans les flots du Rouget. Je l'ai vu de mes yeux ; on les poursuivait sans cesse de les harceler. On avait tué la plupart de leurs chamanes les jours précédents et ils tâchaient seulement de se maintenir sous la protection de leurs sorts. On pensait arriver à les forcer à s'arrêter et à se rendre : ils allaient se trouver bloqués par le fleuve, en crue à cause de la fonte de neiges du printemps. Il y avait au moins deux cents hommes à cheval, avec leurs tuniques rayées et leurs kéfis qui flottaient au vent, qui galopaient en formant un rempart autour de leurs femmes et de leurs enfants dans des chars tirés par des poneys. Je te le jure, on croyait qu'ils allaient s'arrêter et se rendre. Mais ils ont foncé droit dans le fleuve qui les a emportés comme des fétus, et ça a été fini pour eux. On ne les a pas poussés et on les aurait épargnés s'ils l'avaient demandé, mais non ; ils ont choisi de mourir sans qu'on puisse les retenir. Les hommes ont monté la garde sur la berge en attendant que les femmes et les enfants aient disparu, puis ils les ont suivis. On n'y était pour rien. Mais plus d'un cavalier a raccroché ses éperons après cette bataille et perdu toute envie non seulement de se battre mais de poursuivre sa carrière dans la cavalla. Faire la guerre, c'est chercher la gloire et l'honneur, pas noyer des gamins.

— Ça a dû être un spectacle affreux, dis-je.

— Ils l'ont voulu », répondit le sergent Duril. Il se laissa aller sur son rouleau de couchage et tapota sa pipe pour la vider de sa cendre. « Certains parmi nous ont eu l'impression qu'on les avait laissés mourir sans lever le petit doigt pour eux, et quelques-uns des plus jeunes ont failli en perdre la boule. Mais pas sur le moment : quand ça s'est passé, on les regardait, assis en selle, sans vraiment comprendre qu'ils avaient choisi la mort, qu'ils n'atteindraient pas l'autre rive et qu'ils le savaient parfaitement. On se répétait qu'il y avait sûrement un truc, un gué qu'ils connaissaient ou un sortilège de leur cru qui les tirerait de là. Mais il n'y avait rien, et ensuite certains de mes camarades ont commencé à se tracasser, comme si on avait obligé les Portrens à se jeter à l'eau ; mais c'est faux, je le jure. J'ai décidé d'y voir le choix de gens libres, qui en avaient sans doute discuté avant d'y arriver. Moralement, est-ce qu'il aurait mieux valu qu'on essaie de les arrêter et qu'on les force à renoncer à leur mode de vie ? Je n'en sais rien ; je n'en sais rien du tout.

— Seul un Nomade peut comprendre la pensée d'un Nomade », fis-je en citant mon père.

Occupé à bourrer sa pipe, le sergent Duril ne répondit pas tout de suite ; enfin il murmura : « Parfois je me dis qu'à force de servir dans la cavalerie on devient un peu nomade, que peut-être on avait fini par trop leur ressembler. Il y a une certaine beauté, une forme de liberté à parcourir les Plaines à cheval en sachant qu'on peut y trouver en un clin d'œil tout ce qu'il faut pour survivre. Certains ne comprennent pas pourquoi ils ne s'installaient nulle part pour cultiver la terre, pourquoi ils ne bâtissaient pas de villes, de fermes, pourquoi ils n'apprivoisaient pas la nature ; mais si on pose la question à un Nomade, et je l'ai posée à plus d'un, ils la retournent tous : "Pourquoi ? Pourquoi passer sa vie toujours sur la même terre, voir le même horizon chaque matin, dormir chaque nuit au même endroit ? Pourquoi travailler pour obliger le sol à fournir de la nourriture alors qu'elle pousse partout et qu'il suffit de la trouver ?" Ils nous regardent comme des fous avec nos jardins, nos vergers, nos volailles et nos troupeaux ; ils ne nous comprennent pas plus que nous ne les comprenons. » Il lâcha un rot sonore. « Pardon. De toute manière, il n'en reste plus guère de vrais ; ils se sont fixés selon les termes de leur capitulation, ils ont des écoles, des boutiques et de petites maisons bien alignées. D'ici une génération ou deux, on ne les distinguera plus de nous.

— Je regrette de ne pas les avoir connus, déclarai-je avec sincérité. J'ai entendu quelquefois mon père évoquer la visite d'un de leurs camps, à l'époque où il patrouillait sur la frontière et où ils venaient faire du troc. Il les décrivait comme magnifiques, élancés et rapides, les chevaux comme les hommes ; il racontait que parfois les tribus nomades se réunissaient pour organiser des concours de monte dont les filles des chefs constituaient la récompense. C'est ainsi, d'après lui, qu'ils formaient des alliances… Croyez-vous vraiment ce temps révolu ? »

Il acquiesça lentement de la tête, un filet de fumée s'échappant de ses lèvres entrouvertes. Un moment, nous restâmes silencieux, nous les humains, mais la voix chuchotante et libre de la prairie nous enveloppa, pleine de brise douce, de buissons bruissants et de petites créatures nocturnes. Ces bruits familiers me détendirent et me rapprochèrent du sommeil.

« Oui, ce temps a disparu, confirma-t-il d'un ton empreint de tristesse. Non seulement pour eux mais aussi pour nous, anciens soldats. Il a disparu et ne reviendra jamais. C'est nous qui avons entamé ce changement ; on a balayé ce qui existait depuis des siècles, et maintenant… maintenant, je pense qu'on formait la première ligne, si on peut dire, ceux qui sont tombés avec l'adversaire et qui se sont fait piétiner par ceux qui arrivaient derrière. Une fois les Nomades soumis, à quoi sert un vieux briscard comme moi ? Tout bouge, tout bouge sans cesse… » Il se tut et je préférai l'imiter. Ses propos avaient infusé dans la nuit un froid que je ne sentais pas jusque-là.

Quand il reprit la parole, il avait légèrement dévié du sujet, comme s'il cherchait à éviter de réveiller une vieille blessure. « Siraltier est de race nomade. On a compris très tôt que, pour combattre des indigènes qui attaquaient à cheval, il nous fallait des montures égales aux leurs. Les keslains font merveille pour les attelages d'agrément et aucun ne bat les perches pour tirer la charrue, mais les chevaux de monte qu'on trouve dans les cités de l'ouest servent à transporter les commerçants d'un marché à l'autre et on peut leur confier une frêle demoiselle quand elle se promène avec ses amies élégantes. Ce genre de bêtes n'avait aucune utilité pour conquérir les Plaines ; il nous les fallait grandes, élancées, avec des pattes d'acier, capables d'affronter des terrains accidentés et dotées de l'instinct de survie. Toutes ces qualités, Siraltier les possède. » De la tête, il indiqua ma haute monture qui somnolait dans les ombres non loin du feu. Comme à contrecœur, il ajouta : « Je ne sais pas ce qu'il donnera dans les montagnes ; d'ailleurs, je ne sais pas ce que donnera la cavalla si elle doit combattre en forêt – ce qui arrivera, à mon avis.

— Vous pensez donc qu'une guerre va éclater avec les Ocellions ? »

Si nous avions bavardé en plein jour, alors que nous chevauchions de conserve, il aurait sans doute esquivé la question ; mais il s'adressait, je pense, autant à la nuit et aux étoiles qu'au fils bien né de son ex-commandant.

« A mon avis, on est déjà en guerre avec eux, si j'en crois le peu que je sais. On ne le reconnaît peut-être pas de notre côté, mais c'est le mot qu'emploieraient sûrement les Ocellions. Et j'aimerais pouvoir mieux t'y préparer, mais je ne peux pas. Tu ne patrouilleras pas sur les Plaines comme ton père et moi ; tu serviras à l'orée des terres sauvages, sur les contreforts de la Barrière, et tu trouveras un terrain complètement différent : falaises, ravins, forêts si denses qu'un chat ne pourrait pas s'y faufiler, mais où les Ocellions se déplacent comme des ombres. Je ne peux t'enseigner que l'attitude nécessaire ; j'ignore quelles sortes de plantes et d'animaux tu rencontreras là-bas et quel genre de guerre les Ocellions pratiquent, mais, si tu peux te forcer à te nourrir de pattes de lézard et de raquettes de cactus chez nous, je pense que tu auras le cran qu'il faut pour te débrouiller là-bas. Tu ne nous feras pas honte, j'en suis sûr ; si les circonstances t'obligent à te repaître de ragoût de singe, tu l'avaleras sans broncher et tu te remettras en selle comme si de rien n'était. »

De la part du vieux soldat bourru, ce compliment me fit rougir ; s'il m'en disait tant, il en disait certainement bien davantage à mon père. Ils avaient chevauché, combattu côte à côte, et je savais l'estime dans laquelle le colonel tenait le sous-officier, sans quoi il ne m'aurait pas confié à ses soins.

« Merci, sergent Duril, de ce que vous m'avez appris. Je vous promets de ne jamais vous faire honte.

— Je n'ai pas besoin de ta promesse, mon garçon ; ton intention me suffit. Je t'ai enseigné ce que j'ai pu ; je te demande seulement de ne pas oublier mes leçons

un fort au sommet d'une falaise s'était achevée prématurément et on l'avait alors versé dans la cavalla. Dans ce corps inconnu, il avait prouvé qu'il avait toutes les qualités d'un fils militaire, car il avait appris sur le tas ce qu'il devait savoir sans prêter attention au dédain que lui manifestaient certains de ses camarades, sous prétexte qu'il ne descendait pas de l'ancienne chevalerie. Il avait passé les premières années de sa nouvelle carrière à une tâche décourageante : escorter les convois de réfugiés depuis nos villes portuaires capturées jusqu'aux zones de repeuplement le long de nos frontières de l'est. Les Nomades avaient vu d'un mauvais œil ces agglomérations de cahutes pousser comme des champignons près de chez eux, mais il fallait bien reloger nos concitoyens ; les escarmouches avec leurs guerriers constituèrent pour mon père son baptême du feu à cheval. Malgré son apprentissage à la dure de la cavalla, c'était un farouche partisan de l'Ecole, car, ainsi qu'il me le disait toujours, il ne voulait plus qu'aucun jeune homme apprenne son métier à la manière empirique qu'il avait connue, et il souhaitait une approche systématique de l'instruction militaire. Certains affirment qu'il joua un rôle déterminant dans la création de l'Ecole ; je sais seulement qu'à cinq reprises on l'invita à s'y rendre pour prendre la parole lors de la remise des diplômes aux jeunes officiers : un tel honneur indique le respect dans lequel le roi et l'Ecole le tenaient.

Avant la fondation de cette institution, notre cavalla se composait des vestiges de la chevalerie gernienne d'antan, et, durant l'interminable guerre maritime qui nous avait opposés à Canteterre, on la considérait comme une branche ornementale de notre armée dont les hommes exposaient leurs armures familiales bien astiquées en paradant sur leurs chevaux empanachés lors des cérémonies, mais dont le rôle n'allait guère plus loin. La Longue Muraille qui marquait notre frontière terrestre avec Canteterre était tenue par des fantassins, et ils la tenaient bien ; lors des rares occasions où nous avions tenté une invasion par voie de terre, nos lourdes montures et nos combattants caparaçonnés avaient abondamment démontré leur inefficacité face aux cavaliers adverses, avec leurs destriers rapides et leurs mousquets. Pourtant, pendant deux ans, nous avions combattu d'escarmouches en escarmouches contre les Nomades avant que les conseillers du roi reconnussent la nécessité d'une formation spécialisée et la création d'une cavalla capable de s'adapter au style peu conventionnel de l'adversaire : nos chevaux et nos cavaliers alourdis par leur épaisse protection ne pouvaient quasiment rien contre des guerriers qui leur jetaient leur magie à la figure et faisaient aussitôt volte-face pour se mettre hors de portée de lance et d'épée. Contrainte et forcée, notre cavalla adopta les mousquets et les exercices de tir qui bafouaient les antiques traditions de la chevalerie, et alors seulement nous commençâmes à l'emporter sur un ennemi qui ne voyait, lui, nulle honte à s'enfuir quand la bataille tournait à son désavantage.

Je serais le premier de la famille à entrer à l'Ecole royale, le premier à y arborer le blason frappé de l'esponde. Je savais que j'y retrouverais d'autres fils de la nouvelle artistocratie, mais également des élèves issus de l'ancienne chevalerie ; je devrais bien présenter et ne jamais déshonorer mon père ni les Burvelle de l'ouest, la branche de mon oncle Sefert. Je ne pouvais l'ignorer, car tous chez moi me le rappelaient sans cesse, et, d'avance, le cœur m'en cognait dans la poitrine. Oncle Sefert, le frère héritier de mon père, m'envoya un magnifique présent avant mon départ : une selle faite sur mesure pour Siraltier, aux quartiers ornés du nouvel emblème familial, accompagnée de sacoches de voyage dignes d'un bon cheval de la cavalla, et semblablement décorées. Je dus m'y reprendre à quatre fois pour ma lettre de remerciement avant que mon père se déclarât satisfait de mes formules de politesse et de ma calligraphie, car ce mot portait à son aîné bien plus que l'expression de ma gratitude : ils étaient désormais pairs, et moi l'égal du fils militaire de tout autre noble ; je devais me conduire en conséquence devant la société, mais surtout devant les membres de ma propre famille.

Au début de l'été, on commanda à Tharès-la-Vieille le tissu pour mes uniformes, et la grosse pièce d'étoffe du vert profond des élèves de la cavalla arriva emballée dans un épais papier marron. Un paquet à part renfermait des boutons de cuivre de deux tailles différentes, estampés des sabres croisés de la cavalerie. Ma mère et ses domestiques avaient toujours cousu elles-mêmes mes vêtements comme ceux de toute la maisonnée, mais, pour la création de mon uniforme de l'Ecole, mon père embaucha un vieux tailleur, tout petit et ridé, qui fit le chemin depuis la capitale monté sur un cheval gris louvet et suivi d'un mulet chargé de deux grands coffres de bois. Ils contenaient ses outils, ciseaux, rubans mesureurs, patrons, aiguilles et fils de toutes teintes et grosseurs. Pendant la saison qu'il passa chez nous, il me confectionna quatre ensembles, deux uniformes d'hiver, deux d'été, plus, naturellement, mon manteau de cavalier. Il examina l'œuvre du chausseur local qui avait fabriqué mes bottes, les jugea passables mais déclara que je devrais m'en faire réaliser une « bonne » paire dès que possible à mon arrivée à Tharès. Mon sabre et ma ceinture d'épée avaient appartenu à mon père, et l'on commanda un nouveau harnais assorti à la selle de Siraltier. On avait même renouvelé tous mes sous-vêtements et chaussettes, soigneusement rangés dans un coffre massif qui sentait le cèdre.

Comme si tous ces changements ne suffisaient pas, deux jours avant mon départ je dus m'asseoir sur un tabouret haut, et mon père en personne, ciseaux en main, me coupa les cheveux jusqu'à ce qu'il ne restât plus sur mon crâne qu'un chaume court et dru. J'avais désormais la tête quasiment aussi chauve que la cicatrice qui la couronnait. Quand il eut terminé, je me regardai dans le miroir et demeurai saisi par le contraste entre le hâle de mon visage et la pâleur de la peau mise à nu. L'infime levée de poils blonds se voyait à peine sur le rose de mon cuir chevelu, et mes yeux bleus me paraissaient soudain aussi disproportionnés que ceux d'un poisson. Toutefois mon père eut l'air satisfait. « Ça ira, fit-il d'un ton bourru. Nul ne pourra dire que nous avons envoyé un sauvageon hirsute apprendre un métier d'homme. »

Le lendemain soir, j'enfilai mon uniforme vert

d'élève de l'Ecole royale pour la première fois depuis mes essayages et le portai à l'occasion du grand dîner d'adieu organisé par mes parents.

Je n'avais pas vu ma mère faire nettoyer la maison aussi à fond depuis les fiançailles officielles de Posse avec Cécile Porontë. A la construction du manoir, peu après l'anoblissement de mon père, elle avait défendu avec ardeur l'idée d'une piste de danse adjacente à la salle à manger. Nous étions tous encore très petits, mais elle avait insisté sur la nécessité de montrer ses filles à leur avantage quand elle recevrait d'autres aristocrates et s'était rongé les sangs à l'idée d'un sol en parquet ciré au lieu du marbre luisant qu'elle avait connu jeune fille dans la demeure paternelle de Tharès-la-Vieille : faire transporter la pierre des lointaines carrières en aval du fleuve jusque chez nous eût coûté un prix prohibitif. Toutefois, elle avait constaté, avec un orgueil mêlé de surprise, que les visiteurs venus de l'ouest restaient souvent ébahis devant le doux éclat du bois ciré, dont ils louaient la surface admirablement adaptée pour s'y déplacer avec des chaussons de danse, et elle aimait à raconter que, lorsque dame Currens, son amie d'enfance, avait regagné sa superbe demeure de la capitale, elle avait exigé de son époux qu'il fît installer chez eux une piste semblable.

On retrouvait sur la liste des hôtes à ma soirée d'adieux toute la petite noblesse campagnarde de la région. La bonne société de Tharès aurait sans doute dédaigné ces riches propriétaires terriens et éleveurs accompagnés de leurs robustes épouses, mais, selon mon père, dans les Plaines, il fallait connaître ses amis et ses alliés sans considération de classe. Ce point de vue chagrinait peut-être parfois ma mère qui, je le savais, souhaitait voir ses filles épouser de jeunes nobles, de la nouvelle aristocratie si elle ne trouvait pas de partis dans l'ancienne ; aussi avait-elle envoyé des invitations aux gens de notre rang, malgré la distance qu'ils devraient parcourir. Sire Remoire, son épouse et leurs deux fils avaient voyagé pendant un jour et demi pour y répondre, tout comme sire Kisine, veuf de son état, et son garçon. A part moi, je songeais que ma mère profitait de l'occasion pour jauger ces jeunes aristocrates et les soumettre à mon père comme d'éventuels partis pour Elisi et Yaril. Toutefois je ne pouvais lui en tenir rigueur, car elle avait aussi invité le seigneur et dame Grenaltère avec leur fille Carsina. En me mirant dans les glaces, je trouvais que mon flamboyant uniforme d'élève de la cavalla donnait à mon crâne rasé un aspect bizarrement réduit ; mais je n'y pouvais pas grand-chose, sinon espérer que ma future fiancée se souviendrait de moi tel que je me présentais lors de notre dernière rencontre et qu'elle ne jugerait pas mon changement d'apparence ridicule ni déconcertant.

J'avais dû la voir une dizaine de fois depuis le jour où mon père m'avait annoncé que sire Grenaltère consentait à nos fiançailles. En principe, toutes nos rencontres se passaient sous la stricte surveillance d'un chaperon, mais Carsina était l'amie de ma sœur Yaril ; il n'y avait donc rien que de très naturel à ce qu'elle passe la voir et que ses visites durent parfois une semaine. Bien que notre engagement n'eût pas encore été proclamé officiellement, en attendant mon brevet de l'Ecole, nous

nous savions destinés l'un à l'autre, et, lorsque nos regards se croisaient au repas, mon cœur bondissait dans ma poitrine. Pendant ses séjours chez nous, Yaril, Elisi et elle jouaient ensemble de la harpe dans la salle de musique et chantaient ces vieilles ballades d'amour pour lesquelles les filles semblent éprouver une préférence marquée. Elles n'y cherchaient que leur propre agrément, je le savais, mais, quand je passais devant la pièce et voyais Carsina, le cadre aux tons chauds de son instrument appuyé sur le mol arrondi de sa poitrine tandis que ses mains menues et potelées restaient gracieusement en suspens à la fin de chaque accord, j'avais l'impression qu'elle parlait de moi lorsqu'elle évoquait son « brave cavalier au manteau vert qui à cheval sa reine et son roi sert ». Et je ne pouvais m'empêcher de songer, en l'apercevant qui marchait dans le jardin ou cousait en compagnie de mes sœurs dans la salle des femmes, qu'elle deviendrait un jour mon épouse ; je m'efforçais toutefois de n'en rien laisser paraître quand nos regards se croisaient et je m'interdisais d'espérer qu'elle partageait mon rêve imprécis de fonder une famille et d'avoir des enfants ensemble.

Pour la première fois, lors de cette soirée d'adieux, j'eus la permission d'escorter Carsina jusqu'à la salle à manger. Mes sœurs et elle avaient passé le plus clair de la journée confinées à l'étage tandis que les domestiques montaient et descendaient rapidement les escaliers, les bras chargés de linge et de dentelle fraîchement repassés, en une noria apparemment infinie. Quand elles firent enfin leur apparition, avant le dîner, je restai stupéfait de leur transformation : c'est à peine si je reconnus Elisi et Yaril, et moins encore Carsina. J'avais souvent entendu ma mère conseiller à ses filles les couleurs vives, qui s'harmonisaient bien avec leur teint clair et la blondeur de leurs cheveux ; la cadette avait donc choisi une robe bleue avec un tour de cou en ruban plus foncé, l'aînée des atours d'un or profond et somptueux. Mais Carsina portait une toilette dont l'étoffe semblait flotter autour d'elle, d'un rose pâle qui m'évoquait l'intérieur des conques décoratives du bureau de mon père, d'une teinte légèrement plus sombre que sa peau. On distinguait vaguement la courbe de sa poitrine à travers la dentelle mousseuse qui bordait le col de sa robe, et j'en demeurai le souffle coupé. La jeune fille qui m'était promise s'affichait comme une femme aux yeux de tous les hommes présents, ce qui excita mon instinct protecteur. Chaque fois que je levais les yeux pendant le repas, je trouvais son regard posé sur moi et je baissais aussitôt le nez avec le sentiment de commettre une grossièreté si je restais à contempler sa beauté. Quand nous sortîmes de table, je l'entendis murmurer à l'oreille de Yaril et le petit rire qu'elles échangèrent me mit le feu aux joues. Je me détournai d'elle et j'éprouvai un soulagement extraordinaire quand l'épouse du colonel à la retraite Haddon vint me saluer et me bombarda de questions sur ce que j'espérais de l'Ecole.

Plus tard ce soir-là, quand nous participâmes aux danses où l'on virevolte d'une cavalière à l'autre, forme jugée convenable pour les jeunes gens célibataires, je tâchai de tenir la main de Carsina ou de serrer sa taille avec la même courtoisie que je manifestais aux autres jeunes filles, mais je ne pus m'empêcher de penser, quand elle passa – si brièvement ! – dans mes bras, que je tenais celle qui allait partager ma vie. Je n'osais pas la regarder car elle ne cessait de me sourire. Le parfum de gardénia qu'exhalaient ses cheveux m'étourdissait et ses yeux brillaient plus que les petites épingles serties de diamant qui ornaient son chignon. Je me sentais la poitrine si oppressée et les joues si brûlantes que je craignais de perdre mes moyens et de tomber en pâmoison. Je crois que tous ceux qui nous virent ensemble comprirent que j'éprouvais déjà pour elle des sentiments de fierté, de tendresse et la volonté de la protéger. Lorsque, notre tour achevé, je dus la laisser à un autre, celle avec qui je dansai la mesure suivante me trouva certainement piètre cavalier.

Mes parents donnaient la réception en mon honneur, aussi fis-je de mon mieux pour remplir tous mes devoirs de fils de la maison. Je dansai avec les dames mûres qui me connaissaient depuis ma plus tendre enfance, je bavardai avec elles et les remerciai de leurs félicitations et de leurs bons vœux. J'allais aussi chercher du vin de fruits pour madame Grazelle, épouse d'un éleveur qui possédait de nombreux arpents de terrain au sud de Grandval, quand j'aperçus Yaril et Carsina qui se faufilaient entre les rideaux pour gagner le jardin illuminé de lanternes. Il faisait tiède et la danse nous avait donné chaud ; l'idée me vint soudain de faire quelques pas dehors afin de chercher quelque quiétude à l'écart de la musique et du brouhaha des conversations. Dès que la politesse me le permit, je quittai madame Grazelle et ses considérations sur les effets dépuratifs du persil qu'elle ajoutait à l'alimentation de ses jeunes fils, et sortis sur la terrasse qui dominait les jardins.

On avait disposé à intervalles réguliers le long des allées des lanternes aux verres teintés. Les dernières fleurs de l'été s'épanouissaient encore et une douceur inhabituelle pour la saison imprégnait l'air du soir. Je vis mon frère Posse assis sur un banc en compagnie de sa fiancée sous la coupole vivante d'un saule pleureur ; il pouvait en toute légitimité profiter de ces moments d'intimité avec elle car l'annonce de leurs fiançailles remontait à plusieurs mois, et je comptais d'ailleurs revenir de l'Ecole au printemps pour assister à leur mariage. Roger Gardjette arpentait seul les chemins, sans doute à la recherche de Sara Mallor ; on n'avait pas encore proclamé leur engagement mais, comme leurs familles possédaient des propriétés mitoyennes, leur union était entendue depuis leur enfance.

J'aperçus Yaril et Carsina assises sur un banc près du bassin ; elles parlaient à voix basse en s'éventant. J'eusse tout donné pour m'approcher d'elles mais n'en trouvai le courage qu'au moment où je vis Kase Remoire sortir de l'ombre ; il s'inclina gracieusement devant elles et je l'entendis leur souhaiter le bonsoir. Ma sœur se redressa et lui retourna quelque plaisante réponse qui le fit éclater de rire ; Carsina se joignit à leur gaieté. Remoire écornait légèrement la bienséance en se trouvant seul avec les deux jeunes filles, aussi, justement inquiet pour l'honneur de ma sœur, je descendis les rejoindre.

Le jeune homme m'accueillit jovialement en me souhaitant ses meilleurs vœux pour mon voyage du lendemain et mes études à l'Ecole. Il était le fils aîné de sa famille et l'héritier du titre de son père, aussi le jugeai-je un peu condescendant lorsqu'il déclara regretter de ne pouvoir comme moi partir vivre de grandes aventures dans le vaste monde au lieu de demeurer chez lui pour assumer les charges de son rang.

« Le dieu de bonté nous donne la place qu'il désire, dis-je. Je ne guignerais pas l'héritage de mon frère ni la prêtrise de mon puîné ; je crois que je deviendrai ce que mon destin prévoit.

— Oh, certes, l'avenir fixé par l'ordre de naissance reste immuable, mais pourquoi ne devrait-on avoir qu'une seule facette ? Réfléchissez : votre père a commencé dans l'armée et le voici aujourd'hui noble. Pourquoi un héritier ne pourrait-il se faire aussi poète ou musicien ? Les fils militaires de l'aristocratie tiennent des journaux et des cahiers d'esquisses, n'est-ce pas ? Ne peut-on, dans ces conditions, vous considérer comme écrivain et naturaliste autant que soldat ? »

Ces paroles ouvrirent sur mon avenir une fenêtre dont je n'avais jamais remarqué la présence. J'avais toujours voulu approfondir mes connaissances sur les roches et les minéraux, mais je considérais cette envie comme une lubie indigne envoyée par le grand Dévoyeur. Pouvait-on concilier son devoir et ses inclinations sans offenser le dieu de bonté ? J'écartais ces questions de ma pensée : je connaissais déjà la réponse au fond de mon cœur. « Je suis un militaire, rétorquai-je. Je me borne à observer et à coucher par écrit ce qui se révélera utile à ceux qui suivront mes traces. Je ne jalouse pas le destin que le dieu de bonté a octroyé à mes frères. »

Remoire dut percevoir que je réprouvais son attitude car il plissa le front et répondit : « Je voulais seulement dire que… »

Yaril l'interrompit soudain : « Souffle d'ange ! J'ai perdu une boucle d'oreille ! Une des nouvelles en lapis que papa m'a offertes spécialement pour cette soirée. Que va-t-il penser de moi si je me montre aussi négligente envers ses présents ? Il faut que je la retrouve !

— Je vais vous aider, proposa aussitôt Remoire. Où aurait-elle pu tomber ?

— Sans doute sur l'allée qui mène à la serre, répondit Carsina. Rappelle-toi, tu t'es écartée du chemin et tes cheveux se sont pris un instant dans le rosier grimpant du treillis ; à mon avis, tu as perdu ton bijou là. »

Yaril lui adressa un sourire empreint de soulagement. « Tu as sûrement raison ; allons le chercher !

— Je vous accompagne, dis-je en toisant Remoire du regard.

— Ne dis pas de bêtises, répliqua ma sœur. Carsina est venue se reposer un moment au jardin ; elle n'a nulle envie de retourner à la serre et elle ne peut évidemment pas rester seule ici. En outre, avec tes grands pieds, tu enfoncerais à coup sûr ma boucle d'oreille dans la terre sans même la voir. Non, à deux, nous suffirons amplement à la tâche. Ne bougez pas, nous n'en aurons pas pour longtemps »

Elle s'apprêtait à partir ; mon devoir m'interdisait de la laisser s'éloigner sans surveillance dans les ombres des allées en compagnie de Remoire, mais Carsina tapotait le banc à côté d'elle pour m'inviter à y prendre place, et je ne pouvais pas non plus l'abandonner seule dans le jardin. « Ne tarde pas ! lançai-je à Yaril.

— Promis. De toute manière, je saurai vite si j'ai perdu ma boucle d'oreille là-bas ou non. » Le jeune homme eut l'audace de lui offrir son bras, mais elle le refusa d'un signe gracieux de la tête et s'enfonça dans l'obscurité. Je les suivis des yeux. Au bout, d'un moment, Carsina murmura : « Ne voulez-vous pas vous asseoir ? A force de danser, vous devez avoir besoin de vous reposer les pieds ; pour ma part, en tout cas, il faut que je les soulage. » Elle pointa son peton sous le bas de sa robe comme pour me montrer à quel point il était meurtri et s'exclama soudain : « Oh ! Mon chausson se défait ! Il faut que je rentre le rattacher, car, si je me penche ici, la terre va sûrement tacher mon ourlet.

— Permettez-moi », fis-je, le souffle court. Je plantai un genou au sol sans crainte de me salir car il faisait sec et les jardiniers balayaient toujours soigneusement les allées pavées.

« Non, il ne faut pas ! se récria-t-elle alors que je saisissais ses lacets. Vous allez avoir une marque sur votre magnifique uniforme tout neuf. Et vous êtes si élégant dedans !

— Un peu de poussière sur le genou ne laissera pas de marque », répondis-je. Elle avait dit qu'elle me trouvait élégant ! « Je lace les chaussons de ma sœur depuis sa plus tendre enfance : ses nœuds se défont toujours. Voilà ; comment cela va-t-il ? Est-ce trop serré ? Pas assez ? »

Elle s'inclina pour examiner mon travail ; son cou

avait la grâce et la pâleur de celui d'un cygne, et le parfum de gardénia m'enveloppa de nouveau. Elle se tourna vers moi et nos visages se frôlèrent. « C'est parfait », fit-elle à mi-voix.

Je restai pétrifié, frappé de mutisme, « Merci », dit-elle encore. Elle s'avança pour effleurer ma joue d'un baiser aussi chaste que celui d'une sœur, mais qui fit tonner mon cœur dans ma poitrine. Elle se redressa soudain en portant ses doigts à ses lèvres avec une expression surprise. « Oh ! de la barbe ! »

Je passai la main à l'angle de ma mâchoire, horrifié. « Mais je me suis rasé ! m'exclamai-je, et son éclat de rire inattendu m'évoqua un vol d'alouettes prenant son essor dans le ciel du matin.

— Naturellement ! Je ne voulais pas dire que vous piquiez mais qu'on sent tout de même une trace de barbe. A vous voir si blond, je ne pensais pas que vous vous rasiez déjà.

— J'ai commencé il y a presque un an. » Et tout à coup la gêne qui m'oppressait disparut. Je me relevai, m'époussetai le genou puis m'assis à côté d'elle sur le banc.

Elle me sourit. « Vous laisserez-vous pousser la moustache à l'Ecole ? Il paraît que de nombreux élèves la portent. »

Avec regret, je passai ma main sur mon crâne quasiment chauve. « Pas la première année : le règlement l'interdit ; mais peut-être en troisième.

— Ça vous irait bien, je crois », murmura-t-elle, et ma décision fut prise aussitôt : j'aurais une moustache.

Nous gardâmes un moment le silence pendant

qu'elle parcourait des yeux le jardin envahi de nuit. « Votre départ m'emplit de chagrin. Je suppose que je ne vous reverrai pas avant longtemps, dit-elle finalement avec tristesse.

— Je reviendrai pour le mariage de Posse à la fin du printemps ; votre famille et vous y assisterez sûrement.

— Bien entendu, mais il s'en faut encore de plusieurs mois.

— Ce ne sera pas si long », lui assurai-je, mais j'eus soudain moi aussi le sentiment que notre séparation n'en finirait jamais.

Elle détourna le visage. « On dit les jeunes filles de Tharès-la-Vieille très belles et toujours vêtues à la dernière mode de la côte. Selon ma mère, elles se parfument au musc, elles se peignent les cils et leurs jupes de monte ressemblent à des pantalons d'homme car elles se moquent de montrer leurs jambes. » Elle ajouta d'un ton inquiet : « On les prétend très directes aussi. »

Je haussai les épaules. « Je n'en sais rien ; c'est possible. De toute manière, enfermé à l'Ecole, je doute d'avoir seulement l'occasion d'entrevoir une femme.

— Ah, quel soulagement ! » s'exclama-t-elle avant de se détourner à nouveau ; je ne pus m'empêcher de sourire, réchauffé par la petite flamme de sa jalousie.

Je scrutais l'allée obscure qui menait aux serres sans voir nulle trace de ma sœur. Je n'avais aucune envie de quitter Carsina mais ma responsabilité m'appelait. « Je dois rejoindre Yaril ; il ne faut pas tant de temps, pour retrouver une boucle d'oreille.

— Je vous accompagne », dit la jeune fille. Elle quitta le banc et posa sur mon bras une main légère comme un oiseau.

Le devoir me dictait ma réplique. « Mieux vaudrait que vous rentriez pendant que je vais à la rencontre de Yaril, déclarai-je.

— Le faut-il ? » demanda-t-elle en tournant vers moi ses grands yeux bleus.

Je ne pus me résoudre à répondre et nous nous engageâmes ensemble sur l'allée, dont l'étroitesse obligea Carsina à se serrer contre moi. J'avançais lentement de peur qu'elle ne trébuchât dans le noir. Enfin nous parvînmes au tournant du chemin et, comme je le craignais, je vis Yaril qui se tenait tout près de Remoire, le visage levé vers le sien ; il se pencha et l'embrassa.

Je m'arrêtai net, pétrifié d'horreur. « Il n'a pas le droit ! » fis-je, suffoqué, n'en croyant pas mes yeux.

La main de Carsina s'était crispée sur mon bras. « Non, en effet ! murmura-t-elle, choquée. Il n'existe pas d'accord entre leurs familles, et ils n'ont pas été promis l'un à l'autre comme nous. »

Je la regardai. Elle avait les yeux agrandis, les lèvres entrouvertes, le souffle court.

Puis, sans que je comprisse bien comment, elle fut dans mes bras. Le haut de son front arrivait au niveau de mon nez si bien que je dus me pencher et tourner la tête de côté pour l'embrasser sur la bouche. Elle agrippa de ses petites mains mon manteau d'uniforme et, quand elle rompit notre baiser, elle se cacha le visage dans ma chemise, comme transie de peur. « Ce n'est pas grave, murmurai-je, les lèvres dans les boucles et les épingles de sa chevelure. Nous sommes promis l'un à l'autre. Nous n'avons rien fait de plus déshonorant que goûter à l'avance ce que notre vie nous permettra. »

Elle se redressa et s'écarta. Ses yeux brillaient et je ne pus résister : je l'embrassai à nouveau.

« Carsina ! » fit une voix chargée de reproche. Nous nous séparâmes dans un sursaut, pris en faute. Yaril empoigna son amie par le coude et me jeta un regard accusateur. « Oh, Jamère, jamais je n'aurais cru ça de toi ! Carsina, viens avec moi ! » Là-dessus, tels des pétales soufflés par une brise soudaine, les deux jeunes filles nous quittèrent. Au tournant de l'allée, l'une éclata d'un rire musical, l'autre l'imita, puis elles disparurent dans l'obscurité. Je restai un moment à contempler la pénombre où elles s'étaient évanouies puis je me tournai pour faire face à Remoire. Alors que, les yeux étrécis, je m'apprêtais à lui dire son fait, il partit à son tour d'un rire désinvolte et m'assena un coup de poing amical à l'épaule.

« Du calme, mon vieux ! Mon père doit s'entretenir avec le vôtre ce soir. » Puis il planta son regard dans le mien avec franchise et poursuivit : « Je l'aime depuis deux ans, et je pense que ma mère comme la vôtre le savent. Je vous le promets, Jamère, je la protégerai toujours. »

Je demeurai interdit, et il déclara soudain : « J'entends la musique reprendre. En chasse, messieurs ! » Et il partit à grandes enjambées à la poursuite des filles. Je me retrouvai seul, à secouer la tête, encore étourdi du baiser et du parfum de Carsina. Je rajustai mon manteau et en époussetai le devant sur lequel restait un peu de son fard ; je découvris alors qu'elle y avait glissé son petit mouchoir en dentelle, délicat comme un flocon de neige et imprégné de l'odeur des gardénias. Je le pliai soigneusement, le plaçai dans ma poche et repris en hâte la direction de la maison illuminée d'où s'échappaient à nouveau des accords mélodieux. La perspective de mon départ le lendemain me paraissait tout à coup insupportable, et je résolus de ne pas perdre une seule seconde du temps qui me restait.

Toutefois, dès que je regagnai la salle de bal, ma mère me repéra et me fit comprendre que je devais à la courtoisie d'inviter à danser plusieurs de ses plus vieilles amies. Je vis mon père escorter Carsina sur la piste tandis que l'expression de bête aux abois qu'arborait Yaril disait son impatience d'en finir avec les piétinements balourds du major Tanrine. La nuit s'étendait devant moi, à la fois interminable et affreusement courte. Les musiciens venaient d'annoncer la dernière danse quand ma mère surgit inopinément près de moi, accompagnée de Carsina, et je rougis lorsqu'elle plaça la main de ma fiancée dans la mienne, car j'eus la soudaine conviction qu'elle avait eu vent de notre promenade au jardin et même de notre baiser.

Muet devant la beauté de ma cavalière et le regard qu'elle levait vers moi, j'avais l'impression que nous demeurions immobiles et que c'était la salle et la foule qui dansaient autour de nous. Enfin je réussis à dire : « J'ai retrouvé votre mouchoir. »

Elle sourit et murmura : « Gardez-le pour moi jusqu'à ce que nous nous revoyions. »

Puis la musique se tut, je dus m'incliner, lâcher sa

main et la laisser aller. Quatre années à l'Ecole et trois autres dans l'armée m'attendaient avant que je pusse la demander pour épouse, et je ressentis soudain tout le poids de cette éternité. Je fis le vœu de me montrer digne d'elle.

Je passai une nuit blanche et me levai très tôt le lendemain. Aujourd'hui, je quittais la demeure familiale et je me rendais compte, en promenant mon regard sur ma chambre nue, que je n'y reviendrais plus désormais qu'en visite, lors de mes congés de l'Ecole ; je ne connaîtrais plus de véritable foyer avant d'en fonder un avec Carsina. Mon lit étroit et ma penderie vide m'apparaissaient comme la coque creuse de mon ancienne existence. Une boîte en bois demeurait sur une étagère, pleine de mes cailloux. J'avais voulu m'en débarrasser et ne l'avais pas pu. Yaril m'avait promis de les garder. J'ouvris le coffret pour jeter un dernier coup d'œil à toutes les morts que j'avais subies, et le gravillon que j'avais baptisé « pierre de Dewara » scintilla. Après avoir contemplé un moment ma collection, je le choisis pour l'emporter. Je le glissai dans la poche de ma veste afin de toujours me rappeler que je ne me trouvais qu'à un souffle de la mort, pensée propre à inciter un jeune homme à empoigner sa vie à deux mains et à la vivre à fond. Mais, quand je fermai derrière moi la porte de ma chambre, j'eus l'impression d'entendre le cliquetis du pêne résonner dans mon cœur.

Mon père et le sergent Duril devaient m'accompagner pendant la première étape de mon trajet. Dans une carriole tirée par une mule robuste, on avait chargé un coffre contenant mes uniformes neufs ainsi qu'un autre, plus petit, qui renfermait la garde-robe paternelle pour le voyage. Vêtu d'une chemise blanche, d'un pantalon bleu et d'une veste assortie, je me trouvais assez bel air. Mon père et moi arborions nos chapeaux hauts de forme ; je n'avais coiffé le mien qu'à deux reprises jusque-là, une fois pour le bal que le colonel Jarres avait donné à l'occasion de son anniversaire, une autre pour l'enterrement d'une amie de ma mère. Duril avait gardé son costume habituel car il n'irait pas plus loin que la péniche sur laquelle nous embarquerions.

J'avais fait mes adieux à ma mère et mes sœurs la veille ; j'eusse aimé échanger quelques mots en privé avec Yaril mais elle avait évité, je crois, de m'en laisser le loisir. Si mon père avait parlé à celui de Remoire, je n'en avais rien su et je n'osais pas l'interroger de peur d'attirer son châtiment sur ma sœur. Je ne m'attendais pas à voir toute la famille présente à l'aube pour mon départ, et pourtant ma mère, tout habillée déjà, descendit m'embrasser et me donner sa bénédiction avant que je ne quitte la maison ; je lui en voulus presque car un nœud se forma aussitôt dans ma gorge. Je ne tenais pas à m'en aller en pleurant comme un enfant et il s'en fallut de peu que cela n'arrivât.

Les pluies d'hiver n'avaient pas encore gonflé le fleuve, et je me réjouis de n'avoir pas à l'emprunter alors que le courant filait de toute sa puissance sous les lourdes gabarres. A cette époque de l'année, les plates effectuaient le plus gros de leur travail et transportaient des familles qui allaient dans l'ouest rendre visite à leurs proches et acheter des effets à la dernière mode pour la saison froide à venir. Je nourrissais un peu l'espoir, je l'avoue, que quelques jeunes dames venues de l'amont voyageraient avec nous et pourraient m'admirer dans mes beaux atours neufs, mais la péniche sur laquelle le sergent Duril chargea nos coffres se révéla un simple bateau de transport doté de quatre cabines seulement pour les passagers et d'une vaste surface de pont réservée au fret. Le capitaine et deux hommes d'équipage installèrent promptement les stalles provisoires qu'on trouve sur toutes les plates, et l'on plaça côte à côte Siraltier et Pattes-d'acier, le hongre de mon père, dans des boxes spacieux. Les mariniers avaient l'habitude des soldats de la cavalla et connaissaient leurs besoins en voyage ; certains en devenaient même trop familiers, mais je constatai avec plaisir que, bien que mon père fût à la retraite, ils lui manifestaient le respect attaché à son ancien grade et la politesse due à un « seigneur des batailles », selon l'expression affectueuse qui désignait parfois les nouveaux nobles du roi. Deux d'entre eux étaient des Nomades, ce que je n'avais jamais vu jusque-là ; le capitaine Roschère devait savoir que mon père désapprouvait ce choix car il prit le temps de lui montrer que tous deux portaient de fins colliers de chaînette de fer, signe qu'ils avaient volontairement renoncé à toute association avec la magie. Son noble passager rétorqua que de nombreux Gerniens eussent accepté avec joie leur poste, ce qui eût permis aux Nomades de rester chez eux. Ce fut leur unique échange sur le sujet, mais plus tard, dans notre cabine, mon père déclara que, s'il avait su que des indigènes travaillaient sur le pont, il eût réservé nos places sur un autre chaland.

Malgré ce petit litige, notre voyage se déroula bientôt suivant une routine agréable. Le fleuve était bas, le courant calme et régulier, et le timonier connaissait son affaire : il nous maintenait au milieu du chenal et les hommes d'équipage n'avaient guère qu'à veiller aux écueils flottants. Le capitaine avait assez d'audace pour continuer à naviguer de nuit si bien que nous progressions à excellente allure. Trois autres passagers se partageaient les cabines restantes, deux jeunes nobles originaires de Tharès-la-Vieille et leur guide ; ils revenaient d'une expédition de chasse dont ils rapportaient plusieurs caisses d'andouillers, de cornes et de peaux en guise de souvenirs de leur aventure dans les terres sauvages. J'enviais leurs mousquets de qualité, leurs vestes de chasse à la coupe élégante et leurs bottes luisantes. J'étais interloqué de les voir, tous deux fils héritiers de noms et de fortunes anciens, parcourant le monde, s'amusant et n'en faisant qu'à leur tête, mais ils m'expliquèrent que dans leur milieu on considérait comme normal que, dans leur jeunesse, les aînés s'en aillent à l'aventure et jettent leur gourme avant, la trentaine venue, de se ranger et de s'atteler avec sérieux à la tâche qui leur incombait de devenir les porteurs du patronyme ancestral. A côté de mon frère Posse, je les trouvai écervelés et mal préparés à leur devoir.

Ils avaient pour guide un chasseur aguerri dont les anecdotes agrémentaient nos repas communs. Mon père s'amusait de ses histoires échevelées autant que tous ses auditeurs mais, en privé, il m'avertit qu'elles renfermaient peu de vérité et qu'il n'appréciait guère les jeunes élégants qui louaient ses services. Ils n'avaient que quelques années de plus que moi et, bien qu'ils m'eussent invité à plusieurs reprises dans leur cabine à déguster une fine en fumant un cigare après le dîner, mon père m'avait recommandé de toujours trouver un prétexte pour refuser ; je le regrettais car j'eusse aimé me lier d'amitié avec eux, mais son arrêt était définitif. « Ils ont une nature dissolue et indisciplinée, Jamère. Des jeunes gens de leur âge n'ont pas à s'enivrer ni à se vanter de leurs conquêtes. Evite-les, tu n'y perdras rien. »

J'avais visité Tharès-la-Vieille à deux reprises jusque-là, la première à trois ans, dont je gardais peu de souvenirs sinon l'image du fleuve s'écoulant paisiblement et du pavé encombré de passants des rues de la capitale. J'y avais fait un autre séjour avec mes frères à dix ans : nous conduisions mon cadet Vanze à l'Ecole religieuse de Saint-Orton, où mon père souhaitait l'inscrire en avance afin d'avoir l'assurance de l'y voir admis lorsqu'il aurait l'âge d'y entrer.

A cette occasion, nous avions logé chez oncle Sefert, dans sa belle résidence citadine, au milieu de sa charmante famille. Il avait une épouse d'une distinction parfaite, un fils et deux filles ; il nous avait reçus chaleureusement et avait passé plusieurs heures à me montrer la considérable collection de journaux à laquelle avaient contribué tous les fils militaires de la lignée des Burvelle et les nombreux trophées qu'ils avaient rapportés. On y voyait non seulement les épées incrustées de pierres précieuses de nobles adversaires vaincus au combat mais aussi les butins plus sinistres des conflits d'autrefois avec les Cuerts sauvages du sud-ouest :

colliers de vertèbres humaines et perles faites de cheveux laqués entre autres. Il y avait aussi des souvenirs de chasse, peaux de bisons, pieds d'éléphants, et même la vaste ramure aux pointes acérées d'un cerf à bosse que mon père avait envoyée pour orner la demeure de ses ancêtres. Mon oncle avait souligné la valeureuse histoire familiale que nous partagions et son espoir que je renforcerais encore son prestige ; c'est alors, je pense, que j'avais perçu sa déception de n'avoir pas eu de fils militaire. Tant que son héritier n'en aurait pas engendré un, il n'y aurait plus de nouveaux journaux, et, pour la première fois depuis plus d'un siècle, l'histoire militaire des Burvelle connaîtrait un hiatus. Nul descendant issu de sa propre chair ne renverrait chez lui le compte rendu de ses exploits, et il s'en attristait visiblement.

Malgré mon jeune âge, j'avais senti l'onde de dissension que le changement de statut de mon père avait déclenchée dans la famille. Depuis des décennies, aucun souverain gernien n'avait accordé de nouveaux titres ni octroyé de terres, or le roi Troven, en une seule fois, avait créé plus d'une vingtaine de nouveaux nobles, dont l'afflux inattendu amoindrissait l'influence des maisons de long lignage, et qui éprouvaient peut-être une fidélité plus forte envers le monarque qui les avait anoblis. Avant leur création, les anciens aristocrates du Conseil des seigneurs commençaient à murmurer, disant qu'ils méritaient plus qu'un rôle purement consultatif auprès du Trône, qu'il était temps pour eux de détenir une véritable autorité ; l'arrivée des anoblis de fraîche date avait dilué, étouffé cette fronde. J'ai la certitude que le roi Troven cherchait par ce biais à se donner une solide base de soutien, car, si les militaires ont un talent qui prime sur les autres, c'est de suivre leur chef légitime ; néanmoins je crois aussi qu'il ne se livrait pas uniquement à une manœuvre politique : il voulait sincèrement récompenser ceux qui l'avaient bien servi pendant les heures difficiles de l'histoire du royaume. Peut-être avait-il compris aussi qu'il fallait dans les anciennes régions frontalières des nobles habitués aux rigueurs d'une existence dangereuse.

J'en ai pourtant la conviction, il était sans doute venu à l'esprit de mon oncle, et certainement à celui de son épouse, que le roi aurait pu aussi bien accorder ces terres à la famille Burvelle de l'ouest. Il avait dû lui paraître singulier de regarder son frère militaire, le fils né pour servir, et de voir en lui un pair. En tout cas, sa dame avait l'air un peu désemparée en accueillant mon père comme un égal à sa table et en le présentant à ses hôtes sous le titre de seigneur Burvelle de Grandval de l'est.

Ma mère nous avait confié des présents à l'intention des membres féminins de la famille ; elle avait choisi des bracelets de cuivre de fabrication nomade pour mes deux cousines en songeant que leur exotisme les intéresserait, mais rien d'aussi simple ni modeste pour sa belle-sœur Daraline. Elle lui avait destiné un chapelet de perles d'eau douce du plus bel orient ; elles avaient dû lui coûter cher et je me demandais si elle cherchait à m'acheter par ce biais un bon accueil chez ma tante.

Je réfléchissais ainsi tandis que notre chaland progressait paisiblement vers Tharès-la-Vieille. Je serais tenu de rendre visite régulièrement au frère de mon père et à son épouse pendant ma scolarité ; égoïstement, je le regrettais, car j'eusse préféré consacrer tout mon temps à travailler à mes études et à faire connaissance avec les autres élèves. De nombreux jeunes officiers qui avaient interrompu leur voyage vers l'est pour partager notre table avaient évoqué avec bonheur leur séjour à l'Ecole, non seulement les amitiés qu'ils y avaient découvertes et l'exigence de l'enseignement mais aussi les joyeuses plaisanteries et l'esprit de camaraderie qui régnait dans les bâtiments. Plus qu'un penchant naturel, c'est l'isolement de Grandval qui m'avait forcé à la solitude, et j'avais toujours accueilli avec joie les occasions qui me permettaient de rencontrer des garçons de mon âge ; j'éprouvais certes une certaine inquiétude à la perspective de me trouver plongé dans la vie communautaire de l'Ecole, mais surtout un plaisir anticipé difficilement réprimé. Je me sentais mûr pour quitter mes tranquilles habitudes provinciales.

En outre, je savais révolue la liberté de mon enfance : il n'y aurait plus de longues randonnées en compagnie du sergent Duril, plus de soirées à écouter oisivement mes sœurs s'exercer à la harpe ou ma mère lire les Saintes Ecritures. J'avais passé l'âge de jouer aux soldats de plomb à plat ventre sur le tapis devant la cheminée ; j'étais un homme à présent, les études et le travail m'attendaient. Alors que cette pensée m'accablait, je sentis dans ma poche le petit flocon de dentelle : Carsina elle aussi m'attendait – une fois que je me serais montré digne d'elle. Je soupirai en songeant à elle et aux longs mois qui s'écouleraient avant que je la revoie, sans parler des années de service que je devrais accomplir avant de pouvoir la demander en mariage. Je n'avais pas entendu mon père s'approcher du bastingage. « Pourquoi ce soupir, fils ? N'es-tu pas impatient d'entrer à l'Ecole ? »

Je me redressai de toute ma taille avant de répondre. « Très impatient, père », déclarai-je, puis, craignant qu'il ne réprouve les tendres sentiments que j'entretenais à l'égard de Carsina avant même de l'avoir méritée, j'ajoutai : « Mais la maison me manquera. »

Son regard pouvait signifier qu'il avait percé à jour le fond de ma pensée car il dit avec un sourire forcé : « Je n'en doute pas ; mais, au cours des prochains mois, veille à te concentrer sur tes leçons et tes devoirs. Rongé de nostalgie et de langueur, tu ne t'appliqueras pas et tes instructeurs risqueront de croire que tu n'as pas l'assiduité nécessaire pour faire un bon officier. Un gradé en première ligne du combat ou en garnison dans un fort avancé doit posséder des qualités d'indépendance et de confiance en soi. Je ne pense pas que tu te satisferais d'une affectation qui exige moins de toi, d'une place où tu aurais la responsabilité de l'intendance et de la comptabilité au lieu de rencontrer l'ennemi face à face. Montre ton véritable caractère à tes enseignants, mon fils, et accède au poste qui te rapportera le plus de gloire. Les promotions sont rapides dans les forteresses frontalières ; gagne une affectation dans l'une d'elles et tu verras peut-être tes ambitions plus vite assouvies.

— Je tiendrai compte de vos conseils, père, et tâcherai

de me montrer digne de la confiance que vous placez en moi », répondis-je, et il hocha la tête, rassuré.

La descente du fleuve se déroula sans incident, et eût pu même passer pour fastidieuse car la région de la Gernie que nous traversions ne présente guère de diversité. La Téfa coule paisiblement au milieu des vastes Plaines, et les bourgs et villages implantés autour des débarcadères se ressemblent tant que la plupart annoncent de façon très lisible leur nom sur de grands panneaux le long des berges. Le temps restait au beau fixe, et, bien que la végétation des rives fût plus touffue que dans l'arrière-pays, elle n'offrait guère de variété.

Mon père avait veillé à ce que je ne demeurasse pas oisif pendant le trajet : il avait emporté ses exemplaires des livres de cours qu'il avait approuvés avec ses collègues pour l'Ecole de la cavalla et il exigeait que j'en lise les premiers chapitres « car, disait-il, au début, vivre dans un casernement, se lever avant l'aube, courir prendre son petit déjeuner puis aller en classe constituera pour toi une expérience inconnue. Tu éprouveras peut-être une fatigue plus grande que d'habitude et, le soir, une tendance à te laisser distraire par la compagnie de jeunes gens de ton âge aux tables d'étude de la salle commune de ton bâtiment. Il arrive souvent, paraît-il, que des élèves prometteurs prennent du retard pendant les premières semaines et ne parviennent jamais à le combler, ce qui leur vaut des résultats inférieurs à ceux qu'on pouvait espérer. Par conséquent, si tu connais déjà les rudiments de ce que tu étudieras durant cette période critique, tu te trouveras sur un terrain plus ferme pour l'affronter. »

Nous parcourions donc des traités sur l'art de la monte à cheval, la stratégie militaire et l'histoire de la Gernie et de ses forces armées. Nous travaillions à l'aide de cartes et d'une boussole, et, parfois, il me réveillait en pleine nuit pour l'accompagner sur le pont et lui faire la démonstration de ma capacité à identifier les étoiles clés et les constellations propres à aider un cavalier seul à s'orienter dans les Plaines. Lorsque le bateau s'arrêtait près d'une bourgade l'espace d'une journée pour débarquer ou embarquer du fret, nous emmenions nos chevaux se dérouiller les pattes ; malgré son âge, mon père restait un excellent cavalier et ne perdait pas une occasion de partager avec moi les secrets de sa science.

Le début de notre voyage fut marqué par un incident qui divisa l'équipage et justifia les réserves émises par mon père sur le capitaine Roschère et sa décision d'employer des Nomades. Il se produisit alors que le crépuscule envahissait la terre, dans un coucher de soleil somptueux dont les bancs de couleur inondaient l'horizon et se reflétaient dans les eaux paisibles devant nous. Je contemplais ce spectacle à la proue du chaland quand je vis une silhouette solitaire à bord d'une frêle embarcation qui se dirigeait vers nous à contre-courant. L'esquif possédait une petite voile carrée moins haute que le personnage mais gonflée par le vent. Grand et maigre, l'homme se tenait debout, en partie caché par la toile. Je l'observai avec fascination car, en dépit de la puissance du fleuve, sa barque remontait rapidement le courant.

Quand il s'aperçut de la présence de notre plate, il

effectua une opération qui le fit virer vers la gauche de façon à nous éviter largement. Comme je les regardais, son étonnant bateau et lui, les yeux écarquillés, j'entendis des pas lourds résonner sur le pont derrière moi. Je me retournai : mon père et le commandant de bord s'avançaient en bourrant leur pipe pour fumer ensemble comme tous les soirs. Le capitaine désigna l'inconnu de son brûle-gueule et déclara d'un ton affable : « Voilà un spectacle auquel on n'assiste plus guère sur ce fleuve : un sorcier du vent qui passe. Dans ma jeunesse, on en croisait souvent comme lui dans leurs calebasses. Saviez-vous qu'il s'agit de légumes qu'ils cultivent ? La plante donne des gourdes énormes qu'ils fertilisent avec des déjections de lapin et auxquelles ils imposent une forme au fur et à mesure de leur croissance ; quand elles atteignent une taille suffisante, ils les coupent, les laissent sécher pour qu'elles durcissent puis les évident pour en faire des embarcations.

— Voilà une belle fable ! fit mon père avec un sourire ironique.

— Non, monsieur, aussi vrai que je suis marinier, je vous assure de son authenticité ! répliqua le capitaine. Je les ai vus de mes yeux les cultiver, et même un jour en creuser une pour obtenir un bateau. Mais c'était il y a des années, et je crois bien que plus d'un an a passé depuis que j'ai observé un sorcier du vent sur ce fleuve pour la dernière fois. »

Alors que le petit esquif parvenait à notre hauteur, un étrange frisson me parcourut, les poils se dressèrent sur ma nuque et mes bras se couvrirent de chair de poule. Le commandant ne mentait pas : l'homme, debout,

271

était immobile, mais il tendait ses mains ouvertes vers sa voile comme pour y diriger… un flux. Comme tous les soirs sur le fleuve, la brise soufflait doucement, mais le vent que le magicien des Plaines projetait avait plus de puissance que le faible courant d'air qui agitait à peine mes cheveux et, gonflant sa toile, poussait la barque à contre-courant à une allure régulière… Je n'avais jamais rien vu de pareil et, l'espace d'un instant, j'éprouvai une jalousie sans mélange. Le spectacle de cet homme seul dont la silhouette se découpait sur le soleil couchant dégageait une si grande impression de paix et de force à la fois que je le sentis imprégner toute mon âme. Sans effort apparent, en se servant uniquement de sa magie, du vent et du fleuve, il nous croisait gracieusement dans le crépuscule à bord de sa calebasse. J'avais la certitude que je n'oublierais jamais de ma vie ce tableau. A son passage, un des Nomades affectés aux gaffes lui adressa un salut de la main, et le sorcier du vent le lui rendit d'un hochement de tête.

Soudain une détonation retentit derrière moi. Une grêle de grenaille de fer frappa la voile de l'homme et la réduisit en lambeaux. Les oreilles tintantes, je vis l'embarcation chavirer et son occupant tomber à l'eau ; un instant plus tard, un nuage de fumée qui sentait le soufre m'enveloppa, et je toussai, les yeux piquants. Malgré mon assourdissement, j'entendis vaguement les cris furieux du capitaine et des éclats de rire dans mon dos. Les deux jeunes nobles se tenaient sur le pont supérieur, bras dessus, bras dessous, et s'esclaffaient de leur plaisanterie avec des rires d'ivrognes. Quand j'observai de nouveau le fleuve, je ne vis rien qu'une obscure étendue d'eau.

Je me tournai vers mon père, horrifié. « Ils l'ont assassiné ! »

Le capitaine Roschère nous avait déjà quittés et se précipitait vers l'échelle qui menait au pont supérieur. Un des Nomades fut plus rapide : il escalada la paroi d'une cabine, arracha le fusil des mains du tireur et, d'un geste violent, le jeta au loin ; l'arme passa par-dessus le bastingage, toucha l'eau dans une gerbe d'éclaboussures et coula. Presque aussitôt, le guide, sans doute alerté par le coup de feu, arriva sur les lieux. Il empoigna le Nomade et se mit à lui parler dans sa langue tout en l'empêchant de s'approcher des deux jeunes voyageurs en attendant que le commandant achevât de gravir l'échelle. Sur le pont, l'autre gaffeur courait éperdument d'un bout à l'autre du chaland en cherchant dans le fleuve un signe du sorcier du vent. Je m'élançai vers la lisse et me penchai autant que je le pus mais, dans la pénombre, je distinguais à peine notre sillage. « Je ne le vois pas ! » criai-je.

Mon père me rejoignit peu après et me prit le bras. « Nous retournons à notre cabine, Jamère. Tu n'as rien à voir dans cette affaire et elle ne te concerne pas ; ne nous en mêlons pas.

— Ils ont tiré sur le sorcier du vent ! » Encore sous le choc, j'avais le cœur qui cognait. « Ils l'ont tué !

— Ils ont tiré sur sa voile et la grenaille de fer a dissipé sa magie, rien de plus, répondit-il d'un ton catégorique.

— Mais je ne le vois nulle part ! »

Il jeta un coup d'œil à la surface de l'eau puis m'entraîna fermement. « Il a dû gagner la rive à la nage, et tu ne le vois pas parce qu'il se trouve maintenant loin derrière nous. Viens. »

Je le suivis mais de mauvais gré. Sur le pont supérieur, le capitaine Roschère, d'une voix furieuse et sans mâcher ses mots, demandait au guide de « surveiller ses jeunes ivrognes » tandis qu'un des deux intéressés se lamentait bruyamment de la perte de son onéreux fusil et exigeait que le commandant le dédommageât. Le Nomade vitupérait dans son dialecte en agitant le poing derrière l'officier qui s'interposait entre lui et ses passagers.

Frappé de stupeur, j'entrai à la suite de mon père dans notre cabine. Il alluma la lampe et ferma soigneusement la porte comme pour laisser dehors ce qui s'était produit. Je rassemblai toute ma détermination. « Père, ils ont tué cet homme. » Ma voix tremblait.

La sienne, quoique voilée, restait calme. « Jamère, tu n'en sais rien. Certes, j'ai vu la grenaille déchiqueter sa voile, mais, même si des plombs l'ont touché, ils l'ont sans doute à peine éraflé à cette distance. »

Son obstination à se montrer rationnel m'exaspéra tout à coup. « Père, ils ne l'ont peut-être pas tué, mais ils ont provoqué sa noyade ; où est la différence ?

— Assieds-toi », dit-il d'un ton autoritaire. J'obéis mais davantage parce que mes genoux menaçaient de fléchir que par esprit de soumission. « Ecoute-moi, Jamère. Nous n'avons aucune certitude que des plombs l'aient touché ni qu'il se soit noyé. Le courant nous entraîne trop vite, hélas, et nous ne pouvons le remonter pour nous assurer de sa mort ou de sa survie – et, même dans le cas contraire, je doute que nous trouvions aucun indice : s'il a péri, le fleuve l'aura emporté ; s'il a survécu, il aura gagné la berge et pris le large. » Il se laissa tomber sur sa couchette face à moi.

Je ne savais plus que dire. Je me sentais déchiré entre l'ébahissement que j'avais éprouvé devant le spectacle du sorcier du vent croisant notre bateau et l'indignation que m'inspirait la façon dont les jeunes chasseurs avaient de sang-froid mis un terme à son remarquable exploit. De toutes mes forces, je voulais croire que mon père avait raison et que l'homme n'avait subi aucun mal durable, mais l'idée que mes deux compatriotes avaient anéanti sans même y penser un véritable prodige faisait naître au fond de moi une douleur étrange. Je n'avais aperçu le magicien que brièvement mais, en cet instant, j'eusse tout donné, absolument tout, pour détenir le pouvoir dont il investissait son esquif avec tant d'aisance. Je serrai les mains sur mes genoux. « Je ne reverrai sans doute jamais rien de pareil.

— C'est possible. Les sorciers du vent n'ont jamais été monnaie courante.

— Père, ces deux chasseurs méritent une sanction. Même s'ils ne l'ont pas tué, le risque existait, et, en tout cas, par leur irréflexion ils ont coulé son embarcation et l'ont mis en danger. Pourquoi ? Que leur avait-il fait ? »

Mon père ne répondit pas à ma dernière question. « Jamère, sur un bateau, le capitaine incarne la loi. Nous devons le laisser régler cette affaire ; une intervention de notre part ne ferait qu'aggraver la situation.

— Je ne vois pas comment elle pourrait empirer. »

Avec douceur, il déclara : « Elle pourrait empirer si on poussait les Nomades à laisser éclater leur indignation. Pour peu que notre capitaine fasse preuve de bon sens, il débarquera le plus vite possible les deux chasseurs et leur guide, mais, avant cela, il veillera à ce qu'ils versent une somme coquette aux deux Nomades témoins de l'incident. A la différence des Gerniens, les sauvages ne voient rien de déshonorant à se laisser acheter ; de leur point de vue, on ne peut pas réparer la mort de quelqu'un ni effacer complètement une insulte, aussi n'y a-t-il rien de mal à recevoir de l'argent du coupable en signe de repentance. Que le capitaine Roschère se débrouille, Jamère ; il commande ce bateau. Nous ne nous occuperons pas davantage de ce litige. »

Ses arguments ne me convainquaient guère mais je n'en voyais pas de meilleurs à lui opposer. Au village suivant, les chasseurs, leur guide et leurs trophées quittèrent le chaland sans cérémonie ; je ne revis pas les Nomades : avaient-ils démissionné, les avait-on renvoyés ou bien avaient-ils simplement accepté leur prébende avant de plier bagage ? Je ne le sus jamais. Nous engageâmes deux nouveaux hommes d'équipage et reprîmes notre route dans l'heure. Manifestement, l'incident avait contrarié le capitaine, et, si nous n'abordâmes plus jamais le sujet, je n'en restai pas moins troublé.

Nous demeurâmes les seuls passagers pour la suite du voyage. Le temps se rafraîchit et devint pluvieux ; à mesure que nous approchions du point où les flots tumultueux de l'Istère se jettent dans la Téfa, le paysage changeait aussi : les plaines sèches cédèrent la place à la prairie puis à la forêt. Nous commençâmes à distinguer des piémonts au sud et, au-delà, de lointains sommets. Nous arrivions dans la région où les deux grands cours d'eau, convergeant en biseau, donnent naissance à un isthme fertile et forment la Soudane dont l'onde puissante court jusqu'à la mer. Nous projetions de débarquer à la ville de Cambis et d'emprunter là une janque pour la fin de notre trajet.

Mon père manifestait un grand enthousiasme à cette perspective. Une mode récente voulait qu'on suivît le fleuve vers l'amont en voiture et en chariot pour en admirer les abords et qu'on séjournât dans les auberges qui jalonnaient la route. Cambis acquérait une double réputation de station estivale et de centre commercial, car on disait qu'on y trouvait les meilleurs prix de tout l'ouest pour les produits manufacturés et les fourrures nomades. Les janques qui remontaient lentement la Soudane à la perche, à la voile et par traction animale la redescendaient ensuite beaucoup plus vite. Autrefois presque uniquement employés au transport des moutons et du fret, les navires de quatre-vingts pieds s'étaient vus dotés d'élégantes petites cabines, de salles à manger et de salles de jeu, et, sur le pont supérieur, on organisait pour les dames des cours d'aquarelle, de poésie et de musique. Nous effectuerions la dernière partie de notre voyage sur un tel bateau, et mon père m'avait répété qu'il souhaitait me voir me montrer sous mon meilleur jour pour cette première introduction dans la bonne société.

Il ne restait que quelques jours avant que nous débarquions à Cambis quand je me réveillai un matin en sentant une odeur à la fois inconnue et familière. L'aube pointait à peine ; j'entendais le clapotis du fleuve contre la coque et le gazouillis des premiers oiseaux. Il avait plu toute la nuit mais, à en juger par la lueur qui filtrait par la fenêtre, on pouvait espérer au moins une courte interruption des averses. Mon père dormait encore à poings fermés dans la couchette de la cabine que nous partagions. Sans bruit, je m'habillai rapidement et sortis pieds nus sur le pont. Un homme d'équipage me salua de la tête d'un air ensommeillé quand je le croisai. Une curieuse émotion que je n'aurais su nommer m'étreignait la poitrine. Je me rendis tout droit au bastingage.

Nous avions laissé derrière nous les prairies pendant la nuit. De part et d'autre du fleuve s'étendait à présent une forêt sombre aux arbres immenses, plus hauts que je n'aurais pu l'imaginer, et l'odeur de leurs aiguilles imprégnait l'air. Les pluies récentes avaient gonflé les ruisseaux qui, dans leur lit de pierre, tombaient en cascades argentées dans le flot que nous suivions ; le bruit des eaux qui se mêlaient m'évoquait de la musique. De la terre humide montait une vapeur aromatique sous le soleil levant. « Quelle beauté, quelle paix ! » murmurai-je ; j'avais senti la présence de mon père venu me rejoindre et qui se tenait derrière moi. « Et quelle majesté aussi ! » Comme il ne répondait pas, je me retournai et, à ma grande surprise, me découvris seul. J'étais si sûr qu'il se trouvait près de moi que j'eus la même impression que si j'avais vu un fantôme.

« Ou plutôt que je ne l'aie pas vu ! » dis-je tout haut, comme pour me donner du courage, et j'éclatai d'un rire forcé. Il n'y avait personne sur le pont et pourtant j'avais la sensation qu'on m'observait.

Mais, quand je m'accoudai de nouveau à la lisse, je retombai sous l'envoûtement de la foule vivante et innombrable des arbres. Leur souveraineté silencieuse et antique m'enveloppa et donna des allures de jouet d'enfant au chaland qui filait au gré du courant. Que pouvait faire l'homme de plus grand que cette armée de géants verdoyants ? J'entendis l'appel d'un oiseau puis la réponse d'un autre et j'eus soudain une de ces révélations qui viennent aussi naturellement que l'acte de respirer : j'avais conscience de la forêt comme d'une entité unique, une trame de vie végétale autant qu'animale qui formait un tout doué de mouvement, de souffle, d'âme. C'était comme voir la face de dieu, mais non le dieu de bonté : un de ceux d'autrefois, la Forêt elle-même, et je me sentais prêt à tomber à genoux devant sa splendeur.

Je percevais un monde sous les branches protectrices qui se croisaient et s'entrelaçaient au-dessus de moi, et, lorsque un daim apparut pour s'abreuver au fleuve, j'eus le sentiment que ma nouvelle appréhension de la forêt l'avait appelé. Sur un tronc immergé à demi près de la berge, un serpent bigarré presque aussi long que son support prenait le soleil, encore engourdi par le froid de la nuit. Notre navire franchit un coude et surprit une famille de sangliers qui s'ébattaient dans la boue fraîche de la rive ; ils réagirent par des grognements, en agitant leurs défenses de façon menaçante.

L'eau ruisselait en gouttes d'argent sur leur pelage hérissé. Le soleil avait presque complètement dépassé l'horizon, et les oiseaux lançaient des chants et des trilles qui s'enchevêtraient dans l'air. Jamais je n'avais à ce point embrassé la richesse de vie que pouvait renfermer une forêt ni la place qu'y occupait l'homme en tant que créature naturelle.

Les arbres s'élevaient si haut que, du pont du bateau, je devais me dévisser le cou pour voir les branches des cimes qui se découpaient sur le ciel bleu de ce début d'automne. A mesure que nous poursuivions notre route, l'aspect des bois changeait : les conifères à l'ombre écrasante laissaient la place à un mélange de persistants et de caducs dont les premiers froids avaient donné aux frondaisons des teintes rouge et or. Devant ces géants feuillus, je m'émerveillais de percevoir la lente vie qui parcourait leurs branches. Comment un enfant des Plaines pouvait-il éprouver une si forte attirance pour ces futaies ? Tout à coup, le pays aux étendues infinies qui m'avait vu grandir me parut aride, infécond et inondé d'une lumière trop vive ; j'aspirais de tout mon cœur à marcher sur le tapis moelleux des feuilles en décomposition sous les vieux arbres pleins de sagesse.

Je sursautai en entendant une voix derrière moi.

« Que regardes-tu si fixement, fils ? Guettes-tu un daim ? »

Je me retournai brusquement, mais ce n'était que mon père. Sa présence inattendue me causa un choc aussi violent que son absence un peu plus tôt, et mon émotion dut me donner une expression comique car il eut un grand sourire. « Perdu dans tes rêveries, peut-être ? La maison te manque à nouveau ? »

Je secouai lentement la tête. « Non, sauf si l'on peut parler de nostalgie pour un pays qu'on n'a jamais vu. J'ignore ce qui m'attire exactement dans celui-ci. J'ai observé un daim, un serpent long comme un tronc d'arbre et des sangliers venus boire au fleuve, mais cette séduction ne provient pas des animaux, père, ni même de la forêt, bien qu'elle y participe pour beaucoup. C'est l'ensemble, les bois et tout ce qu'ils renferment. Ne partagez-vous pas cette impression de revenir chez soi, comme si les hommes étaient faits pour vivre ici par nature ? »

Tout en bourrant sa pipe matinale, il parcourut des yeux le paysage forestier d'un air d'incompréhension puis il ramena son regard vers moi. « Franchement, non. Vivre là-dedans ? Imagines-tu le temps qu'il faudrait pour dégager l'espace nécessaire à une maison, sans même parler d'une pâture ? Toujours dans la pénombre, à se battre sans cesse contre les racines qui menacent d'envahir les arpents défrichés ? Non, fils, je préfère un terrain libre où l'on voit jusqu'à l'horizon, où un cheval passe facilement et où rien ne s'interpose entre le ciel et soi. Mes années de service m'ont sans doute marqué, mais je n'aimerais guère patrouiller dans un pareil fouillis ni y mener une bataille. En aurais-tu envie, toi ? La seule idée de défendre une place forte au milieu de ces taillis me décourage. »

Je haussai les sourcils. « Je n'avais pas songé y combattre, père », dis-je, puis je tâchai de me rappeler ce que j'avais imaginé. Ni l'armée, ni la cavalla, ni la guerre n'avait sa place dans ce dieu vivant. Avais-je vraiment été tenté de me terrer parmi ces arbres, dans l'ombre humide, où les sons s'étouffaient ? Cela cadrait si peu avec mon existence telle que je l'avais projetée que je faillis éclater de rire ; j'avais l'impression d'émerger brusquement du rêve d'un autre.

Mon père acheva d'allumer sa pipe et en tira une longue bouffée, puis il reprit en laissant la fumée s'échapper de sa bouche avec ses paroles : « Nous nous trouvons à la frontière de l'ancienne Gernie, fils ; ces forêts marquaient jadis la limite du royaume. On les regardait comme des terres sauvages et l'on ne se souciait guère des régions au-delà. Quelques familles nobles y entretenaient des cabanes de chasse et, naturellement, nous nous y approvisionnions en bois de construction, mais elles n'offraient guère d'intérêt pour les fermiers ni les bergers. C'est seulement quand nous avons étendu notre territoire au-delà d'elles, sur les prairies puis les Plaines, qu'on a commencé à s'y installer. Encore deux coudes du fleuve et nous pénétrerons dans ce qui constitue la Gernie proprement dite. » Il fit jouer ses épaules, s'étira avec distinction puis baissa les yeux sur mes pieds nus et fronça les sourcils. « Tu comptes mettre des bottes avant de venir prendre le petit déjeuner, j'espère ?

— Oui, père ; naturellement.

— Alors, à tout de suite à table. Superbe matinée, n'est-ce pas ?

— En effet, père, »

Il s'éloigna sans hâte. Je connaissais ses habitudes : il allait d'abord examiner les chevaux dans leurs stalles, échanger quelques mots avec le timonier, après quoi il rentrerait dans notre cabine avant de se rendre à la table du capitaine, où je les rejoindrais.

Mais je disposais encore de quelques instants pour profiter des bois. Je m'efforçai de retrouver la première perception que j'en avais eu mais ne parvins pas à me replacer dans cet état de conscience. Forêt, le dieu d'antan, avait détourné son visage de moi, et je ne voyais plus que ce que j'avais toujours vu, des arbres, des animaux et des taillis.

Le soleil montait ; l'homme de proue chantait le fond et le monde défilait lentement de part et d'autre du chaland. Ainsi que l'avait prédit mon père, nous approchions d'une courbe du fleuve. Je regagnai notre cabine pour enfiler des bottes et me raser. Mes cheveux repoussaient déjà en un chaume agaçant impossible à coiffer ; je fis rapidement le lit que j'avais laissé en pagaille à l'aube puis me dirigeai vers la salle à manger du capitaine pour le petit déjeuner.

La table du commandant et son cadre présentaient une simplicité en harmonie avec la taille de son navire, et je crois que cette absence de cérémonie plaisait à mon père. Comme chaque matin, ils échangèrent des remarques enjouées sur le temps et discutèrent de la journée de voyage qui nous attendait ; pour ma part, j'écoutai la conversation sans guère y participer. La chère n'avait rien de raffiné mais les portions étaient copieuses et les plats honnêtes : gruau, jambon frit, pain, pommes fraîches et thé noir en composaient le corps principal, et je remplis mon assiette avec bonheur. Mon père loua notre hôte de la progression rapide de son bâtiment pendant la nuit.

« Oui, répondit le capitaine, nous avons pas mal avancé, avec une lune brillante qui éclairait bien notre route ; mais il ne faut pas en espérer autant la nuit prochaine ni même le restant du trajet. Passé Bûcheronniers, des trains de grumes encombreront le passage, et les éviter ne sera pas une partie de plaisir, mais le pire, ce sont les bancs dérivants : le fleuve s'ensable et des hauts-fonds se forment là où il n'y en avait jamais eu. Si un tronc se plante dans une barre de sable et que nous rentrions dedans sans le voir, c'est le trou dans la coque assuré. La vigie et le sondeur vont devoir mériter leur salaire, et les hommes aux perches aussi. Mais je pense quand même que nous atteindrons Cambis à la date prévue. »

De là, ils parlèrent de notre débarquement et de la janque sur laquelle nous devions prendre nos places. Le capitaine se moqua gentiment de ces grands navires en disant que mon père ne s'intéressait pas à leur vitesse mais seulement à la nouveauté de l'expérience et à la compagnie des jolies dames et des gentilshommes élégants qui préféraient ce moyen de transport distingué à son chaland sans prétention.

Comme l'accusé se récriait en riant, une odeur très déplaisante de brûlé frappa soudain mes narines. Mon éducation m'imposait de feindre de ne rien sentir, mais la pestilence me coupa l'appétit et me piqua bientôt les yeux. D'instant en instant, elle devenait plus forte, au point que je lançai un coup d'œil vers la petite coquerie en me demandant si l'on n'avait pas oublié quelque chose sur le fourneau à pétrole, mais nulle fumée ne s'en échappait. La puanteur continua de croître et je remarquai qu'elle produisait un étrange effet sur moi : non seulement elle offensait mon odorat et irritait ma gorge, mais elle éveillait chez moi un sentiment d'effroi, une terreur que je réprimais avec la plus grande difficulté, au point que je devais me tenir à quatre pour rester sur ma chaise. Comme je tâchais d'essuyer discrètement mes yeux larmoyants avec le coin de ma serviette, le capitaine Roschère m'adressa un sourire compatissant. « Ah ! Ce doit être le doux parfum de Bûcheronniers qui vous affecte, jeune homme. L'air restera lourd un jour ou deux, le temps que nous laissions les chantiers d'exploitation derrière nous. Les ouvriers brûlent les bois de rebut, les branches vertes et les plantes grimpantes pour dégager l'espace et permettre aux équipes d'abattage de circuler plus aisément le long des versants ; ça fait beaucoup de fumée, mais c'est moins affreux que l'opération d'il y a deux ans en aval d'ici : la compagnie incendiait carrément la zone pour se débarrasser des taillis puis elle récoltait tout ce qui restait debout avant que les vers ne s'y attaquent. De l'argent vite gagné, mais quel gaspillage, si vous voulez le fond de ma pensée ! »

J'acquiesçai sans comprendre. J'attendis avec impatience la fin du repas et, dès que la politesse me le permit, je quittai la table en croyant naïvement trouver un air plus respirable sur le pont.

Quand je sortis, un spectacle inconcevable s'offrit à moi. Un brouillard de fumée réduisait l'éclat du jour ; sur bâbord, toute vie avait disparu du bas d'une colline ;

on avait coupé tous les arbres de taille exploitable, les souches ressortaient, claires et déchiquetées, sur la terre lacérée, tandis que les baliveaux et les buissons restants gisaient écrasés, enfoncés dans la boue par les géants abattus et traînés jusqu'au fleuve. De la fumée montait de tas de branches au cœur desquels le feu brillait d'un rouge terne. Le tableau qu'offrait le versant m'évoqua le cadavre d'un animal envahi d'asticots. Les hommes grouillaient partout ; certains tranchaient les branches des colosses déchus, des charretiers conduisaient les chevaux de trait attelés qui tiraient les troncs dénudés jusqu'à la berge ; leurs passages répétés avaient creusé dans le flanc du coteau une profonde ornière que les dernières pluies avaient transformée en ruisseau, et l'eau qui en coulait se mêlait à celle du fleuve où ses volutes marron évoquaient du sang en train de coaguler. Des grumes ébranchées semblables à des ossements rongés gisaient empilées au bord de l'eau ou flottaient sur les hauts-fonds ; des hommes couraient de-ci, de-là sur les troncs flottants, armés de barres à mine, de chaînes et de cordes, et les arrimaient entre eux comme des radeaux grossiers. C'était un carnage, la profanation du corps d'un dieu.

En haut de la colline, des équipes d'abattage dévoraient ce qui restait de forêt comme la gale se propage sur l'échine d'un chien. J'entendis, affaibli par la distance, le cri de triomphe des ouvriers quand un arbre immense tomba ; d'autres de ses semblables, plus petits, cédèrent sous son poids gigantesque et leurs racines s'arrachèrent de la chair de la montagne. La chute s'acheva ; les branches avaient à peine cessé de bouger que les hommes s'élancèrent, pullulants, sur leur victime et que leurs haches scintillantes se mirent à la frapper pour l'ébrancher.

Je me détournai, le cœur au bord des lèvres, transi de froid. Une effrayante prémonition me vint soudain : c'était ainsi que le monde finirait. Quelle que fût l'étendue de futaie que ces hommes dépèceraient, cela ne suffirait jamais à rassasier leur appétit ; ils parcourraient toute la face de la terre en ne laissant derrière eux que profanation et dévastation. Ils dévoreraient la forêt pour excréter des amoncellements de bâtiments faits de pierre arrachée au sol ou de bois volé aux arbres ; à coups de marteau, ils enfonceraient des pavés dans la glèbe pour créer des voies entre leurs habitations, ils saliraient les rivières, ils soumettraient si bien la nature qu'elle n'aurait plus d'autre loi que la volonté de l'homme. Ils ne pouvaient s'en empêcher ; ils ne comprenaient pas ce qu'ils faisaient, et même l'eussent-ils compris qu'ils n'eussent pas su comment s'arrêter. Ils avaient perdu le sens de la mesure ; l'homme ne pouvait plus refréner l'homme : il faudrait la puissance d'un dieu pour le mettre en échec – mais il massacrait sans même s'en rendre compte leur seul dieu qui eût pu avoir la force nécessaire.

Au loin, j'entendis des cris d'avertissement et de victoire quand un autre géant tomba. Alors qu'il s'abattait, une nuée d'oiseaux s'envola avec des appels de détresse puis se mit à tournoyer au-dessus du carnage comme des corbeaux au-dessus d'un champ de bataille. Mes genoux fléchirent et je m'effondrai, agrippé à la lisse. L'air vicié me fit tousser, suffoquer puis tousser à nouveau. Je n'arrivais pas à reprendre ma respiration, mais je ne crois pas que ce fût à cause de la seule fumée : j'avais la gorge nouée par le chagrin.

Un des hommes d'équipage me vit m'écrouler. Peu après, des doigts rudes me saisirent l'épaule, et on me demanda ce que j'avais. Je secouai la tête, incapable de trouver les mots pour exprimer mon angoisse. Quelques instants plus tard, mon père arriva en compagnie du capitaine qui tenait encore sa serviette à la main.

« Jamère, es-tu malade ? demanda-t-il d'un ton grave.

— Ils détruisent le monde », répondis-je d'une voix défaillante. Je fermai les yeux pour ne plus voir le terrible spectacle et pris sur moi pour me redresser. « Je… je ne me sens pas bien. » D'un côté, je ne voulais pas m'humilier devant mon père, le commandant et tout l'équipage, mais d'un autre je m'en moquais complètement : j'avais entrevu un avenir trop monstrueux et trop certain. « Je crois que je vais me recoucher un moment.

— C'est sans doute l'odeur de tous ces feux, dit le capitaine Roschère d'un ton sentencieux. Cette fumée, ça vous retourne l'estomac ; mais vous vous y ferez dans quelques heures, jeune homme. Elle pue bien moins que l'air de Tharès-la-Vieille au petit matin, je vous le garantis. Nous aurons passé les chantiers d'abattage demain si ces fichus trains de grumes ne nous barrent pas le passage ; un vrai danger pour la navigation, ces troncs ! Autrefois, les gens riches ne faisaient bâtir qu'en pierre, mais aujourd'hui on veut

288

du bois, du bois et toujours du bois ! A mon avis, on en reviendra aux honnêtes meulières quand on aura épuisé cette dernière enclave de forêt, et les carrières retrouveront leur animation. Du moment qu'il s'agit de gagner de l'argent, les hommes sont prêts à tout. Pour ma part, je me réjouirai le jour où l'on coupera le dernier arbre de cette colline et qu'on pourra circuler librement sur le fleuve. »

8

Tharès-la-Vieille

Ce matin-là, je mentis a mon père une seconde fois :
je prétextai une mauvaise digestion et j'en profitai pour
garder le lit pendant trois jours. Je ne supportais pas
de regarder par la fenêtre ; la pestilence des brasiers
où l'on brûlait des branches, l'air chargé de cendres,
les jurons des hommes d'équipage qui lançaient des
avertissements au pilote et nous écartaient des radeaux
de troncs à l'aide de longues perches, tout cela m'en
apprenait autant que je pouvais le souhaiter sur ce qui
se passait au-dehors. J'éprouvais le même sentiment
d'injustice que lorsque les jeunes chasseurs avaient tiré
sur le sorcier du vent : j'avais entr'aperçu un monde
immense et merveilleux pour le voir aussitôt détruit. Je
me sentais comme un enfant à qui l'on présente le jouet
le plus désirable avant de le lui confisquer, et je ne pouvais me départir de l'impression d'avoir été dupé. La
réalité dans laquelle j'avais toujours cru vivre un jour
s'effaçait avant que j'eusse le temps de l'explorer.

A Cambis, nous débarquâmes et fîmes nos adieux
au capitaine Roschère. Point de convergence des marchandises et des eaux, la ville marquait la jonction de

291

la tumultueuse Istère et de la languide Téfa qui poursuivaient ensemble leur route vers l'ouest dans le lit de la puissante Soudane ; large, profond et rapide, le fleuve formait une artère commerciale de première importance et matérialisait notre frontière avec Canteterre. Il traversait Tharès-la-Vieille, notre destination, et continuait jusqu'à Buque et la mer. Buque appartenait jadis à la Gernie dont elle était le principal port maritime ; sa cession aux Canteterriens à la fin de la guerre restait une perte difficile à supporter pour tout Gernien bien né.

Intimidé par la multitude qui encombrait les rues, je trottais sur les talons de mon père comme un chiot apeuré. Partout, je ne voyais que des trottoirs bondés, des gens qui allaient et venaient d'un pas vif, tous vêtus à l'élégante mode citadine, des véhicules de toute forme et de toute taille qui se pressaient dans les avenues embouteillées ; j'admirai l'assurance avec laquelle mon père se fraya un chemin dans la foule, jusqu'au bureau des réservations et prit les dispositions nécessaires pour la location de nos places sur la janque, le transport de nos bagages et notre nuit à l'hôtel. Les bousculades des inconnus, le dîner dans une vaste salle pleine de gens qui bavardaient et riaient, tout cela m'étourdissait ; il y avait de la musique, et les garçons en tablier noir qui couraient d'une table à l'autre se comportaient avec tant de distinction et de hauteur qu'à côté d'eux j'avais l'impression d'être un paysan mal fagoté qui n'avait rien à faire là, comme si on eût inversé les rôles et que j'eusse été plus à ma place à les servir, eux. J'éprouvai un grand soulagement quand nous nous retirâmes dans notre chambre à la fin du repas et plus encore quand nous embarquâmes le lendemain matin.

Une fois nos chevaux et nos affaires à bord de l'imposante janque, j'assurai à mon père que j'étais remis de mon malaise. La progression du grand navire sur le courant rapide du fleuve n'avait rien à voir avec celle, placide, de notre chaland, car, grâce à nos voiles carrées gonflées par le vent, nous devancions le flot qui nous portait. Nos montures n'appréciaient guère les craquements ni le tangage du véloce bâtiment, pas plus que moi quand venait l'heure de dormir ; mais, pendant la journée, je les remarquais à peine, car les sujets de distraction ne manquaient pas.

Nous jouissions de conditions de logement bien supérieures à celles de l'humble plate de la première partie de notre trajet : nous disposions d'une cabine chacun, avec un lit au cadre de métal boulonné sur le pont et toute la place nécessaire pour nos malles. On trouvait aussi sur la janque une salle à manger aux tables garnies de nappes blanches et à l'argenterie étincelante, une salle de jeu pour les amateurs de cartes et de dés, et la joyeuse société des autres passagers. Mon père avait choisi le navire sur la réputation de son capitaine, connu pour son audace et son amour de la vitesse ; les commandants qui naviguaient sur la Soudane mettaient un point d'honneur à se montrer les plus rapides à descendre le fleuve et rivalisaient entre eux d'intrépidité, ce qui me valait le spectacle excitant d'un paysage qui paraissait défiler à toute allure. On apportait le plus grand soin à la préparation des repas et nous avions droit chaque soir à un divertissement, musique, chant ou théâtre. Affable et courtois, mon père avait promptement fait la connaissance de la plupart des vingt autres passagers, et je m'efforçais de suivre son exemple. Il m'avait conseillé d'écouter plus que de parler, et je devais sans doute à cette recommandation l'attirance que ma compagnie paraissait exercer sur les dames du bord.

Un seul incident gênant marqua notre croisière. Une jeune femme venait de me présenter une de ses amies ; au nom de Burvelle, celle-ci sursauta puis me demanda d'un air de grand intérêt : « Mais vous n'êtes pas parent d'Epinie Burvelle, n'est-ce pas ? » Je répondis que, de fait, j'avais une jeune cousine ainsi nommée, mais que je ne la connaissais guère. Mon interlocutrice éclata de rire et déclara à sa compagne : « Devoir avouer qu'on a Epinie pour cousine ! Quelle horreur !

— Sadia ! s'exclama son amie, visiblement embarrassée. Un peu de courtoisie ! On ne peut pas tenir les gens pour responsables de ceux avec qui ils sont apparentés, sans quoi je ne t'aurais jamais présentée comme ma cousine ! »

A ces mots, le sourire de l'autre s'effaça et elle fit même preuve d'un peu de froideur à mon égard, malgré mon assurance que sa remarque ne m'avait nullement offensé. Néanmoins, dans l'ensemble, j'entretins avec les autres passagers des relations polies et intéressantes qui contribuèrent à me dégrossir un peu, ainsi que l'espérait sans doute mon père.

A mesure que la janque nous portait vers l'ouest, le pays se peuplait. Bientôt l'aube révéla le long des berges des fermes prospères entrecoupées de villes éten-dues et populeuses ; des pêcheurs sillonnaient le fleuve à bord des barques d'où ils jetaient des filets ou des lignes. Notre capitaine, résolu à ne ralentir sous aucun prétexte, fonçait souvent droit sur eux et les obligeait à s'écarter précipitamment de notre chemin comme des araignées d'eau ; les demoiselles qui observaient le spectacle du pont supérieur poussaient de petits cris de frayeur puis éclataient d'un rire ravi en voyant les frêles embarcations en sécurité. Les deux derniers jours de notre voyage, à aucun moment je ne pus regarder la rive sans apercevoir des signes d'occupation humaine et d'industrie. La nuit, la lumière jaune qui tombait des fenêtres des habitations éclairait les abords du fleuve, et, le jour, la fumée des cheminées montait en pana-ches fins dans le ciel. A l'idée de tant de gens vivant si près les uns des autres, j'éprouvais une sorte de stu-peur à laquelle se mêlait une nuance d'inquiétude : moi aussi je devrais bientôt côtoyer tous les jours la foule de mes semblables, sans jamais le moindre répit. Cette perspective m'accablait, et mon enthousiasme premier virait peu à peu au mauvais pressentiment.

Je me rappelais la remarque du capitaine du chaland sur la puanteur de Tharès, bien pire selon lui que les feux des chantiers d'abattage ; quand j'interrogeai mon père à ce sujet, il haussa les épaules.

« On y brûle beaucoup de charbon et la cité date de plusieurs siècles ; quoi de plus normal qu'on y sente l'odeur de la ville ? Le vieux commandant Roschère n'a pas dû quitter son fleuve depuis vingt ans ; il ne perçoit plus les effluves de son propre bateau ni de son équipage mais ça ne l'empêche pas de dénigrer la pestilence de la capitale. Tout se réduit à ce à quoi on est habitué, Jamère, or on peut s'habituer pratiquement à n'importe quoi. »

Je restai sceptique, et mon père parut se rendre compte de mes doutes. Il demeura debout près de moi tandis qu'accoudé au bastingage je regardais d'un œil lugubre les bâtiments de pierre, noirs de fumée, qui s'entassaient jusqu'au bord du fleuve. Il ne subsistait quasiment rien de naturel ; des murs maçonnés cachaient les berges, maculés d'une double ligne de vase qui marquait nettement le niveau des hautes et basses eaux ; par intervalles, des effluents déroulaient leurs volutes visqueuses dans la Soudane par des tranchées à ciel ouvert ou de larges canalisations, vomissant leurs miasmes dans l'air et leurs immondices dans l'onde. De jeunes voyous débraillés pêchaient, se battaient ou déambulaient d'un air hébété le long des quais. Des buissons rabougris et d'épaisses plantes aquatiques tapissaient la boue qui bordait le cours d'eau. Au-delà des toits des entrepôts et des manufactures s'étendait un couvercle ondulé de faîtes de maisons et de cheminées fumantes. Jamais je n'avais contemplé tableau aussi rébarbatif et sinistre, plus inquiétant à mes yeux qu'aucune étendue de désert aride ou de plaine austère.

La fumée aromatique qui s'échappait du brûle-gueule de mon père masquait agréablement les relents qui imprégnaient l'air. Au bout d'un moment, il tapota le fourneau sur la lisse pour le vider de sa coque de cendre. « Je ne suis jamais allé à l'Ecole de la cavalla, tu le sais.

— Oui : elle n'existait pas quand vous aviez mon âge ; et vous avez beaucoup contribué à sa création.

— Sans doute, sans doute, répondit-il d'un air modeste en tirant du tabac de sa blague pour bourrer de nouveau sa pipe. J'ai fait mes classes à l'Institut militaire, à une époque où l'on regardait comme un peu… présomptueux ceux qui exprimaient le désir d'intégrer la cavalla. Dans cette unité, les affectations revenaient de droit aux familles dont les ancêtres chevaliers avaient servi les rois d'autrefois ; même si le nombre de ces familles allait s'amenuisant, ce qui dégarnissait nos forces montées, certains jugeaient contraire à la volonté du dieu de bonté le souhait d'un jeune homme de choisir une autre voie que celle de ses aïeux. Néanmoins, un soldat reste un soldat et j'avais convaincu mon père que je pouvais servir mon roi aussi bien à cheval qu'à pied. J'avoue avoir éprouvé une terrible déception quand on m'a versé dans l'artillerie, mais, lorsque par la suite on m'a muté dans la cavalla, j'ai cru à une intervention divine. » Il plaça le tuyau de sa pipe entre ses dents, embrasa le tabac à l'aide d'une allumette soufrée puis tira plusieurs bouffées avant de poursuivre : « Bref, dans cette cité, tu devras hélas vivre comme moi pendant mes études à l'Institut militaire, confiné, sans espace pour te dérouiller les jambes, devant te satisfaire d'un ordinaire médiocre et supporter la promiscuité avec tes camarades. Quelques-uns manifesteront dès l'abord toutes les qualités d'un bon officier, d'autres se révéleront de sombres brutes et tu te demanderas pourquoi le dieu de bonté les a faits fils militaires et destinés à gravir les échelons de la hiérarchie – mais, tes années d'Ecole achevées, je te promets que tu retrouveras ta liberté, que tu pourras vagabonder à ta guise, chasser et respirer l'air pur des grands espaces. Songes-y lorsque les fumées et les interminables nuits grises de la ville deviendront trop étouffantes ; ça te donnera peut-être du courage.

— Oui, père. » Je m'efforçai de puiser quelque consolation dans ce conseil, mais je n'en trouvai pas.

Nous arrivâmes à Tharès-la-Vieille tard dans la soirée. Mon oncle avait dépêché un domestique avec un chariot ; il chargea nos bagages sur la plate-forme et attacha Siraltier et Pattes-d'acier à l'arrière. Assis à côté de mon père sur le siège à ressorts, je tâchai de chasser de mon esprit une question insidieuse : l'envoi d'un si humble véhicule se voulait-il un affront au statut du colonel Burvelle ? La nuit était froide et l'air imprégné d'une humidité qui annonçait la venue prochaine de l'hiver. Quittant les quais dans le grondement des roues sur le pavé, nous traversâmes les quartiers pauvres de la ville, puis un secteur commercial, où nous ne vîmes nul mouvement à part le passage d'un guetteur municipal ; enfin nous laissâmes derrière nous les bâtiments entassés pour emprunter une route qui, montant en pente douce, menait à une enclave où s'étendaient de vastes propriétés piquetées de riches résidences. Quand nous parvînmes à celle de mon oncle, elle nous apparut plongée dans le noir, en dehors de l'éclat jaune d'une lanterne au-dessus de la porte d'entrée et de la lumière qui tombait des fenêtres d'une pièce éclairée. Des serviteurs surgirent aussitôt, y compris un palefrenier qui se chargea de nos chevaux ; le majordome salua mon père et l'informa que sa maîtresse et ses enfants dormaient depuis longtemps, mais que mon oncle, prévenu de notre arrivée imminente, nous attendait dans son bureau. A sa suite, nous pénétrâmes dans la maison puis montâmes un escalier couvert d'un épais tapis, tandis que, derrière nous, les domestiques ahanaient sous le poids de nos lourdes malles.

Arrivé devant la double porte du bureau, le majordome toqua légèrement puis ouvrit un battant et s'écarta pour nous permettre d'entrer dans la pièce baignée d'une chaude lumière. Les doutes que j'entretenais sur les dispositions de mon oncle à notre égard se dissipèrent aussitôt que je vis sur une table non seulement du vin, un plat de viande froide, du fromage et du pain, mais aussi du tabac pour mon père. A notre entrée, son frère aîné, vêtu d'un élégant veston d'intérieur et d'un pantalon de cantère, quitta son fauteuil et l'accueillit d'une étreinte fraternelle, puis il se tourna vers moi, sa pipe à la main, recula et feignit la stupéfaction devant ma taille. Il tint à ce que nous nous attablions sans attendre pour le repas tardif prévu à notre intention, et je ne me fis pas prier.

Je mangeai pendant qu'ils conversaient, ravi de ne pas avoir à intervenir : cela me permettait de savourer tranquillement la meilleure chère que j'eusse goûtée depuis quelque temps, et aussi de voir mon père et mon oncle sous un jour que je ne connaissais pas. Au cours de l'heure qui suivit, je remarquai ce qui m'avait toujours échappé jusque-là : la profonde entente qui existait entre eux et le fait qu'oncle Sefert non seulement

299

se réjouissait de l'anoblissement de mon père mais éprouvait une affection sincère pour lui. J'étais enfant les rares fois où je les avais vus ensemble auparavant, et ils se comportaient en ces occasions avec la retenue qui seyait à leur rang. Cela tenait-il à l'heure tardive ou à la réception informelle de notre hôte ? Je l'ignore, mais ce soir-là ils bavardèrent à bâtons rompus, rirent aux éclats, bref, ils se conduisirent en adolescents plus qu'en pairs du royaume.

On eût dit qu'ils voulaient rattraper le temps perdu ; ils abordèrent toutes sortes de sujets, de l'état des cultures de mon père et la production des vignobles de mon oncle aux projets de mariage du dernier pour sa fille et au choix de partis qui s'offraient à Yaril. Mon père évoqua les parterres de ma mère et déclara souhaiter se rendre au marché aux fleurs pour y acheter des tubercules de dahlias afin de remplacer ceux que les rongeurs avaient dévorés au début de l'été ; il raconta ensuite le plaisir que prenait son épouse à s'occuper de son jardin et de sa demeure, puis se plaignit que ses filles grandissent trop vite et dussent quitter bientôt son aile protectrice. Avec une franchise douloureuse qui contrastait violemment, son frère parla du mécontentement et de l'ambition de sa femme et avoua la contrariété qu'elle ressentait devant l'anoblissement de mon père, comme si cette élévation mettait en péril la position de son époux. « Daraline a toujours été jalouse de son rang. Fille cadette, elle n'avait jamais imaginé s'unir à un fils aîné ; on a l'impression qu'elle craint de perdre de son prestige si d'autres accèdent à la même condition qu'elle. Je m'efforce de la rassurer mais, hélas, sa mère partage apparemment ses appréhensions. Sa famille agit comme si les nouveaux aristocrates provenaient de la roture, alors que tous les fils militaires à qui le roi Troven a conféré un titre descendaient de la noblesse. Cela n'empêche pas les parents de mon épouse de les regarder comme des arrivistes et des imposteurs et d'éviter tout contact avec eux. Ils ne démordent pas de cette attitude, malgré son absence de fondement. »

Mon père compatit sans manifester qu'il se sentît visé, comme s'ils discutaient d'une maison aux fondations fissurées ou d'un champ soudain attaqué par la pourriture blanche ; il ne condamna pas sa belle-sœur, et les deux frères parlèrent sans détours, ouvertement, de cette jalousie maladive. Ils reconnaissaient l'existence de ce défaut mais refusaient qu'il affecte leur relation.

Daraline faisait tout pour cultiver son amitié avec la reine. Elle ne manquait jamais une occasion de lui présenter ses filles en espérant les voir invitées à la cour pour un long séjour ; à cette fin, ma jeune cousine Epinie avait commencé à étudier l'occultisme, car la reine se passionnait pour les médiums, les séances spirites et autres calembredaines, ce qui contrariait visiblement mon oncle. « Je lui ai recommandé d'aborder ce sujet comme elle se pencherait sur des croyances païennes ou des légendes nomades. D'abord, elle a paru partager mon opinion, mais plus elle se plonge dans ces sornettes, plus elle en parle à table et plus elle semble leur accorder de valeur. Cela m'inquiète, Keft ; certes, elle est jeune, elle a hélas la mentalité d'une enfant plus jeune encore, mais je crois qu'une union à bref délai avec un homme rassis lui ferait le plus grand bien. Je sais que Daraline nourrit de hautes ambitions pour elle et qu'elle espère la marier au-dessus de notre rang ; tous les soirs elle me répète que, si Epinie gagne la faveur de la reine et qu'on l'invite à la cour, les plus beaux partis du royaume la verront. Mais je crains pour ma fille, Keft ; il vaudrait mieux pour elle qu'elle s'intéresse aux Ecritures du dieu de bonté plutôt qu'aux carillons de cristal et aux présages des épingles d'argent.

— A t'écouter, je ne la trouve guère différente de Yaril, et il me semble qu'Elisi aussi a connu une période un peu écervelée au même âge ; elle tenait toujours à nous raconter ses rêves de la nuit précédente, et, bien qu'elle sût ma réprobation des fêtes païennes d'antan, elle a boudé pendant une semaine quand je lui ai interdit de participer au bal que donnait une amie à l'occasion de la Nuit noire. Laisse un an ou deux à Epinie, mon frère, et tu verras qu'elle retrouvera le discernement que lui a légué son père. Les jeunes filles ont besoin de passer par ces phases frivoles et il faut leur en laisser le temps, au même titre qu'il faut permettre aux garçons de franchir le cap où ils se lancent des défis insensés pour mesurer leur courage. »

J'éprouvais une certaine surprise à découvrir que des pères pussent accorder tant d'attention à leurs filles ; mais, à la réflexion, je jugeai normal qu'il en fût ainsi, et je me demandai si un jour Carsina et moi aurions des filles qu'il nous faudrait mener au mariage en leur évitant les écueils de la vie. Discuterais-je, le temps venu, avec Posse de l'avenir de mes enfants ? Une question d'oncle Sefert me tira brusquement de ma rêverie. « Tu as l'air pensif, Jamère ; à quoi songes-tu ? »

Sans préparer ma réponse, je déclarai avec franchise : « J'espérais qu'un jour Posse et moi nous assiérions autour d'une table afin de discuter de nos projets pour nos enfants avec le même plaisir et la même affection que mon père et vous. »

Je n'avais pas l'intention de les flatter, mais mon père m'adressa le sourire le plus chaleureux que j'eusse jamais vu sur son visage. « Je te le souhaite, mon fils, dit-il, car, au bout du compte, c'est la famille qui compte le plus en ce bas monde. Naturellement, j'espère que tu feras une brillante carrière dans la cavalla, tout comme j'espère voir Posse gérer efficacement mes terres, tes sœurs faire de bons mariages et Vanze devenir un homme pieux, érudit et révéré ; toutefois, par-dessus tout, j'espère que dans les années à venir vous resterez attachés les uns aux autres et agirez toujours au mieux pour l'honneur et la fortune de la famille.

— A l'exemple de mon frère puîné au cours de sa vie », enchaîna oncle Sefert, et mon père rosit à ce compliment.

A cet instant, ma perception de mon oncle se modifia profondément, et je jugeai qu'en discutant librement devant moi les deux frères marquaient qu'ils reconnaissaient désormais en moi un adulte, plus digne de leurs confidences que l'enfant que j'étais encore peu de temps auparavant. Comme pour confirmer cette impression, mon oncle se mit alors à me poser nombre de questions polies sur notre voyage et ma préparation aux règles rigoureuses de l'Ecole. En apprenant que j'avais amené Siraltier, il sourit avec un hochement de tête approbateur, mais déclara d'un ton d'avertissement : « Tu devrais peut-être le laisser dans mes écuries jusqu'à ce que ton niveau de formation t'autorise une monture personnelle. Il paraît que l'officier responsable a institué une nouvelle pratique qui consiste à fournir aux élèves des premières années des chevaux tous semblables afin d'obtenir pour chaque régiment une allure, un pas et un aspect uniformes.

— Je n'avais pas entendu parler de ça, dit mon père en fronçant les sourcils.

— C'est tout récent, et la nouvelle n'a pas dû encore parvenir jusqu'aux frontières de l'est. Le colonel Rébine a décidé de prendre sa retraite il y a peu, sur l'insistance de son épouse d'après certains, selon d'autres parce qu'il souffrait tant de la goutte aux genoux et aux pieds qu'il n'arrivait plus à enfourcher un cheval ni même une chaise. Des rumeurs moins bienveillantes prétendent qu'il aurait offensé le roi, j'ignore comment, et jugé plus avisé de renoncer à son poste avant de s'en voir démis. Quoi qu'il en soit, il a quitté l'Ecole et le colonel Stiet a pris sa place.

— Le colonel Stiet ? Je ne crois pas le connaître. » Mon père se tenait très raide, et je m'inquiétai de son expression bouleversée.

« Ça ne m'étonne pas. Il n'a jamais mis les pieds à la frontière, ni même à la cavalla, mais on le dit malgré tout bon officier ; il a gagné ses galons, non en campagne, mais ici, à Tharès, par son application et son ancienneté. On le prétend plus porté sur la montre

304

que le colonel Rébine, et le fait d'exiger des montures assorties, toutes de la même teinte, ne serait que la partie visible de ce trait de caractère. Ma belle-famille a des liens étroits avec les Stiet ; nous avons souvent dîné ensemble, et, bien que ce ne soit pas un militaire de terrain, il aura à cœur les intérêts de l'Ecole.

— Ma foi, je n'ai rien contre un peu de cirage et un coup de brosse de temps en temps ; prêter attention aux détails peut sauver la vie d'un soldat dans une position délicate. » Au ton qu'il employait, je compris que mon père me destinait ces mots et j'eus l'impression qu'il s'efforçait de voir le bon côté d'une situation qui le contrariait.

« Il ne se montre pas tatillon seulement pour la propreté des boutons d'uniforme et des bottes. » Mon oncle s'interrompit, se leva, fit le tour de la pièce et reprit : « Il s'agit de purs commérages, mais je pense de mon devoir de vous les répéter : j'ai entendu dire qu'il marque sa préférence pour les fils militaires des nobles de longue lignée par rapport à ceux des seigneurs de bataille du roi Troven, comme certains vous appellent.

— Fait-il preuve d'injustice ? » Mon père avait posé la question sans prendre de gants, d'une voix que l'inquiétude rendait grave.

« De sévérité. On le dit plus strict qu'injuste. Mon épouse est une amie intime de la sienne, elle les connaît bien, et il se raconte que… Ah, comment présenter cela ? En dernière analyse, la cavalla obéit au roi, naturellement, comme tous nos autres corps militaires. Mais certains craignent que l'accession de trop

305

nombreux fils de seigneurs de bataille au statut d'officiers n'incline l'armée à... à un... enfin, à une loyauté envers notre souverain qui risquerait de se révéler préjudiciable au royaume. Au Conseil des seigneurs, les nobles de vieille souche ont déjà vu leur influence décroître avec l'octroi d'un nombre égal de sièges aux nouveaux aristocrates, et Sa Majesté a désormais les coudées plus franches ; d'aucuns prétendent que, si jamais un pair du royaume se rebellait ouvertement, notre souverain pourrait lui opposer la force de son armée, laquelle lui obéirait avec d'autant plus d'impavidité qu'à sa tête se compteraient des officiers issus de la nouvelle noblesse et non plus de l'ancienne. »

Mon oncle se tut comme s'il se trouvait à court de mots, et un silence pesant s'ensuivit. Mon père finit par demander d'une voix tendue : « Existe-t-il vraiment un risque de rébellion ? Crois-tu qu'un des seigneurs de vieille souche pourrait se dresser contre notre roi ? »

Son frère s'était arrêté près de la cheminée. Il traversa le bureau et s'assit lourdement sur une chaise. « On en parle, mais je crois que ça n'ira jamais jusque-là. Certains estiment que notre souverain avantage exagérément ses nouveaux aristocrates ; sa volonté d'expansion vers l'est leur profite et remplit les coffres du Trésor, mais ne rapporte rien aux familles nobles qui ont perdu leurs propriétés les plus lucratives lors de la cession des régions littorales ; on juge aussi que nous sommes remis de l'interminable conflit qui nous a opposés à Canteterre, qu'avec une armée résolue nous pourrions aujourd'hui écraser notre ancien ennemi et lui reprendre ce qui nous appartient. »

Mon père garda le silence un long moment puis il répondit à mi-voix : « A mon sens, ce genre de décision ne revient pas aux seigneurs mais au roi qui nous gouverne par la grâce du dieu de bonté. Comme tout Gernien, noble ou simple soldat, je déplore la perte de nos provinces côtières. Sa Majesté Troven n'a pas obéi d'un cœur léger à ce que lui dictait son devoir pour mettre un terme à cette interminable guerre. Ont-ils donc oublié ce que nous avons enduré pendant cette sanglante décennie ? Ont-ils donc oublié que nous craignions de perdre non seulement les régions de bord de mer mais aussi toutes les terres le long de la Soudane ? Le roi Troven n'a pas si mal pourvu son ancienne noblesse – moins que son père, qui nous a appauvris par une guerre dont nous avons vite compris que nous ne la gagnerions pas. Mais inutile de ressasser de vieilles histoires ; dis-m'en davantage sur le colonel Stiet. »

Mon oncle réfléchit. « C'est le fils militaire d'une famille de l'ancienne aristocratie, vers laquelle le portent ses idées politiques. Selon certains, l'Ecole accueillerait beaucoup trop de rejetons de nouveaux nobles : les deux années passées, leur nombre dépassait celui des entrants de l'aristocratie de souche, et cette année le rapport apparaît encore plus déséquilibré. » Il ajouta en souriant : « Il faut reconnaître que vous, les seigneurs de bataille, vous montrez vigoureux quand il s'agit d'engendrer des fils. » Je retins mon souffle. Mon oncle souffrait-il de n'avoir donné le jour qu'à un seul enfant mâle alors que son frère en avait eu trois ?

Mon père exprima tout haut ce que son aîné avait

laissé implicite. « Tu penses que la famille et les amis de Stiet risquent de le pousser à modifier ce rapport ?

— Je l'ignore. Il subira certainement des pressions, mais je ne le connais pas assez pour savoir s'il y cédera ou non. Il débute à ce poste, et il a promis de placer la barre très haut pour tous les élèves ; mais il risque de la placer plus haut pour les fils de seigneurs de bataille que pour ceux de l'ancienne garde. »

Mon père me lança un coup d'œil en coin puis hocha la tête. « Je n'ai pas d'inquiétude : Jamère est apte à relever le défi. »

Fier de sa confiance en moi, je m'efforçai d'empêcher toute angoisse de m'assaillir. Les deux frères quittèrent la table pour s'installer dans les confortables fauteuils près de la cheminée. Il était encore tôt dans la saison pour faire du feu mais, après notre long voyage et notre trajet en chariot dans l'air humide, j'appréciai sa chaleur ; je me sentis honoré de prendre place avec mon oncle et mon père tandis qu'ils discutaient en fumant, et je tâchai de prêter attention à leur conversation, sachant bien qu'il ne convenait pas que j'y intervinsse. Toutefois, à plusieurs reprises, oncle Sefert s'adressa directement à moi. Des questions familiales, ils passèrent à une discussion plus générale sur le climat politique actuel : Canteterre se tenait tranquille ces derniers temps, avait même négocié des échanges commerciaux favorables avec nous et accordé généreusement à notre roi l'accès à Guésourd, un de leurs meilleurs ports maritimes. D'après mon oncle, notre voisin encourageait notre expansion vers l'est, qui occupait notre armée et détournait de nos territoires perdus l'œil concupiscent de notre souverain ; du point de vue de mon père, le roi ne faisait pas preuve d'un appétit excessif : il savait profitable de conquérir de vastes régions autour des zones peuplées du royaume. En outre, nul ne pouvait ignorer qu'il avait apporté la civilisation, les échanges commerciaux et d'autres bienfaits aux Nomades, et, en toute probabilité, même les Ocellions finiraient par tirer avantage de notre annexion des terres sauvages ; ils n'exploitaient pas les forêts, ne pratiquaient pas l'agriculture. Que les Gerniens donnent l'exemple d'une utilisation efficace de ces ressources, et chacun y trouverait assurément son compte.

A ces idées, oncle Sefert opposa la théorie du « noble sauvage », très en vogue alors, mais davantage, comme je m'en rendis compte avec quelque retard, pour taquiner mon père que par croyance personnelle dans ces balivernes ; c'est avec surprise, je crois, qu'il entendit son frère exprimer une certaine affection pour les primitifs comme les Nomades et les Ocellions, tout en remarquant que, si la civilisation ne les prenait pas en son sein pour les élever au-dessus de leur condition actuelle, ils finiraient piétinés par son irrésistible marche vers l'est. Mon père tenait qu'il valait mieux les changer tôt que tard afin qu'ils aient la possibilité de nous imiter au lieu de sombrer par ignorance dans les vices de notre culture, auxquels ils présentaient une grande vulnérabilité.

Il se faisait tard et, malgré l'intérêt de la conversation, je bataillais depuis longtemps pour garder les yeux ouverts quand mon père et son frère mirent un point final à cette soirée de retrouvailles. Mon oncle n'appela pas son majordome mais prit un chandelier pour nous conduire lui-même à nos chambres communicantes, où il nous souhaita un bon repos. Nos malles s'y trouvaient déjà, et on avait étendu ma chemise de nuit sur mon lit ouvert. Avec bonheur, j'ôtai mes vêtements, les pendis à une chaise, me vêtis pour dormir puis me pelotonnai sous mes couvertures. Des draps montait une douce odeur d'herbes à laver, et je m'y enfonçai, certain d'y puiser un sommeil profond et réparateur.

Je me penchais pour souffler ma bougie quand on toqua doucement à ma porte, qui s'ouvrit aussitôt. Au lieu du domestique auquel je m'attendais, ce fut, à ma grande surprise, une servante en tenue de lit et en charlotte qui passa la tête par l'entrebâillement. « Es-tu éveillé ? demanda-t-elle d'un ton avide.

— Apparemment », répondis-je, mal à l'aise.

Un sourire s'épanouit sur son visage. « Ah, tant mieux ! Ils t'ont retenu si longtemps que j'ai cru ne jamais te voir te coucher. » Sur ces mots, elle entra d'un bond, ferma la porte derrière elle et s'assit au pied de mon lit. Elle ramena ses jambes sous elle puis demanda : « M'as-tu apporté quelque chose ?

— Aurais-je dû ? » La conduite extraordinaire et imprévisible de ma visiteuse me laissait complètement sidéré. J'avais entendu parler des manières directes des bonnes des grandes villes, mais je n'eusse jamais pensé me trouver en butte à un comportement aussi effronté sous le toit de mon oncle. Elle paraissait jeune pour sa situation mais, en chemise de nuit, avec les cheveux ramenés sous sa coiffe, il était difficile de deviner son âge ; je n'avais pas l'habitude de fréquenter les femmes dans ce genre de tenue.

Elle poussa un petit soupir de déception et secoua la tête. « Non, sans doute. Tante Séléthé nous envoie parfois de petits cadeaux et j'espérais que tu en aurais apporté un. Mais je ne me froisserai pas si tu n'en as pas.

— Ah ! Serais-tu Epinie Burvelle, ma cousine ? » Cette visite nocturne prenait une tournure encore plus étrange.

Un moment, elle me regarda fixement, l'air abasourdie. « Et à qui t'attendais-tu d'autre ?

— Je n'en sais rien ! »

Elle continua de me dévisager, perplexe, puis elle prit soudain une expression scandalisée, la bouche arrondie. Elle se pencha et murmura comme si elle craignait qu'on ne l'entendît : « Tu croyais à une bonne licencieuse venue réchauffer ton lit et obtenir tes largesses à l'avance ? Ah, Jamère, les jeunes gens de l'est doivent être bien dépravés pour entretenir de telles idées !

— Mais pas du tout ! » m'exclamai-je vivement.

Elle se redressa. « Allons, inutile de mentir : je le sais. Toutefois, oublions ça. Maintenant que tu m'as identifiée comme ta cousine Epinie, réponds à ma première question : m'as-tu apporté un présent ? » Elle montrait toute l'impatience et l'absence de délicatesse d'un enfant.

« Non. Enfin, pas exactement : ma mère nous en a confiés pour ta mère, ta sœur et toi, mais c'est mon père qui les a, pas moi.

— Ah ! » Elle poussa un soupir. « Alors je vais devoir attendre le matin pour recevoir le mien. Dis-moi, as-tu fait bon voyage ?

— Bon, mais fatigant », répondis-je en tâchant de ne pas appuyer trop sur le dernier mot. J'éprouvais une grande lassitude, et la façon extravagante qu'avait Epinie de se présenter à moi mettait ma courtoisie à rude épreuve. Elle ne s'en rendit pas compte.

« As-tu eu la chance d'embarquer sur une janque ?

— Oui, en effet.

— Ah ! » Je crus qu'elle allait défaillir de jalousie. « Moi, jamais ; mon père les juge inutiles, superflues et dangereuses pour la navigation. La semaine dernière, l'une d'elles a heurté une péniche de charbon ; il y a eu six morts et toute la cargaison du chaland a coulé. Selon lui, il faudrait les interdire et mettre aux fers leurs capitaines qui pilotent comme des fous.

— Tiens donc. » Je m'exprimais d'un ton indifférent ; j'avais l'impression qu'elle nous critiquait, mon père et moi, d'être arrivés en janque. « Je suis épuisé, cousine Epinie.

— Vraiment ? Alors il faut sans doute que je te laisse dormir. Je te trouve un peu décevant, cousin Jamère ; je m'attendais à plus d'endurance de la part d'un garçon, et je pensais que, venant de l'est, tu aurais des histoires passionnantes à raconter. » Elle descendit de mon lit.

« J'en connais, mais pas quand j'ai sommeil à ce point, répliquai-je sèchement.

— Ça m'étonnerait. Tu m'as l'air très ordinaire, et aussi ennuyeux que mon frère Hotorne : il fait passer sa dignité avant tout, et, à mon avis, ça l'empêche de mener une vie intéressante. Si j'étais un garçon et qu'on me laisse vivre mon existence à ma guise, je ne me soucierais pas de la bienséance.

— De toute manière, elle ne semble pas t'étouffer, observai-je.

— J'ai jugé qu'elle ne me servait à rien et décidé de m'en passer ; mais ma vie n'en est pas plus enthousiasmante pour autant, et pourtant c'est à ce genre de vie que j'aspire vraiment. Bonne nuit, Jamère. » Elle se pencha comme pour m'embrasser la joue puis s'arrêta soudain. « Que t'es-tu fait à l'oreille ?

— Un guerrier nomade me l'a entaillée avec son cou-de-cygne – il s'agit d'une arme munie d'une longue lame courbe » répondis-je avec satisfaction. Qu'elle me trouve « ordinaire » me restait en travers de la gorge.

« Je sais ce qu'est un cou-de-cygne, fit-elle d'un ton condescendant, la main sur le bouton de la porte. En outre, tu es mon cousin et, même assommant, je t'aimerai quoi qu'il advienne ; inutile donc d'inventer des contes à dormir debout sur la férocité des Nomades. Tu crois sans doute pouvoir duper une citadine comme moi, mais ces racontars ne sont que calembredaines, je le sais. J'ai beaucoup lu sur les Nomades et je n'ignore pas qu'il s'agit de gens doux et primitifs qui vivent en complète harmonie avec la nature – au contraire de nous. » Elle poussa un nouveau soupir. « N'affabule pas pour te donner l'air important, Jamère ; je trouve cette attitude ennuyeuse à mourir chez un homme. A demain matin.

— Il m'a entaillé l'oreille à deux reprises ; on a dû

313

me la suturer ! » lançai-je, mais, d'un geste furieux, elle me fit signe de me taire et referma la porte derrière elle. Avant sa visite, las et détendu, je me sentais prêt à m'endormir comme une masse ; à présent, malgré ma fatigue, je ne parvenais plus à trouver le sommeil, même après avoir soufflé ma bougie. Allongé dans le grand lit moelleux, la pluie frappant aux carreaux, je m'interrogeais : étais-je vraiment ordinaire et ennuyeux ? Pour finir, je jugeai Epinie trop excentrique pour connaître la définition du mot « ordinaire », et je pus alors m'en aller au pays des rêves.

Seule ma jeunesse me permit sans doute de me réveiller aux coups timides que la bonne frappa à ma porte tôt le lendemain matin. Sans réfléchir, je lui dis d'entrer puis demeurai sous mes couvertures, rougissant, tandis qu'elle m'apportait de l'eau chaude et faisait un paquet de mes vêtements de voyage pour les nettoyer et les brosser. Je n'avais pas l'habitude qu'on s'occupe ainsi de moi et, même après le départ de la domestique, il me fallut quelque temps avant d'oser me risquer à quitter mon lit, de crainte qu'elle ne revînt inopinément. Une fois debout, je fis ma toilette et m'habillai rapidement. Par routine, je rangeai ma chambre avant de me demander si la bonne n'allait pas me trouver bizarre et rustaud d'avoir tiré moi-même mes draps et mes couvertures sur mon lit ; puis je me morigénai de m'inquiéter de ce qu'une simple servante pouvait penser de moi. Ce souci écarté de mes pensées, je me mis à songer avec anxiété à ce que mon oncle avait dit de l'Ecole la veille ; si j'avais eu plus de temps devant moi, sans doute eussé-je fini par me sentir en proie à l'angoisse, mais, par bonheur, on frappa de nouveau à la porte pour m'inviter à partager le petit déjeuner de mon père et de mon oncle.

Je les trouvai tous deux rasés de frais et tirés à quatre épingles malgré notre courte nuit. Je pensais voir ma tante, mon cousin et ses sœurs à table, mais il n'y avait que trois couverts et mon oncle ne mentionna pas que sa famille dût se joindre à nous. Le valet nous servit une chère copieuse composée de viande et de légumes grillés, de thé et de tartines. J'avais une faim de loup depuis mon réveil et je m'apprêtais à dévorer quand mon oncle déclara : « Mange bien, Jamère, car il paraît que le premier repas des élèves de l'Ecole est vite expédié, et, à mon avis, celui que tu prendras à midi te plaira moins que celui-ci. »

A ces mots, mon appétit s'envola et je demandai : « Je dois donc faire ma rentrée dès aujourd'hui, père ?

— Nous pensons que c'est le mieux. Ton oncle accepte de garder Siraltier chez lui en attendant qu'on t'autorise une monture personnelle. Nous nous arrêterons en route pour te commander des bottes chez un chausseur dont Sefert dit grand bien, puis je t'accompagnerai jusqu'à ton établissement. Tu t'y installeras un jour avant la plupart de tes camarades ; peut-être cela te permettra-t-il de prendre tes marques avant l'arrivée du gros des élèves. »

Ainsi fut fait. Nous avions à peine achevé de manger qu'un serviteur annonça qu'on avait chargé mes malles dans la voiture de mon oncle ; ce dernier me fit ses adieux sur le pas de la porte et avertit mon père qu'il

315

y aurait pour le dîner un excellent rôti de venaison accompagné d'une sauce aux prunes sauvages.

Nous nous dirigions vers l'attelage quand Epinie apparut soudain en haut des marches et les dévala quatre à quatre. Elle avait jeté une robe de chambre sur sa chemise de nuit, et ses cheveux tombaient en boucles brunes sur ses épaules. A la lumière du jour, je ne lui donnai que quelques années de moins que moi, mais j'eus l'impression d'entendre une enfant quand elle cria : « Jamère ! Jamère ! Tu ne peux pas t'en aller sans me dire au revoir !

— Epinie ! Tu es beaucoup trop grande pour sortir ainsi en vêtements de nuit ! » la gourmanda mon oncle ; toutefois, l'envie de rire que je sentis dans sa voix me fit comprendre qu'elle était sa préférée.

« Mais je dois souhaiter bonne chance à mon cousin, père ! Ah, je vous avais bien dit que j'aurais dû l'attendre hier soir. Je le savais ! Nous n'avons plus le temps de parler maintenant, alors que je me réjouissais tant de lui lire l'avenir, de prédire sa réussite ou son échec à l'Ecole. » Elle s'écarta de moi et leva les mains pour encadrer mon visage, comme si elle voulait peindre mon portrait. Ses yeux s'étrécirent et elle déclara tout bas : « T'aurais-je mal jugé ? Comment ai-je pu te croire ordinaire ? Quelle aura ! Quelle aura magnifique, deux fois plus grande que chez n'importe qui d'autre ! Elle flamboie du rouge de la vigueur virile tout autour de toi, mais un second halo, vert celui-là, l'enveloppe et te désigne comme un enfant de la nature, le fils aimant de sa...

— Et c'est précisément pour éviter ces bêtises

que je t'ai interdit de l'attendre hier pour l'accueillir !
Donne-lui la bénédiction du dieu de bonté, Epinie, puis
laisse-le partir. Une jeune étourdie et ses jacasseries
sans queue ni tête ne doivent pas retarder Jamère par
un jour aussi important. » Une impatience non feinte et
peut-être un certain embarras perçaient désormais dans
le ton de son père. Je restai immobile tandis qu'elle
s'approchait de moi, le bout de ses petites pantoufles
pointant sous sa robe. Elle se dressa sur la pointe des
pieds pour m'embrasser sur la joue et me souhaiter
bonne chance. « Viens vite dîner avec nous ! Je meurs
d'ennui ici ! me souffla-t-elle à l'oreille avant de se
reculer.

— La bénédiction du dieu de bonté soit sur toi,
cousine », bafouillai-je, puis je m'inclinai encore une
fois devant mon oncle. Epinie resta sur les marches, la
main dans celle de son père et nous saluant de l'autre,
tandis que le valet nous tenait ouverte la portière de
la voiture. Je ne savais que penser d'elle, mais j'estimais que mon oncle avait raison de s'inquiéter et je ne
m'étonnais plus que la jeune femme de la janque parût
amusée d'apprendre ma parenté avec Epinie. Rétrospectivement, j'en rougis.

La voiture de mon oncle surpassait sans mal en
splendeur le chariot qui nous avait amenés la veille. Le
blason originel de la famille brillait sur les portières de
bois vernis, et un conducteur, en livrée aux couleurs
de mon oncle, marron et gris, menait un superbe attelage de hongres gris auxquels le harnais et la têtière
mettaient une touche de brun. Mon père et moi nous
assîmes sur le siège tendu de peluche grise ; il y avait

un petit coussin bordeaux à glands noirs à chaque extrémité de la banquette, et, aux fenêtres, des rideaux assortis. Jamais je n'avais pris place dans un véhicule aussi luxueux et, bien que seul mon père m'accompagnât, je me tins très droit.

Le conducteur fit claquer son fouet pour mettre en route les chevaux et je sursautai. Mon père se permit un petit sourire et je ne pus m'empêcher de le lui rendre. « Domine ta nervosité, fils, me dit-il avec douceur tandis que l'attelage s'ébranlait. Montre la vigilance d'un esprit vif, mais ne donne pas à penser au colonel Stiet que la famille Burvelle lui envoie une pouliche effarouchée.

— Oui, père », répondis-je, et je me laissai aller contre le dossier en tâchant de me détendre. La voiture suivait les rues pavées de Tharès-la-Vieille dans un bruit de tonnerre ; en toute autre circonstance, j'eusse bu des yeux le décor qui défilait devant moi, mais ce jour-là il retenait à peine mon attention. Nous passâmes d'abord devant de magnifiques résidences aux jardins soignés, assez semblables à la propriété de mon oncle ; derrière les murs et les portails bien entretenus, j'entrevis de grands chênes, des pelouses nettes, des allées et des statues. Puis, au bas de la descente, nous entrâmes dans le quartier des marchands et laissâmes derrière nous les arbres et les espaces dégagés : des rangées ininterrompues d'établissements commerciaux s'alignaient le long des avenues, surmontées par des zones résidentielles. Nous fîmes halte chez le chausseur qu'avait recommandé mon oncle ; il prit rapidement

318

mes mesures et promit la livraison de mes nouvelles bottes à l'Ecole sous quinzaine.

Nous reprîmes notre route. La matinée s'avançait et la ville s'animait ; des chariots de marchandises et des apprentis pressés encombraient les chaussées et nous ralentissaient. Dans une rue grouillante de monde, une cloche tintante nous avertit du passage d'un transport ferroviaire urbain tiré par de robustes chevaux ; à l'intérieur, des femmes coiffées de chapeaux aux plumes extravagantes et des hommes en manteau regardaient par les fenêtres ouvertes et profitaient de l'allure mesurée du véhicule. La prospérité régnait dans cette partie de la cité ; je soupçonnais d'ailleurs nombre des gens qui allaient et venaient sur les trottoirs de sortir dans le seul but de montrer qu'ils portaient de beaux habits et disposaient du loisir de les afficher.

Nous finîmes par quitter le cœur de la ville ; les rues devinrent plus étroites et les échoppes plus réduites. Peu à peu, les maisons se montrèrent moins bien entretenues puis carrément décrépites. Le cocher agita ses rênes et nous passâmes rapidement par des ruelles bruyantes bordées de tavernes louches et de maisons où des femmes fardées s'accoudaient aux fenêtres dans des poses languissantes. Je vis un enfant aveugle qui chantait à tue-tête au coin d'un bâtiment, sa sébile à ses pieds ; plus loin, un prêtre itinérant prêchait à pleine voix, exhortant les âmes dévoyées des taudis à tourner leurs pensées et leur âme vers le ciel. Notre voiture poursuivit son chemin et la harangue de l'homme s'éteignit derrière nous. Une cloche sonna, une autre

319

reprit l'appel solennel à la prière du matin. Mon père et moi courbâmes la tête en silence.

Enfin, nous prîmes la route du fleuve, large et bien entretenue, mais où nous dûmes pourtant ralentir à cause de la circulation. Je vis des chariots chargés de grumes venues par voie d'eau, d'autres de troncs récemment coupés. La charrette d'un voyageur et son train de bidets à vendre vint se placer derrière notre voiture tandis que nous suivions la carriole d'un charbonnier.

« Allons-nous loin, père ? » demandai-je ; il me semblait que plusieurs jours s'étaient écoulés en l'espace d'une matinée.

« Assez. Quand on a décidé de construire un ensemble à part pour l'Ecole de cavalla, on a cherché un terrain qui offrait un espace suffisant pour les exercices à cheval ainsi que de l'eau et des pâtures ; on l'a donc édifié à quelque distance de Tharès-la-Vieille – ce que nous avons considéré comme un avantage, car, à l'écart des distractions et des vices de la cité, les jeunes gens que vous êtes se concentrent mieux sur leurs études. »

Je pris comme une remontrance qu'il estimât devoir me tenir loin de ces tentations pour me permettre d'y résister, et je le lui dis.

Il secoua la tête avec un sourire bienveillant. « Mes craintes portent moins sur toi que sur tes compagnons, Jamère, car j'ignore leur force de caractère et l'éducation qu'ils ont reçue ; mais je sais ceci des hommes, jeunes comme vieux : en groupe, ils tendent à sombrer vers le comportement le plus vil plus qu'à s'élever jusqu'au plus noble. Et cela s'avère en particulier en l'absence d'un chef énergique capable d'obliger ses hommes à répondre de leur conduite. Tu vivras parmi tes pairs et, s'ils sont dissolus ou habitués à ne rien se refuser, tu risques de finir par croire tes valeurs provinciales ou désuètes. Je te mets donc en garde, Jamère : méfie-toi de ceux qui tournent en dérision l'autodiscipline et la bonté ; choisis tes amis avec discernement ; et surtout reste fidèle aux vertus qu'on t'a inculquées et à l'honneur de la famille. »

Tels furent les mots qu'il prononça tandis que la voiture quittait la grand-route pour s'engager dans la longue allée bordée d'arbres qui menait à l'entrée en voûte de l'Ecole royale de cavalla.

9

L'Ecole

Trop tôt, mon père me laissa seul.

Mes souvenirs de ce premier jour s'emmêlent aujourd'hui dans mon esprit, car trop d'événements se produisirent trop vite. Au bout de la longue allée de gravier, nous passâmes sous une arche qui portait l'inscription « ECOLE ROYALE DE CAVALLA » et que gardaient deux chevaliers sur leur monture, sculptés dans le marbre. Une haute enceinte de pierre entourait la propriété où s'activait une armée de jardiniers munis de râteaux, de brouettes et d'ébranchoirs pour préparer la nouvelle rentrée. De grandes haies de lauriers découpaient les pelouses verdoyantes où poussaient çà et là de vieux chênes. Nous nous arrêtâmes devant l'administration, dont l'édifice, tout en brique rouge et la façade percée d'un portique blanc, s'élevait sur plusieurs étages. Des allées bien entretenues en partaient et traversaient des étendues de gazon pour mener aux bâtiments de classe et aux dortoirs. A l'est de ces derniers, j'aperçus une écurie, plusieurs enclos, et, au-delà, une aire d'exercice.

Je ne disposai que d'un instant pour parcourir les

alentours du regard et y prendre mes repères, car notre cocher avait quitté son siège pour nous ouvrir la portière. Je descendis à la suite de mon père, qui ordonna au conducteur de nous attendre puis gravit les marches de l'imposante bâtisse de brique ; je lui emboîtai le pas. Avant que nous ne parvinssions au perron, la porte s'ouvrit et un jeune garçon souriant apparut pour nous accueillir ; il ne devait pas avoir plus de dix ans, mais il portait les cheveux coupés ras à la militaire et sa tenue rappelait l'uniforme de la cavalla. Il s'inclina devant mon père et demanda d'une voix claire s'il pouvait nous aider.

« Peut-être, en effet, jeune homme. J'amène mon fils, Jamère Burvelle, qui entre cette année à l'Ecole. »

L'enfant s'inclina de nouveau. « Merci, monsieur ; je me ferai un plaisir de vous obliger. Permettez-moi de vous accompagner au bureau du colonel Stiet. Puis-je prendre les dispositions pour qu'on transporte les affaires de votre fils dans son dortoir ?

— Je vous en prie, et je vous en remercie. » A l'évidence, le flegme et les manières du garçon impressionnaient mon père autant que moi. L'enfant nous fit entrer puis nous précéda pour nous conduire chez le directeur de l'Ecole. Des lambris de bois sombre tapissaient les murs du vestibule, d'épais carreaux gris d'Antolère revêtaient le sol et nos bottes sonnaient sur leur surface luisante. Nous franchîmes une porte voûtée pour arriver devant le bureau d'un officier adjoint dans l'antichambre du colonel ; à la vue de notre guide, il nous fit signe de passer. Le jeune garçon s'arrêta un instant et le pria de chercher « Burvelle, Jamère » dans ses registres et de faire monter sa malle dans son dortoir, puis il se dirigea vers la porte du fond, toqua fermement au panneau d'acajou, attendit qu'on lui réponde et entra pour nous annoncer. Le colonel déclara qu'il acceptait de nous recevoir aussitôt ; l'enfant ressortit pour nous introduire dans le bureau, s'inclina de nouveau et demanda à mon père la permission d'aller surveiller le transport du coffre de son fils.

« Permission accordée, avec mes remerciements », fit mon père. Comme le jeune garçon s'en allait à pas pressés, le colonel Stiet contourna son bureau pour nous accueillir. On ne pouvait se méprendre sur sa ressemblance avec l'enfant et nous la remarquâmes tous deux. « Voilà un petit qui ferait la fierté de n'importe quels parents », fit mon père.

Sans s'émouvoir, Stiet répondit : « J'en suis assez content, mais le temps nous dira si j'ai raison. Bonne race et prise en main dès le plus jeune âge, voilà les critères sur lesquels je choisis les recrues. Ravi de vous rencontrer, sire Keft Burvelle.

— Moi de même, colonel Stiet. Je vous présente mon fils, Jamère Burvelle. »

J'avançai d'un pas et serrai solennellement la main de l'homme en le regardant dans les yeux, ainsi qu'on me l'avait appris. Il avait la poigne tiède et sèche, mais on n'y sentait nulle bienvenue. « Enchanté, mon colonel », dis-je ; il ne répondit pas. Je lâchai sa main, m'inclinai légèrement puis reculai, perplexe.

Il s'adressa à mon père : « A son retour, Caulder conduira votre fils à son dortoir. Je propose parfois une rapide visite de l'Ecole aux parents des nouveaux élèves, mais dans votre cas, étant donné votre participation à sa création, j'imagine que ce serait superflu. »

Sa façon de s'exprimer éveilla ma méfiance : j'ignorais s'il insultait mon père ou s'il le complimentait. L'intéressé partageait certainement mon impression mais sourit d'un air affable et déclara : « Superflue ou non, colonel Stiet, une visite me ferait le plus grand plaisir, ne serait-ce que pour observer comment l'Ecole se porte sous votre direction. J'aimerais voir par moi-même les changements que vous avez opérés ; c'est sire Sefert Burvelle, mon frère, qui m'en a parlé.

— Vraiment ? » L'officier haussa les sourcils. « Je m'étonne qu'il s'intéresse à mon établissement alors qu'il n'a pas de fils militaire. Mais si vous croyez en avoir le temps…

— J'ai toujours du temps quand il s'agit de notre cavalla.

— Et de votre fils, je suppose. » Il eut un mince sourire.

Mon père conserva une expression aimable. « De ce jour, il appartient à la cavalla royale ; si je prends à cœur les intérêts de cette institution, je suis sûr qu'elle saura, comme toujours, veiller sur ses membres. »

Un silence s'ensuivit, puis le colonel Stiet répondit : « Certes. » Il ne s'agissait pas de l'affirmation de l'esprit de camaraderie et d'entraide que j'espérais, et je ne pense pas que la tiédeur de son interlocuteur plût davantage à mon père.

Caulder Stiet rentra discrètement dans le bureau et alla se placer au repos derrière son père. Il n'avait pas fait un bruit, mais le colonel parut se rendre compte aussitôt de sa présence et il s'adressa à lui sans se retourner. « Accompagnez l'élève Burvelle dans ses quartiers ; avertissez mon secrétaire que je fais visiter l'Ecole à sire Burvelle et que je resterai occupé un moment.

— A vos ordres. » L'enfant m'invita du geste à le précéder pour sortir. Dans l'antichambre, il transmit le message de son père au jeune lieutenant, qui acquiesça d'un hochement de tête sans cesser d'ouvrir et de trier des enveloppes posées en une haute pile sur son bureau. Une question me traversa l'esprit : s'agaçait-il de recevoir ses ordres d'un gamin ?

A la suite de Caulder, je quittai le bâtiment d'administration et traversai les terrains de l'Ecole. Nous ne nous écartâmes pas d'un pas des allées soigneusement entretenues. Le jeune garçon se taisait et marchait vite, mais, grâce à mes jambes plus longues, je suivais sans mal son allure. Il ne me jeta qu'un seul coup d'œil, mais je vis que son visage avait perdu son expression amicale et rayonnante ; il était tout à sa tâche.

Il nous mena vivement aux logements des élèves, formés de plusieurs bâtiments dressés autour d'un terrain de parade, deux récents, en brique rouge, percés de nombreuses fenêtres, et trois autres plus anciens, en pierre grise, manifestement d'un usage différent à l'origine et reconvertis. Caulder me conduisit vers l'un des derniers ; aux potences et aux crochets qui dépassaient de l'étage, je supposai qu'ils avaient commencé leur existence comme entrepôts. Sur les talons de l'enfant, je m'engageai sur les marches usées.

Par une large porte, nous pénétrâmes dans l'entrée

dont des trophées et des bannières militaires décoraient les murs lambrissés ; au milieu de la pièce, un sergent grisonnant en uniforme de la cavalla trônait derrière un bureau ciré garni d'un buvard immaculé, d'un encrier, d'un pose-plume et d'une feuille de papier. Dans son dos, un imposant escalier menait aux parties supérieures du bâtiment. Le sous-officier nous observa d'un regard qui ne cillait pas tandis que Caulder s'approchait de lui. Je ne vis nulle chaleur dans ses yeux, plutôt la lassitude d'un chien de berger qui sait qu'on va lui donner une nouvelle tâche.

« Je vous amène l'élève Jamère Burvelle, sergent Rufert. C'est le fils militaire d'un nouveau noble ; il doit loger au troisième étage. »

Le regard du sergent se planta dans le mien sans s'attarder sur l'enfant. « Vous êtes muet, jeune homme ? » me demanda-t-il d'un ton faussement bienveillant.

Je redressai les épaules. « Non, sergent.

— Alors présentez-vous vous-même – à moins que vous ne comptiez garder près de vous votre petit ami pendant toutes vos années d'étude ? »

Je sentis mes joues devenir brûlantes. « Elève Jamère Burvelle au rapport, sergent Rufert.

— Très bien. Voyons maintenant où vous allez coucher. » Son index épais parcourut le registre devant lui ; je remarquai qu'il lui manquait la moitié du pouce à la main droite. « Ah, voilà ! Je crois qu'on a déjà livré votre malle. » Il leva les yeux vers moi. « Et elle occupe plus que le volume autorisé dans les quartiers que vous partagerez. Troisième étage, première porte à gauche. Votre malle se trouve au pied du lit qu'on vous a assigné. Rangez les affaires dont vous avez besoin dans votre espace alloué, puis descendez-la en même temps que votre matériel superflu dans l'entrepôt du sous-sol. Ensuite, allez récupérer votre literie à l'intendance et mettez votre secteur au carré. Les repas commencent cinq minutes après la cloche et sont servis au réfectoire ; vous vous y rendrez au pas cadencé avec votre patrouille. Arrivez à l'heure, vêtu convenablement et à votre place, ou vous vous passerez de manger. Des questions ?

— Où se situe l'intendance, sergent Rufert ?

— Au fond de l'entrée, deuxième porte à droite. »

A côté de moi, Caulder s'agitait impatiemment, contrarié de rester à l'écart de la conversation. Le sergent n'aimait-il pas l'enfant ou bien la grossièreté faisait-elle partie de sa nature ? « D'autres questions ? fit le sous-officier d'un ton hargneux, et je me rendis compte que je ne lui avais pas répondu.

— Non, sergent, je vous remercie.

— Alors rompez. » Et il se replongea dans l'examen de ses registres.

« Puis-je disposer aussi ? demanda Caulder d'un ton insidieux, comme pour aiguillonner Rufert.

— Vu que vous n'êtes pas élève, je ne peux pas vous ordonner de disposer ni de rester. » Le sergent n'avait pas levé les yeux de son travail ; il saisit une plume et porta une annotation sur une feuille. Je pris conscience que je demeurais planté à les observer ; j'opérai un quart de tour impeccable et m'éloignai.

Montant d'un pas léger les marches de bois luisant, je passai les salles communes qui s'ouvraient sur les premier et deuxième paliers pour arriver au troisième et dernier. J'entrai dans une grande pièce austère, abondamment éclairée par de hautes fenêtres, où trônaient une cheminée et plusieurs longues tables bordées de chaises à dos droit : sans doute la salle d'étude. Je me dirigeai vers les ouvertures et jouis de la vue imprenable : des allées rayonnaient des dortoirs centraux pour mener, par les parcs aménagés, aux bâtiments de classe, aux écuries, aux enclos et au terrain d'exercice ; derrière ce dernier, j'aperçus les cibles d'un champ de tir au mousquet, et plus loin encore les berges buissonneuses d'un cours d'eau. De la fenêtre opposée, je vis la chapelle de l'Ecole avec son clocher élevé, l'infirmerie chaulée derrière elle, et enfin l'enceinte de l'établissement, avec les faubourgs de Tharès-la-Vieille en arrière-plan, surmontés d'un banc de brume. La vue me parut magnifique ; je devais découvrir par la suite qu'on regardait l'étage où je me trouvais comme le moins attrayant du bâtiment Carnes : il y faisait étouffant en été, glacial en hiver, et on se lassait vite de monter et descendre les volées de marches plusieurs fois par jour, sans compter que les occupants arrivaient invariablement les derniers au réfectoire. Mais, pour le moment, l'altitude de mes nouveaux quartiers ravissait mon âme provinciale.

Après que je me fus rassasié du spectacle et que j'eus pris mes points de repère, je m'approchai de la première porte à gauche de l'escalier. Je la trouvai entrebâillée, ce qui ne m'empêcha pas d'y toquer ; nul ne répondit, mais, quand je poussai le battant, je découvris un jeune homme grand et mince, avec les cheveux très noirs, qui, allongé sur son lit, me regardait d'un air amusé ; un autre, la tête couverte d'un chaume blond aussi ras que le mien, m'observait par-dessus un livre ouvert.

« Les belles manières que voilà ! » s'exclama-t-il d'un ton qu'on eût pu croire sarcastique s'il ne s'était levé aussitôt d'un bond pour s'avancer vers moi, sa grande main tendue. Le livre qu'il lisait pendait au bout de l'autre, la page marquée par son index. « Je m'appelle Natrède Verlanet ; je me réjouis de voir enfin le reste de nos camarades de chambrée : il y a déjà trois jours que je suis arrivé. D'après mon père, il vaut toujours mieux se présenter en avance que le dernier dans une formation.

— Jamère Burvelle », répondis-je ; il mesurait une demi-tête de plus que moi et, quand je lui serrai la main, sa grande pogne engloutit la mienne. Son compagnon se dressa lui aussi en attendant son tour de se présenter ; il avait les yeux aussi noirs que les cheveux, la peau rude et le teint sombre. « Je me félicite de me trouver enfin sur place, poursuivis-je. Mon père aussi considère qu'il vaut mieux effectuer sa rentrée un jour ou deux en avance qu'en retard.

— Naturellement ! Celui de Kort a tenu le même raisonnement. Que veux-tu, les fils militaires de fils militaires sont militaires avant d'être fils. »

Le dicton, que je connaissais par cœur, me fit sourire néanmoins. Seul dans cet environnement inconnu, j'éprouvai comme du soulagement à entendre énoncer cet adage qu'on me répétait depuis l'enfance ; je m'en sentis un peu moins dépaysé. « Eh bien, je vais suivre le conseil du sergent Rufert et déballer mes affaires. »

Kort eut un petit rire à la fois ironique et amical. « Ça ne te prendra pas longtemps ; la plupart devront rester dans ta malle. Tiens, voici ton placard. » Il ouvrit une porte étroite dans le mur ; en dessous d'une petite étagère, un espace permettait de ranger une paire de bottes en bas et de suspendre deux changes de vête-ments. Mon mentor me dévoila son propre placard et je vis qu'il avait placé sur la tablette son pot à raser et son matériel de toilette.

J'imitai son arrangement puis on m'indiqua la patère où accrocher mon manteau et l'étagère où poser mes livres. Je regardai tous les objets que ma mère et mes sœurs avaient si amoureusement empaquetés : divers remèdes fabriqués à la maison, un chandail fait au crochet avec minutie, une écharpe de couleur vive, une réserve de friandises et autres petits riens desti-nés à donner une touche plus personnelle et familière à ma chambre. J'en laissai la majorité dans la malle, à part les bonbons, que je sortis pour les partager, et mon livre de prière, la pierre de Dewara et mon journal tout neuf que je plaçai sur l'étagère à côté de mes autres ouvrages ; puis, à contrecœur, je refermai le couvercle de la malle, bouclai les sangles et la hissai sur mon épaule pour la descendre à l'entrepôt.

Kort m'accompagna, autant par esprit de cama-raderie que pour me montrer le chemin. Il paraissait sympathique et prompt à sourire, bien que peu disert. L'officier d'intendance me remit des draps, un oreiller fort plat et deux couvertures vertes en laine. A notre retour au dortoir, nous découvrîmes que notre quatrième compagnon de chambre avait fait son apparition. Petit et aussi filiforme qu'une belette, Spic Kester avait des yeux d'un bleu éclatant qui ressortaient de façon surprenante sur le hâle profond de son visage. Il me donna une poignée de main sèche et hâtive ; je le supposai un peu mal à l'aise de se trouver le dernier arrivé, mais nous l'eûmes bientôt installé dans son coin, et nous l'aidâmes à descendre sa malle usée à l'entrepôt. De nous quatre, il avait la tenue et l'équipement les plus médiocres, et, en m'en rendant compte, je m'aperçus que j'étais, moi, le mieux loti, avec toutes mes affaires de la meilleure qualité : Kort portait des vêtements neufs mais ses manuels paraissaient d'occasion, tandis que Natrède se trouvait dans la situation inverse : ses livres sortaient des presses mais on avait recoupé son uniforme pour le mettre à sa taille, tout comme celui de Spic, dont en outre les manuels présentaient les éraflures d'un long usage. Pourtant, dans le soin de sa tenue, la façon précise dont il rangea ses maigres possessions et fit son lit, je reconnus une excellente éducation ; son manque évident de moyens accentua encore mon envie de l'avoir pour ami.

Nous nous installâmes chacun sur notre lit et fîmes connaissance. J'appris que Kort et Natrède se fréquentaient depuis leur plus jeune âge et que leurs familles se rendaient souvent visite ; leurs pères, comme le mien, appartenaient à la nouvelle noblesse et avaient créé à la force du poignet des propriétés prospères sur les terres nues des Plaines. Ils avaient effectué ensemble le trajet jusqu'à l'Ecole, et chacun épouserait en toute probabilité la sœur de l'autre, perpective qui ne semblait pas les effrayer.

Loin de ces existences aisées, Spic, de son vrai prénom Espirek, avait grandi plus près de la frontière qu'aucun de nous. Les terres de sa famille se situaient aux confins du sud-est, et il avait parcouru la première partie de son voyage à dos de mulet en longeant le Désert rouge. Son escorte et lui avaient résisté à un groupe de bandits, en tuant un et en blessant deux autres, du moins le croyait-il, avant que les survivants ne renoncent à ce qu'ils prenaient pour des proies faciles et ne s'enfuient. Spic racontait bien les histoires ; sans vantardise, il rendait à son mentor qui l'accompagnait, le lieutenant Givèremant, l'honneur de la victoire.

Il venait d'achever son récit quand mon père entra. Par réflexe, nous nous levâmes aussitôt. Il parcourut la pièce d'un œil scrutateur puis nous toisa du regard ; j'ignore pourquoi, je restai incapable de dire un mot. Enfin il sourit et hocha la tête d'un air approbateur. « Je me réjouis de te voir en si bonne compagnie, Jamère, et de constater que votre chambrée présente l'ordre qui sied à de vrais soldats. Veux-tu me présenter tes camarades ? »

J'obtempérai, non sans quelque hésitation en ce qui concernait Kort, dont je m'aperçus que je ne connaissais pas le nom de famille. « Braxan », fit-il rapidement en me voyant bredouiller. Mon père leur serra la main à tous. Quand vint le tour de Spic, je le désignai par son véritable prénom, Espirek ; mon père haussa les sourcils et demanda d'un ton circonspect : « Seriez-vous le fils de Kellon Espirek Kester ?

— En effet, monsieur » ; et Spic rosit de fierté à l'idée que le colonel Burvelle eût entendu parler de son père.

« Un excellent soldat. J'ai servi à ses côtés pendant la campagne de la Crête-du-Lièvre. Je ne me trouvais pas avec lui à Eaux-Amères, mais j'ai appris la façon dont il a péri. C'était un héros et vous pouvez porter son nom avec orgueil. Votre mère, dame Kester, se porte-t-elle bien ? »

Je crois que Spic faillit donner une réponse polie mais mensongère ; il se reprit et déclara : « Elle connaît des temps difficiles ces dernières années, monsieur ; elle n'a pas bonne santé, et un contremaître malhonnête nous a menés au bord de la ruine. Mais justice a été rendue, et mon frère aîné Rorque apprend la gestion de notre propriété sous tous ses aspects. Notre situation finira par s'améliorer, je n'en doute pas. »

Son interlocuteur acquiesça gravement de la tête. « Et le régiment de votre père ? S'occupe-t-il convenablement d'elle et de votre famille ?

— Très bien, monsieur. Le lieutenant Givèremant m'a escorté jusqu'ici pour s'assurer que j'arrivais sans encombres. La fierté de ma mère lui interdit de se reposer à l'excès sur la bonté des camarades de mon père ; elle les remercie toujours de l'aide qu'ils lui offrent et leur répond que son époux souhaiterait voir ses fils apprendre à vivre la tête haute dans la pauvreté plutôt que compter sur la charité des autres pour mener une existence confortable.

— Certainement, monsieur Kester ; de même, vous honorerez assurément le nom que vous portez. Restez

335

fidèle aux valeurs de votre père et vous deviendrez un excellent officier. »

Je compris alors que mon père était déjà au courant des difficultés de Spic, mais qu'en s'en enquérant devant nous il lui avait donné l'occasion d'exposer les épreuves que traversait sa famille sans paraître chercher notre compassion. Je n'appris que plus tard les circonstances de la mort de son père : en se portant au secours d'un camarade blessé, le capitaine Kellon Kester avait été capturé par les Nomades ennemis, les Ebonis, tribu connue pour son absence totale de pitié envers ses adversaires. Quand Kester avait constaté qu'on l'avait attiré dans un piège, avec pour appât un de ses soldats à l'agonie, il avait crié à ses troupes de ne venir à son aide sous aucun prétexte.

Même les Ebonis avaient rendu hommage à l'attitude qu'il avait manifestée par la suite : leurs guerriers lui avaient infligé les pires ignominies imaginables dans l'espoir que ses hurlements de souffrance pousseraient ses hommes à tenter un sauvetage – mais il avait gardé le silence. Ils l'avaient torturé toute la nuit, le tuant à petit feu ; mais, à l'aube, ils avaient mesuré leur erreur, car, profitant de leur distraction, les éclaireurs de la cavalla avaient repéré précisément l'emplacement de leur bivouac et les Ebonis s'étaient retrouvés encerclés ; pratiquement tous les guerriers avaient péri dans le massacre. Le commandant en second de Kester avait ordonné qu'on laissât la vie sauve à cinq d'entre eux, mais qu'on leur tranchât les doigts qui leur servaient à tendre la corde de leurs arcs, puis il les avait renvoyés, mutilés et vaincus, dans leur tribu afin que le récit du courage du capitaine Kester se répandît autour des feux de camp. Moins d'un an plus tard, ce qui restait du clan avait demandé des négociations et accepté une relocalisation dans le nord. On cite souvent l'impavidité de Kester sous la torture et la discipline de ses lieutenants, qui ont obéi à l'ordre de ne pas risquer leurs hommes dans un assaut pour le sauver, comme l'exemple du parfait fonctionnement de la chaîne de commandement et du sang-froid imperturbable qu'un bon officier doit garder, même au détriment de sa propre vie. La relation de cette campagne compose la majeure partie du quatrième chapitre de *L'Idéal militaire,* écrit par le général Tersi Harbois.

Mais, à l'époque, j'ignorais tout cela et voyais seulement que mon père regardait mes camarades de chambre comme dignes d'estime. Il me demanda de l'accompagner jusqu'à la voiture pour nos adieux, et nous restâmes à parler quelque temps près du véhicule. J'étais partagé entre le regret qu'il s'en aille et l'impatience d'entamer ma nouvelle vie et de retourner auprès de mes nouveaux amis. Il me rappela, ainsi qu'il sied à un père au moment de quitter son fils, de ne pas oublier les valeurs et les règles dans lesquelles on m'avait élevé, puis il me mit en garde : « Montre-toi au-dessus de tout reproche, fils, surtout les premiers mois de ta scolarité. Si je ne connaissais pas le nom du colonel Stiet, c'est pour une bonne raison : sa famille n'a pas de racines dans la cavalla, au contraire de celle de son épouse. Notre bon souverain, pour des motifs que je n'ai pas à remettre en cause, a jugé bon de placer un officier de l'armée classique à la tête de l'Ecole de

337

cavalla ; en outre, il n'a pas servi au combat mais ici, dans la capitale, à établir des colonnes de chiffres, à veiller à la stricte application de points de règlement sans intérêt sur les uniformes et le matériel. Plus récemment, il a eu la responsabilité de l'organisation des défilés lors des cérémonies officielles. Et il s'en glorifie ! Je me retiendrai d'émettre l'hypothèse que les relations de son épouse ont joué dans sa nomination plus que ses états de service. » Il secoua la tête puis poursuivit d'une voix plus grave : « Je crains qu'il ne se préoccupe davantage de la bonne présentation de ses troupes sur le terrain d'exercice que de leur capacité à tirer du dos d'un cheval au galop ou à garder la tête froide dans une situation périlleuse.

« Tu as l'air choqué de m'entendre dénigrer un officier semblable à moi, et il n'y a là rien que de très normal ; mais c'est ainsi que je le juge, et, bien que je prie le dieu de bonté de me tromper, j'ai peur de ne pas faire d'erreur. J'ai vu les chevaux qu'il a acquis pour ses élèves ; de jolies petites bêtes, toutes de la même taille et de la même couleur, qui rendront sûrement très bien dans une parade mais qui tueraient un cavalier en une journée à force de le ballotter en tous sens et qui succomberaient au manque d'eau en moins de deux jours. » Il s'interrompit brusquement et respira profondément. J'ignore ce qu'il s'apprêtait à dire, mais il s'était ravisé au dernier instant.

« Je crois que ton oncle avait raison quand il prêtait au colonel une affection limitée pour les fils de la nouvelle noblesse ; de fait, je me demande s'il éprouve quelque affection pour la cavalla même. Nous revenons cher si l'on ne regarde que l'argent nécessaire à nous fournir en montures et en équipement, sans prendre en considération les vies que notre existence permet de sauver. Il ne comprend pas la place que nous occupons dans l'armée ; à mon avis, il nous voit comme une pièce d'exposition, un corps destiné à distraire les foules, à se donner en spectacle, et il compte bâtir sa carrière en développant cette image. » Il reprit son souffle puis prononça, je crois, les mots qu'il avait retenus auparavant. « N'oublie pas qu'il s'agit de ton chef. Respecte ses ordres et suis-les, applique ses instructions à sa façon, même si tu juges en connaître une meilleure – surtout, peut-être, si tu juges en connaître une meilleure.

« Reste fidèle à l'éducation que tu as reçue, évite les compagnons de mauvais aloi et songe toujours que tu es né pour devenir soldat. Le dieu de bonté t'a fait ce présent ; ne laisse personne t'en dépouiller. »

Sur ces mots, il me serra fort dans ses bras, puis je m'agenouillai pour recevoir sa bénédiction. Sans doute le regardai-je monter dans la voiture et nous nous fîmes certainement des signes de la main tandis qu'elle s'éloignait, mais je me revois seulement debout le long de l'allée, à suivre le véhicule des yeux, avec un sentiment de solitude tel que je n'en avais jamais connu de toute ma vie. Je me sentais vide, glacé, presque nauséeux quand je regagnai à pas vifs mes nouveaux quartiers.

Mes compagnons m'attendaient ; à l'évidence, mon père leur avait fait grande impression. « On reconnaît un cavalier au premier coup d'œil, rien qu'à sa démarche, déclara Kort, et c'en est un vrai. Je parie qu'il a passé autant d'heures à cheval qu'à pied dans sa vie.

— Plus, je pense », répondis-je, sensible au compliment. Nous occupâmes le reste du début d'après-midi à nous installer dans nos espaces respectifs. Trois jeunes gens de l'autre côté du dortoir vinrent se présenter, tous fils de la nouvelle aristocratie. Gord, pâle et empâté, paraissait coulé d'une pièce ; son cou faisait un bourrelet par-dessus le col de son uniforme et son ventre tendait les coutures de ses boutons de cuivre ; un sourire gêné aux lèvres, peu bavard, il resta un peu en retrait de notre groupe. Par opposition, Trist, grand et blond, avait le port et le charme d'un jeune prince ; pourtant, ce fut le petit Rory, trapu et affable, qui retint l'attention générale. « Il paraît qu'on nous a tous mis ensemble exprès, dit-il avec gravité.

— Parce qu'on nous juge indignes de côtoyer les fils militaires de l'ancienne noblesse ? fit Kort, à la fois stupéfait et outré.

— Non : pour ne pas leur mettre le moral à plat. » Rory eut un grand sourire espiègle comme s'il venait de sortir une bonne blague. « Ils sont peut-être fils militaires mais ils n'ont pas été élevés par des militaires comme nous ; la moitié d'entre eux n'ont jamais posé leurs fesses sur une selle sauf pour faire un tour de poney dans leur parc. Vous verrez à l'exercice. Le fils militaire de mon oncle a grandi chez nous, parce qu'on fait comme ça dans notre famille : l'aîné confie l'éducation de son fils militaire à son frère militaire pour qu'il commence sa formation dès son plus jeune âge. Mon cousin Jordie était à l'Ecole il y a quatre ans et il m'en parlait dans les lettres qu'il m'envoyait tous les mois, alors je sais assez précisément à quoi m'attendre. »

Nous nous agglutinâmes autour de lui et, pendant l'heure qui suivit, nous restâmes assis aux tables d'étude de la salle commune tandis que Rory nous abreuvait d'anecdotes pleines d'instructeurs rigoureux, d'élèves qui passaient leurs blâmes à nettoyer les écuries, d'anciens qui brimaient les plus jeunes, et d'une foule d'autres détails sur la vie à l'Ecole. Conteur né, il mimait l'assurance des officiers nouvellement diplômés et la mine craintive des première année, et c'est suspendus à ses lèvres que nous l'écoutâmes nous mettre en garde d'un ton mélodramatique contre les exclusions. « Le commandant peut les ordonner quand il veut, à cause d'un exercice d'entraînement raté ou d'un mauvais examen de géographie. L'élève qui tombe en dessous d'une certaine moyenne, clac, dehors ! Eliminé du troupeau comme un agneau trop maigre. Tu retournes chez toi avec un billet qui dit seulement : "N'est pas à la hauteur des critères de l'Ecole, merci quand même de nous l'avoir envoyé." Et tout le monde sait ce qui arrive à un fils militaire après ça : adieu le carré des officiers, bonjour la piétaille et la popote sous la tente. Il ne reste que l'enrôlement chez les fantassins. Ces exclusions, c'est une vacherie, et ça tombe sans prévenir. Ça sert à nous tenir éveillés, le nez dans nos bouquins. »

Il avait un accent de la région de Quentie dont je m'amusais secrètement ; à cette époque, j'ignorais que plusieurs de mes camarades trouvaient mon « accent des Plaines » aussi comique. Des élèves sortirent d'autres chambres de notre étage pour écouter avec nous les histoires de Rory, et notre groupe compta bientôt onze membres, soit la quasi-totalité de notre patrouille. Nous formions une bande disparate, mais entièrement de la nouvelle aristocratie comme l'avait prédit Rory. En peu de temps, nous eûmes tous l'impression de nous connaître, non depuis quelques heures, mais depuis plusieurs années. Oron avait les cheveux roux, de grandes dents, un rire agréable et contagieux ; Caleb se joignit à nous avec sous le bras quatre numéros d'*Aventures sensationnelles* qu'il offrit aussitôt de partager avec nous. Je n'en avais jamais vu, et l'audace des illustrations de couverture de ces revues à deux sous me choqua, mais Caleb m'assura que ce n'était rien à côté de certaines autres qu'il possédait. Jarède, qui n'avait qu'un frère aîné mais six sœurs cadettes, expliqua qu'il n'avait pas l'habitude de parler beaucoup, par manque d'entraînement dans sa famille, et qu'il éprouvait un vif soulagement à la perspective de passer quelque temps en compagnie uniquement masculine. Trinte, la silhouette frêle, la mine anxieuse, avait fait son entrée avec trois malles pleines de vêtements et d'autres affaires ; apparemment très tatillon sur sa garde-robe et sa literie, il se plaignit du rangement et de l'espace réduits qu'on lui avait alloués.

Pendant que nous bavardions, un dernier élève se présenta et compléta notre douzaine. Il s'appelait Lofert ; grand, dégingandé, il ne semblait pas avoir l'esprit très vif et ne parla guère après nous avoir appris son nom. Gord l'aida à trouver la dernière place libre de leur chambrée puis nous rejoignit aussitôt. Chacun me faisait bonne impression, et j'éprouvai une soudaine exaltation à l'idée de si bien commencer ma première année à l'Ecole – ce qui ne m'empêchait pas, à l'instar de bien d'autres, j'en ai la conviction, de guetter impatiemment la cloche du dîner : par distraction, j'avais manqué le repas du midi et, quand le tintement tant attendu se fit enfin entendre, la faim me tenaillait.

Affamés comme une meute de mâtins, nous nous précipitâmes en masse dans l'escalier où nous nous vîmes coupés dans notre élan par un flot d'élèves qui s'épanchait des étages inférieurs. A l'évidence, d'autres garçons étaient arrivés pendant que nous faisions connaissance entre nous, et nous dûmes descendre d'un pas posé, une marche à la fois.

« Il paraît qu'on mange mal ici ; même menu à tous les repas », fit Gord d'un ton enjoué. Il soufflait fort, comme si le seul fait de descendre l'escalier l'épuisait.

Je ne vis pas quoi répondre, mais Rory déclara : « Si ce qu'on met dans mon assiette ne fiche pas le camp, il y a des chances pour que je le mange. Toi aussi, à mon avis ; à te regarder, tu n'as pas trop fait le difficile par le passé ! »

Autour de nous, plusieurs de nos compagnons éclatèrent de rire, et je ne pus réprimer un grand sourire ; Gord lui-même sourit d'un air gêné. Je franchis un nouveau degré en résistant à l'envie d'écarter les élèves devant moi pour arriver plus vite. Même au rez-de-chaussée, nous ne pûmes reprendre notre course en direction du réfectoire : dans l'allée qui partait de notre dortoir, nous trouvâmes des garçons plus âgés que nous, dont la ceinture d'étoffe rouge et les galons aux manches proclamaient l'autorité, qui nous rappelèrent d'un ton sévère de ne pas dévier des sentiers, d'éviter toute bousculade et de marcher à l'unisson ainsi qu'il seyait à une troupe militaire. Ces surveillants qui nous séparèrent en plusieurs groupes étaient des élèves de seconde année, comme je l'appris de la bouche de Rory avant qu'on ne lui ordonnât de se taire dans les rangs. Ils nous regroupèrent par étages, ce qui nous convenait à merveille, et notre guide, le caporal Dente, prit la tête de notre patrouille. Il plaça Gord à mes côtés ; encombré par son poids, mon condisciple soufflait et avançait d'une démarche titubante en tâchant d'allonger le pas pour garder la cadence.

Nous nous trouvions presque en queue de peloton quand nous pénétrâmes dans le réfectoire, et les odeurs de cuisine exacerbèrent mon appétit ; j'entendis l'estomac de Gord gronder. Dans la salle, Dente nous pilota jusqu'à notre table déjà servie et nous ordonna de nous placer chacun derrière notre chaise en attendant la permission de nous asseoir et de manger. Les soupières couvertes, les assiettes de viande en tranches, les épaisses tartines de pain noir et les jattes débordant de haricots cuits à l'eau nous soumettaient à une terrible tentation olfactive. Même après que tous les occupants de la tablée furent arrivés, nous dûmes rester debout pendant que Dente nous infligeait un bref sermon sur le devoir de tout officier de veiller au bien-être de ses hommes avant de penser à soi : attendre que tous nos camarades fussent prêts à se restaurer en même temps que nous devait nous rappeler que la cavalla dépendait, pour son bon fonctionnement, de l'égalité accordée aux besoins de chacun de ses membres. J'eus l'impression que le regard de Dente s'attardait sur Gord lorsqu'il prononça ces mots.

Cet exposé me parut parfaitement superflu : depuis l'enfance, je savais qu'à table on attend pour se restaurer que tous les convives soient présents et installés. Mais je tins ma langue comme les autres et demeurai derrière ma chaise jusqu'à ce qu'on nous permît de nous asseoir ; toutefois, là encore et à ma grande surprise, notre mentor sembla juger nécessaire de nous enseigner les rudiments du maintien à table. En termes simples, comme s'il craignait que nous ne comprenions pas, il nous expliqua d'un ton grave que chaque plat devait faire le tour de la table afin de permettre à chacun de se servir, et que nous devions nous retenir de manger tant que tous n'avaient pas pris leur part ; il y avait assez pour que chacun bénéficie d'une portion copieuse, mais nous devions nous servir avec modération et veiller à ce que toute la tablée reçût une ration équitable de chaque plat. J'échangeai un coup d'œil avec Natrède et Kort ; de la tête, ce dernier indiqua discrètement Gord, comme pour me faire comprendre que le discours du caporal Dente s'adressait surtout à lui. L'élève empâté avait la tête baissée, si bien que j'ignorais s'il salivait devant les plats ou évitait le regard du sous-officier.

Plus tard, à la table d'étude, dans le calme relatif de notre dortoir, Natrède dit avec un sourire espiègle : « Je m'attendais presque à le voir sidéré que nous utilisions

345

nos couteaux et nos fourchettes au lieu de manger avec les doigts ! »

Spic haussa les épaules. « Il doit croire qu'à la frontière on nous donne une éducation sommaire et à moitié primitive. Dans mon cas, il a probablement raison sur bien des points : j'ai passé de nombreuses soirées autour de la marmite commune en compagnie de nos ouvriers, à camper près des troupeaux pour empêcher les attaques des chiens sauvages, sur les agneaux nouveau-nés. Ça ne veut pas dire que je ne sais pas me tenir à table, mais il a peut-être préféré nous prévenir à l'avance pour éviter à un pauvre nigaud de se faire corriger devant tout le monde. »

Notre conversation s'interrompit quand Caleb et Rory réquisitionnèrent notre table pour une partie de bras de fer, et bien vite nous nous mîmes tous à nous mesurer les uns aux autres. L'épreuve entre Rory et Natrède se transforma bientôt en concours de lutte à même le plancher, et nous ne prîmes conscience du chahut qui régnait dans la salle qu'au moment où la table se renversa bruyamment. Soudain calmés, nous l'avions redressée avant de nous rasseoir lorsque nous entendîmes des pas pressés dans l'escalier. Quelques secondes plus tard, notre chaperon ceinturé de rouge ouvrit la porte à la volée. « Que se passe-t-il, ici ? » lança-t-il tandis que nous nous levions. Ses taches de rousseur s'effaçaient sous le rouge de la colère.

« Quelques jeux un peu brutaux mais sans méchanceté, caporal, répondit Natrède après quelques secondes de silence. Rien de violent. »

Dente fronça les sourcils. « J'aurais dû m'en douter,

marmonna-t-il entre ses dents, comme s'il se reprochait d'avoir espéré un comportement civilisé de notre part. Eh bien, maîtrisez-vous et cessez de vous agiter comme des enfants ; ceux des étages en dessous aimeraient avoir un peu la paix. Aux coups de trompe, demain à l'aube, vous devrez vous assembler – lavés, rasés et en uniforme – sur le terrain de parade ; ne m'obligez pas à venir vous tirer du lit : ma façon de m'y prendre ne vous plairait pas. »

Là-dessus, il opéra un demi-tour impeccable et sortit de notre salle commune au pas militaire. Il s'engagea dans l'escalier où, malgré les claquements furieux de ses talons, je l'entendis maugréer : « Bien ma veine ! Me voilà attelé à une bande de crétins de nouveaux nobles ! »

Nous échangeâmes des regards, certains choqués, d'autres perplexes, en nous rasseyant. Natrède paraissait amusé, Kort offensé.

« Il faudra s'y faire », déclara Rory d'un ton nonchalant. Il se leva, se gratta la poitrine puis s'étira. « Mon cousin descendait de l'ancienne aristocratie et ça n'y a rien changé ; d'après lui, le caporal cherchera tous les prétextes pour nous tomber dessus, tous ensemble. Ça servirait à nous inculquer l'esprit de groupe, à resserrer les liens entre nous pour qu'on forme une patrouille plus efficace. Les prochaines semaines, on aura beau faire, il nous cravachera, il trouvera des broutilles à nous reprocher, il nous imposera des corvées supplémentaires, nous infligera des blâmes ou nous virera de nos lits pour rien. Et Dente ne sera pas le seul ; attendez-vous à des brimades de la part de tous les élèves avec un galon de seconde année sur la manche. Je parierais même que, demain matin, on aura passé notre dernière nuit complète avant un bon moment ; alors, moi, je vais en profiter. » Il bâilla à s'en décrocher la mâchoire et sourit d'un air penaud. « Je suis un gars de la campagne ; je me couche avec les poules. »

Par contagion, je bâillai à mon tour, puis j'acquiesçai de la tête. « Moi aussi ; la journée a été longue.

— Personne ne veut jouer aux dés avec moi ? » demanda Trist d'un ton engageant. Lui seul paraissait indifférent à la réprimande du caporal Dente ; confortablement assis sur sa chaise en équilibre sur deux pieds, il croisa les bras et lança son sourire étincelant à la cantonade. Il était le plus beau de nous tous, avec ses yeux noisette et ses cheveux blonds que, malgré la coupe militaire, on devinait bouclés ; le charme émanait de lui comme le parfum d'une fleur. Je le voyais bientôt chef de notre patrouille et, plus tard, officier charismatique. Sa proposition ne manquait pas d'intérêt.

« J'en suis », annonça Gord d'un ton excité. L'enthousiasme faisait trembloter ses bajoues.

Je résistai à la tentation et déclarai dans le silence de la salle « Pas moi ; je ne joue pas aux dés. »

Tandis que je me dirigeais vers ma chambre, Spic dit à Trist d'un ton grave : « Le règlement interdit les parties de dés, de cartes et tous les jeux de hasard dans les dortoirs sous peine d'expulsion. Tu ne l'as donc pas lu ? »

Trist hocha la tête d'un air nonchalant. « Si, mais qui ira nous dénoncer ? »

Je me retournai lentement ; mon honneur m'obligerait

à signaler toute infraction. Je trouvai soudain beaucoup moins de charme à Trist que quelques instants plus tôt. Je m'efforçai de rassembler mon courage pour déclarer que je rapporterais son entorse, que mon devoir l'exigeait. J'avais la bouche sèche.

Spic secoua la tête et croisa les bras, mais rien n'y fit : sa taille réduite lui donnait toujours l'air d'un enfant à côté de la longue silhouette élancée de Trist. « Tu ne devrais pas nous mettre dans une situation pareille ; tu le sais bien, on nous tiendra tous responsables de ta conduite, même si nous n'y sommes pour rien ; or le code de l'honneur exigera que nous la dénoncions. »

L'autre redressa sa chaise et se leva lentement. L'élève blond dominait le petit noiraud de toute sa hauteur. « Je te taquinais ; tu es toujours aussi sérieux ? Souffle du dieu, quel manche à balai tu fais ! »

Spic ne se laissa pas démonter, les pieds légèrement écartés comme s'il s'apprêtait au combat. « C'est blasphémer que prononcer le nom du dieu de bonté en dehors de la prière – et le règlement de l'Ecole l'interdit aussi.

— Pardon, Votre Sainteté ; je vais me retirer dans ma chambre de ce pas pour y faire repentance. » Trist leva les yeux au ciel et se détourna. Spic refusa de réagir et continua de regarder fixement devant lui pendant que son adversaire s'éloignait d'un air enjoué. Peu après, Oron et Gord le suivirent, et ils fermèrent leur porte derrière eux.

Cette première lézarde dans l'unité de notre étage me navrait, mais je la savais inévitable : le sergent Duril m'avait parlé de ce phénomène, bien qu'il tirât sa science de son expérience en campagne et non dans une école. Malgré cette différence, je savais que ses propos étaient justes : « Quand un groupe se forme, ou qu'il accepte de nouveaux membres – peu importe qu'il s'agisse d'un régiment ou d'une patrouille, d'hommes de troupe ou d'officiers –, il y a de la bousculade pour savoir qui passera le premier à l'abreuvoir. Chacun se mesure aux autres, et c'est bien rare qu'on n'assiste pas à quelques bagarres avant que tout se calme. Garde la tête froide, dis-toi qu'il n'y a rien à y faire et arrange-toi pour rester à l'écart. Attention, il ne s'agit pas de jouer les couards, mon garçon, mais de te tenir en retrait, de ne pas t'exciter et d'attendre qu'on te défie au lieu de foncer dans la mêlée ; comme ça, personne ne pourra dire que tu as déclenché l'empoignade. Contente-toi d'y mettre fin. »

« Jamère ? » Kort me poussa du coude et je sursautai. Je me rendis compte que je contemplais la porte close sans la voir. « Laisse tomber », murmura-t-il.

Je hochai la tête. « Je crois que je vais me coucher aussi. » Mais c'était plus facile à dire qu'à faire : notre chambre ne comptait qu'un seul lavabo et je dus attendre mon tour pour y accéder. Rory entra, vêtu d'une chemise de nuit tissée à la main ; il s'assit à côté de moi sur le pied de mon lit et me demanda à mi-voix : « Tu crois qu'il va y avoir du pet entre Trist et Spic ? »

Je réfléchis un instant. « Ce ne sera pas à cause de Spic.

— Sans doute. Mais, s'ils en viennent aux mains, on le paiera tous. Ça se passe comme ça ici : s'il y en a un qui fait le mariolle, tout le monde trinque. »

Le lavabo se libéra et, comme je me levais, Rory poursuivit : « Tu pourrais peut-être parler à Spic, lui expliquer qu'il doit garder son sang-froid en attendant qu'on trouve tous nos marques. On aura déjà le caporal Dente sur le dos ; pas la peine d'en rajouter en nous bouffant le nez entre nous.

— Ne vaudrait-il pas mieux parler plutôt à Trist ? »

Rory leva ses yeux sombres vers moi et il secoua sa tête ronde. « Non ; ce n'est pas le genre à écouter. Bon, eh bien, je vais retourner dans ma chambre. »

J'eus envie de lui demander si Trist l'avait envoyé me sonder ; une autre question me vint : jouaient-ils aux dés dans leur chambrée ? Mais je me tus : je préférais ne pas le savoir.

Peu après, Kort souffla la lampe et nous nous agenouillâmes tous devant notre lit pour dire nos prières. Je m'y abîmai plus longtemps et avec plus de ferveur que d'habitude, en implorant le dieu de bonté de me montrer la voie juste pour traverser les épreuves ; enfin je m'allongeai sur mon étroite couche, dans le noir, et tâchai de m'endormir au son de la respiration de mes voisins.

10

Camarades de classe

Quelqu'un jouait du tambour en pleine nuit. Je me retournai et tombai de mon lit. Il était beaucoup plus étroit que celui dans lequel je dormais à la maison, et cela faisait trois fois que j'en dégringolais. A plat ventre sur le plancher froid, je gémis ; j'entendis une porte s'ouvrir, se refermer, et on entra dans la chambre avec une chandelle. Je me réveillai aussitôt et me redressai sur mon séant avec lassitude. « Ce n'est quand même pas le tambour de l'aube ! Il fait encore noir comme dans un four dehors.

— Sauf si tu tires les rideaux », répondit sèchement Rory en s'approchant de la fenêtre et en joignant le geste à la parole. Le ciel nocturne prenait en effet une vague teinte gris perle. « C'est bien le tambour du lever. Il faut qu'on s'assemble sur le terrain de parade, lavés et habillés, avant la trompe du matin ; ça te revient ?

— Vaguement. » Je bâillai.

Spic se redressait dans son lit en clignant les yeux comme un hibou ; Natrède se tenait à deux mains l'oreiller sur la tête. Je vis l'occasion de me servir le premier du lavabo et la saisis. Sans cérémonie, Kort m'écarta légèrement pour se raser en même temps que

353

moi. En retournant à son placard, il donna un coup de pied dans le montant du lit de Natrède. « Debout, Nat ! Pas question qu'on donne un prétexte à Dente pour nous haranguer dès l'aurore ! »

J'enfilais – non sans mal – mes bottes quand Natrède sortit enfin de son lit. Néanmoins, il finit de se préparer en même temps que nous ; il caressait le duvet de ses joues d'un air guilleret en s'écartant du lavabo. « Ça a du bon d'être blond ; d'après mon père, je ne commencerai à me raser que vers vingt ans ! »

Spic avait fait son lit à sa place en lui jurant d'un air mauvais qu'il s'agissait de la première et de la dernière fois, et que Natrède lui devait un service. Extrêmement fiers du rangement impeccable de notre chambre et de notre tenue irréprochable, nous quittâmes notre étage en exhortant les traînards à se dépêcher pour nous éviter une punition collective. Comme nous descendions l'escalier, képi sous le bras, des occupants des autres paliers se mêlèrent à nous et nous sortîmes du dortoir pour nous joindre à un flot d'élèves vêtus de vert qui s'écoulait vers le terrain de parade dans la pénombre du petit matin.

La trompe de l'aube n'avait pas encore retenti, mais le caporal Dente nous attendait déjà. Il s'enquit sèchement du reste de sa patrouille puis, sans nous laisser le temps de répondre, déclara que nous devions arriver tous ensemble, car nous apprendrions promptement que les hommes de la cavalla ne laissent pas les leurs en arrière. Il employa les quelques minutes qu'il fallut aux retardataires pour se présenter à débiner notre aspect ; il voulut savoir si Spic avait dormi tout habillé puis exigea que Kort lui décrive une brosse à chaussures et lui explique son usage. Il m'ordonna de redresser mon képi et m'avertit que, si je continuais à faire la forte tête, il y trouverait un remède qui ne me plairait pas. Il tourna plusieurs fois autour de Natrède en l'examinant comme un animal exotique avant de lui demander depuis combien de temps il marchait sur ses deux jambes et quand il pensait apprendre à se tenir droit ; tandis que l'élève, rouge comme une pivoine, cherchait désespérément une réponse, Gord pénétra enfin sur le terrain au petit trot, tout seul, les joues écarlates et un bouton déjà prêt à craquer sous la tension que lui imposait son tour de taille. Dente négligea aussitôt Nat pour se tourner vers sa nouvelle cible. « Regardez-vous, Gourde ! » lança-t-il ; Natrède réprima un petit rire auquel le caporal ne réagit pas. « Redressez les épaules et rentrez-moi cette tripaille ! Quoi ? Vous ne pouvez pas faire mieux que ça ? Vous êtes plusieurs là-dedans ou vous attendez un môme ? »

Il poursuivit quelque temps dans cette veine pendant que Gord souffrait les affres de l'humiliation et que Natrède s'étranglait d'hilarité contenue. Pour ma part, j'éprouvais à la fois de la compassion pour mon condisciple et un amusement que je m'efforçais de cacher. Plus Gord essayait de rentrer son ventre, plus il devenait rouge, et je crois qu'il aurait fini par exploser si l'arrivée du reste de notre patrouille ne l'avait pas opinément tiré d'affaire. Les retardataires se mirent en formation, le souffle court ; un pan de la chemise de Rory dépassait, et le caporal Dente bondit sur les nouveaux venus comme un chat sur une portée de souris.

Il n'eut pas une parole de louange, pas un mot d'encouragement pour quiconque ; nul ne se montrait à la hauteur de ses attentes et il exprima ses doutes qu'aucun d'entre nous dépassât le premier trimestre. Lorsque, devant un élève, il restait à court d'invention en matière d'insultes, il se bornait à hurler « Et vous ne valez pas mieux ! » avant de s'en prendre à sa victime suivante. Sans ménagement, il nous poussa, nous bouscula pour nous placer en rangs, puis, satisfait du résultat ou trop exaspéré pour continuer, il s'arrêta et prit position devant nous alors que la trompe retentissait enfin.

Nous demeurâmes ensuite au garde-à-vous. Le règlement nous imposait de rester les yeux fixés droit devant nous, mais je me risquai tout de même à les tourner discrètement de côté. Dans la lueur de l'aube, nous nous ressemblions tous : uniforme vert chasse, haut képi, bottes noires et œil écarquillé. Seule l'absence ou la présence de galons sur les manches distinguait les première année des anciens. Chaque dortoir avait adopté une formation séparée des autres ; nous étions les Cavaliers de Carnes, ainsi nommés d'après l'appellation de notre bâtiment, et nous avions pour emblème un cheval brun sur champ vert. Chaque dortoir abritait des élèves des trois niveaux d'étude ; j'observai que deux des patrouilles de première année présentaient des effectifs nettement supérieurs aux deux autres ; s'agissait-il d'une répartition des groupes entre anciens et nouveaux nobles ? Les élèves officiers d'active avaient formé leurs rangs à part, sur la droite ; j'enviais l'épée de parade qui pendait à leur côté.

J'ignore combien de temps nous attendîmes. Pour finir, quatre officiers subalternes vinrent nous inspecter ; chacun prit deux des patrouilles, parcourut nos colonnes et fit ses critiques tandis que les caporaux qui les suivaient en retrait fronçaient le nez à chaque commentaire négatif, comme s'il les visait personnellement. Je songeai soudain que c'était sans doute le cas, que l'on confiait probablement pour la première fois à Dente un groupe à commander – le nôtre –, et qu'on jugerait de ses talents de chef à sa capacité à nous former en rangs nets. J'éprouvai un pincement de compassion pour lui, bombai le torse et braquai mon regard droit devant moi.

A la fin d'une inspection sommaire, les officiers subalternes remontèrent en tête de file, exposèrent à mi-voix mais sans ménagement leurs critiques aux caporaux puis s'alignèrent à part. Nous restâmes au garde-à-vous encore un long moment sans que rien se passe, et, finalement, nous vîmes le colonel Stiet se diriger vers nous d'un pas vif. L'élève commandant de l'Ecole marchait à sa gauche, tandis que le petit Caulder, à sa droite, s'efforçait de tenir leur cadence.

Ils s'arrêtèrent avec un bel ensemble devant notre troupe. Le directeur parcourut des yeux ses élèves en rangs et poussa un léger soupir qui semblait signifier que nous ne valions pas mieux que ce qu'il attendait. Une petite fanfare joua *Au combat* tandis qu'on hissait les couleurs gerniennes puis la bannière de l'Ecole.

Enfin le colonel Stiet fit un discours pour nous souhaiter la bienvenue à l'Ecole royale de cavalla. Il nous rappela que la cavalerie ne se composait pas seulement d'individus à cheval mais de toute une hiérarchie de sections, patrouilles, troupes, régiments, brigades et divisions. La valeur d'une patrouille s'alignait sur celle de son membre le moins performant, celle d'une troupe sur sa patrouille la moins efficace ; il s'étendit sur ce sujet quelque temps, et je sentis mon attention faiblir, car il me semblait qu'il s'appesantissait sur des évidences. Il exhorta chacun de nous à aider ses camarades à se hausser au meilleur niveau possible dans les domaines des études, de l'honneur, des manières et des connaissances techniques ; notre carrière, voire notre vie, pouvait un jour dépendre des élèves que nous aurions contribué à former durant notre scolarité. En conclusion, il nous répéta à plusieurs reprises qu'il nous considérait tous comme égaux, dotés d'un potentiel égal à monter en grade et obtenir notre brevet haut la main ; peu importait que nous vinssions de la capitale, de la province ou de la frontière ; peu importait que nos pères descendissent de la chevalerie d'antan, de fils militaires de l'aristocratie de souche ou de seigneurs des batailles : tous recevraient le même traitement et bénéficieraient des mêmes perpectives d'avenir. Ses propos chaleureux et rassurants accrurent pourtant mon impression que certains risquaient de regarder les fils de nouveaux nobles comme des arrivistes mal dégrossis et des usurpateurs.

Quand il se tut, l'élève commandant en chef prit la parole. Manifestement, il avait appris par cœur son texte de bienvenue et la liste de mises en garde qui l'accompagnait, mais les grondements de mon estomac m'empêchèrent d'y prêter grande attention ; lorsque le tour vint du commandant des Cavaliers de Carnes de s'adresser à nous, j'éprouvai quelque difficulté à m'intéresser à son discours. Il avait grade d'élève capitaine et s'appelait Jaffeure ; avec son état-major de troisième année, il occupait le rez-de-chaussée de notre dortoir, d'où il veillait à nos besoins et à notre discipline. Il se lança dans une péroraison interminable sur le bâtiment Carnes et sa glorieuse histoire ; je dus me retenir de lever les yeux au ciel : mon « histoire » personnelle était plus longue que celle de l'Ecole même, qui n'existait que depuis moins d'une décennie ! Néanmoins, chaque élève capitaine débita un sermon similaire à ses troupes, et même le colonel Stiet finit par avoir l'air impatient et pressé de s'en aller. Une fois les discours enfin achevés, nous restâmes au garde-à-vous en attendant le départ de Stiet et des élèves commandants. Quand notre capitaine nous ordonna de nous rendre au réfectoire, je mourais de faim et j'avais les muscles ankylosés par ma longue immobilité.

On ne nous mesurait pas la nourriture, il faut le reconnaître. Ce premier jour officiel de l'année scolaire, nous trouvâmes la salle à manger commune plus remplie que la veille, mais le repas se déroula de manière semblable : Dente nous rappela les principes d'une bonne tenue à table avant de nous laisser nous attaquer aux gruau, lard frit, haricots, tartines grillées et café. Une fois que nous nous fûmes rassasiés et eûmes rendu grâces pour le petit déjeuner, il nous instruisit sur la suite de la journée. Toutes les patrouilles de première année obéissaient au même emploi du temps, et il nous avertit qu'on exigerait autant de nous, fils de nouveaux nobles, que des rejetons de l'ancienne aristocratie : nous devions nous montrer à leur hauteur en matière de maintien, et nous pouvions en apprendre beaucoup en calquant notre comportement sur le leur.

Ces propos auraient sûrement suscité des grommellements parmi nous s'il nous avait été permis de maugréer ; mais nous nous tûmes et le caporal nous ramena promptement au bâtiment Carnes prendre nos livres et nos affaires, puis il nous conduisit à notre premier cours avant de se hâter de rejoindre sa propre classe. La salle d'histoire militaire se trouvait dans le même local, long et bas, en brique rouge, que celle de langues et de communication. Nous y entrâmes à la queue leu leu et nous assîmes sur les chaises à dos droit disposées derrière de grandes tables. Rory prit place près de moi, Spic de l'autre côté. Gord passa lentement devant nous ; il avait l'air de vouloir s'installer avec nous, mais notre rangée était comble et il se rabattit sur la suivante, en compagnie de Natrède et Trist. A mi-voix, Spic déclara : « Dente doit cavaler sans arrêt s'il doit nous promener d'un bâtiment à l'autre et assister en même temps à ses cours.

— Ne compte pas sur moi pour pleurer sur le sort de ce petit pinailleur », marmonna Rory avant de sursauter, comme nous tous, quand notre professeur cria : « Debout ! Vous ne savez pas qu'on se lève à l'entrée d'un supérieur ? Allons, plus vite que ça ! »

Le capitaine Infal nous enseignait l'histoire militaire. Tandis que nous restions plantés à côté de nos chaises, il nous expliqua rapidement le travail de la journée. Il s'exprimait d'une voix claire qui portait, avec une articulation irréprochable, comme s'il avait l'habitude de s'adresser à des groupes en plein air plus que dans une salle de classe. Nous devions nous taire, nous tenir droit, prendre des notes pendant qu'il faisait son cours et lire vingt-cinq pages de notre manuel chaque soir. Nous serions soumis à un régime d'interrogations quotidiennes et de contrôles hebdomadaires ; trois notes consécutives inférieures à soixante-quinze pour cent aux contrôles imposaient des heures d'études obligatoires ; cinq aux interrogations et l'on se retrouvait en probation. La patrouille d'un élève en probation devait l'aider à remonter ses résultats par un travail assidu. L'absence en classe ne se justifiait que par un mot de l'infirmerie de l'Ecole : un soldat ne servait à rien s'il ne jouissait pas d'une santé de fer. Là, le capitaine jeta sur Gord un regard noir qu'il porta ensuite sur un jeune homme qui toussait au deuxième rang. Trois absences pour raisons médicales entraînaient une mise en probation. Les élèves n'avaient pas le droit de parler entre eux, d'emprunter ni de prêter aucune affaire pendant les cours. « Et maintenant asseyez-vous sans bruit, sans raclements de pieds de chaises, et ouvrez vos oreilles. »

Là-dessus il se lança dans son premier exposé. J'eus à peine le temps de prendre un crayon et du papier. Sans nous laisser le loisir de poser une seule question, il parla sans interruption pendant l'heure et demie suivante ; de temps en temps, sur le tableau derrière lui, d'une grande écriture fluide, il écrivait une date ou le nom d'un lieu ou d'un personnage à l'orthographe particulièrement difficile. Je griffonnais frénétiquement en tâchant de ne pas me laisser distraire par la compassion que m'inspirait Rory, qui avait oublié son matériel d'écriture et restait sans bouger devant sa feuille vierge. A côté de moi, Spic grattait sans arrêt. A la fin du cours, le capitaine nous fit à nouveau lever d'un ordre péremptoire puis sortit sans un regard en arrière.

L'air éperdu, Rory demanda : « Puis-je… ? » Sans lui laisser le temps de terminer sa phrase, Spic répondit : « Tu pourras copier mes notes ce soir. Tu as besoin d'un crayon pour la prochaine classe ? »

Je fus rempli d'admiration : celui d'entre nous qui paraissait le plus démuni se montrait le plus prompt à partager ce qu'il possédait.

Nous n'eûmes pas le loisir de parler davantage : un ceinture-rouge que je ne connaissais pas s'encadra dans la porte puis nous ordonna en braillant de nous rassembler à l'extérieur et de cesser de lui faire perdre son temps. Nous obéîmes aussitôt, et il se mit en route sans autre forme de procès tandis que nous le suivions au pas cadencé. A mi-chemin du bâtiment de mathématiques, il fit halte, attendit que Gord arrivât à sa hauteur et entreprit de le harceler pour le pousser à tenir l'allure, allonger sa foulée et faire au moins un effort pour ressembler à un élève et non à un sac de pommes de terre qui tressaute au fond du cabas d'une ménagère. Il le somma de donner le pas à voix haute, puis, alors que l'autre, le souffle court, n'émettait que des sons indistincts, il lui cria de hausser le ton et de se faire entendre comme un homme. A ma grande honte, je dois avouer que j'éprouvais un lâche soulagement que Gord retînt l'attention du caporal et détournât ses flèches de moi.

Les cours de mathématiques et de science avaient lieu dans un vieux local qui évoquait le dortoir Carnes en ce qu'il avait servi jadis d'entrepôt. Bas, en pierre irrégulière, il s'étendait le long de la rivière, dans le flot paresseux duquel s'avançaient plusieurs pontons où s'amarraient de petites embarcations. On nous mena du côté de la rive puis on nous indiqua de monter dans une salle du premier étage. Une odeur de moisi frappa nos narines quand nous pénétrâmes dans l'édifice humide ; nous gravîmes les marches pour nous entendre dire, sur le palier, que nous étions déjà en retard.

« Entrez, asseyez-vous et taisez-vous ! » lança le capitaine Rusque, petit bonhomme chauve qui m'arrivait à peine à l'épaule. Sans même attendre que nous eussions pris nos places, il nous tourna le dos et se mit à griffonner des chiffres sur le tableau. « Réfléchissez bien et levez la main quand vous pensez avoir la solution. Les cinq premiers à se manifester seront invités à exposer leur raisonnement sur l'estrade. »

Notre patrouille s'installa en hâte et je copiai rapidement les équations. Je trouvai le problème très simple, quoique Spic parût achopper, et je le résolus assez vite ; toutefois, je continuai à écrire, peu désireux qu'on me convoquât devant toute la classe. Gord fut le troisième à lever la main, et le capitaine Rusque l'appela en même temps que quatre autres élèves. Tandis qu'ils rédigeaient leur démonstration à la craie et présentaient leur réponse, le professeur nota un numéro de page sur le tableau et annonça : « A titre de réparation, tous ceux qui n'ont pas donné de solution devront faire les exercices suivants pour demain afin d'affûter leurs capacités de calcul. Très bien ; voyons maintenant comment ces messieurs de l'estrade se débrouillent. »

Je restai pétrifié, l'estomac noué de déception : ma lâcheté, bien qu'infime, venait de recevoir la punition qu'elle méritait. Quatre des cinq élèves au tableau donnèrent la bonne réponse ; Kort en faisait partie. Je ne connaissais pas celui qui commit une erreur d'étourderie dans l'addition de la dernière étape du raisonnement. La démonstration de Gord se révéla la meilleure par son élégance et sa simplicité, sa graphie ferme et claire, sa façon de parvenir à la solution en éliminant deux étapes de calcul. Le capitaine Rusque les passa toutes en revue en se servant de sa badine pour indiquer la progression vers la réponse exacte, soulignant la bévue fatale de l'élève dont j'ignorais le nom et en réprimandant un autre pour son écriture négligée et ses colonnes mal alignées. Arrivé devant le travail de Gord, il se tut puis donna un coup de sa baguette sur le tableau et dit : « Excellent. » Sans rien ajouter, il s'intéressa à la démonstration suivante, et Gord, libéré, retourna à sa place, rayonnant.

J'observai que Spic crispait les poings sur les bords de son bureau, et je coulai un regard discret vers son visage : il était blême. Je baissai les yeux vers la feuille posée devant lui, sur laquelle il avait tenté de résoudre le problème ; il l'avait remplie à moitié de chiffres écrits d'une main précise, mais il n'avait pas approché de la solution. Il plaqua soudain les mains sur son papier, et je vis qu'il avait viré au rouge. J'évitai de croiser son regard ; il n'en aurait éprouvé qu'une gêne plus grande encore. Mieux valait feindre d'ignorer que son niveau de mathématiques ne dépassait pas la simple arithmétique.

Le capitaine Rusque effaça les équations et les remplaça aussitôt par un nouveau problème. Il se tourna vers nous, tapota le tableau de sa craie et dit : « Naturellement, pour la majorité d'entre vous, il s'agit d'une simple révision, mais on ne construit pas une tour sur un sol instable, et je préfère donc éprouver vos fondations avant d'y empiler d'autres connaissances. » A côté de moi, Spic poussa un petit gémissement accablé, et je dus faire un effort pour ne pas le regarder. Le capitaine nous montra pas à pas comment parvenir à la solution, puis il nous proposa trois autres problèmes de complexité croissante et en décomposa la résolution de manière précise, phase après phase ; bon enseignant, il exposait ses raisonnements avec clarté, Spic grattait frénétiquement, tâchant d'accompagner d'une explication chaque étape des démonstrations ; dépassé, il se noyait dans des concepts dont il n'avait jamais entendu parler.

Avec une sorte de honte, comme si j'affichais cruellement mon savoir devant lui, je fus le premier à lever la main lors du problème suivant et de celui d'après. Chaque fois, Gord me rejoignit au tableau, chaque fois sa solution se révéla moins lourde et plus élégante que la mienne, bien que nous eussions tous deux trouvé la bonne réponse, et chaque fois, alors que nous regagnions nos places, le capitaine Rusque assigna une nouvelle série d'exercices à ceux qui n'avaient pas compté parmi les cinq premiers à terminer ses calculs. Quand il nous libéra enfin, la plupart des élèves croulaient sous une écrasante charge de travaux à rendre le lendemain matin. Nous nous levâmes à son départ, puis, profitant du bruit des feuilles et des livres que l'on rangeait, je proposai tout bas à Spic : « Si on faisait les exercices ensemble ce soir ? »

Il ne protesta pas que je n'avais à l'évidence nul besoin de pratique ; il murmura seulement, les yeux baissés : « Je t'en serais reconnaissant, si tu as le temps. »

Les autres patrouilles sortirent promptement. Nous attendîmes Dente avec impatience, mais un autre caporal vint nous prendre en charge et nous conduisit à vive allure à notre cours suivant. Je me sentis soudain débordé par la masse d'études qui m'attendait ; j'éprouvai aussi un certain agacement en constatant que notre destination se situait dans le bâtiment que nous avions quitté à peine une heure et demie plus tôt ; n'aurait-on pas pu caler le cours de varnien à la suite de celui d'histoire militaire, au lieu de nous obliger à courir d'un bout à l'autre de l'Ecole ? Je me consolai en songeant que le déjeuner se profilait derrière cette dernière classe.

Dans la salle, nous nous trouvâmes en présence d'une autre patrouille de première année ; c'était la première fois que nous rencontrions des élèves, nouveaux venus comme nous, sans la surveillance d'un caporal, et nous découvrîmes bientôt, quand nous eûmes commencé à bavarder, qu'il s'agissait aussi de fils de militaires anoblis. Leur étage comptait quinze membres, et nous

nous estimâmes heureux de résider au bâtiment Carnes quand nous apprîmes qu'ils logeaient sous les combles du dortoir Skeltzine, dans une vaste salle percée d'une seule fenêtre à chaque extrémité et de trous dans les avant-toits assez larges pour laisser passer les pigeons et les chauves-souris. On leur avait promis des réparations avant l'hiver, mais, la nuit, il montait déjà de la rivière une brise glacée.

En l'absence du professeur, nous nous assîmes et parlâmes pendant un quart d'heure avant que le caporal Dente, rouge comme un coq, n'entrât en trombe et ne nous sommât de lui expliquer ce que nous faisions là et pourquoi nous ne l'avions pas attendu. Comme, à sa suite, nous sortions dans le couloir, pour nous rendre dans la salle prévue, le responsable de l'autre patrouille arriva en quête des élèves à sa charge. Furieux, tous deux nous réprimandèrent d'avoir stupidement suivi un étudiant que nous ne connaissions même pas, et je finis par comprendre que Dente et son camarade avaient été victimes d'une blague à laquelle nous avions apporté notre contribution involontaire.

Nous fûmes en retard pour le cours suivant et on nous en fit porter la responsabilité. M. Arnis s'adressa à nous en varnien, seule langue autorisée dans sa classe afin de nous obliger à la maîtriser plus vite ; il ajouta que, si nous croyions pouvoir lui manquer de respect parce qu'il n'appartenait pas à l'armée, nous déchanterions promptement. Je saisis le sens général de ses paroles et j'allai m'asseoir, conformément à ses instructions, au fond de la salle en compagnie de mes camarades. Seul Trist paraissait le comprendre facilement ; assis deux rangs derrière moi, il prenait des notes d'un air détendu. Avant de nous libérer, notre professeur nous demanda de traduire en gernien l'introduction du *Journal d'un commandant varnien* et d'écrire en varnien une missive à nos parents dans laquelle nous leur décririons notre plaisir à découvrir les joies de la vie à l'Ecole ; à cause de notre retard, il nous imposa un devoir supplémentaire : rédiger une lettre pour nous excuser d'avoir perturbé son cours. Dans les derniers rangs, quelqu'un poussa un gémissement, et M. Arnis se permit un petit sourire, première trace d'humour qu'aucun de nos enseignants eût manifestée jusque-là.

Comme nous étions arrivés après l'heure, il nous retint après l'heure et réduisit à néant tout espoir d'un crochet par le bâtiment Carnes ou d'un repas tranquille. Le caporal Dente nous attendait, très contrarié de devoir lui aussi prendre son déjeuner à la hâte. Il nous interdit de courir, nous fit former les rangs et nous conduisit à nos quartiers au pas cadencé ; avant de nous laisser monter à notre étage pour y déposer nos livres, il nous informa avec une joie mauvaise que nous avions tous échoué à la première inspection de nos chambres. On nous avait fourni une liste et nous devions nous y reporter pour corriger nos manquements avant de nous rendre au réfectoire ; à partir du lendemain, la revue de nos quartiers aurait lieu chaque matin avant le petit déjeuner.

Je restai sidéré devant la longueur de la liste. Nous n'avions pas balayé ni passé la serpillière, nos vitres étaient sales, et l'appui-fenêtre poussiéreux ; nous devions suspendre nos vêtements dans nos placards, boutonnés vers la gauche – ce qui expliquait, du moins le supposai-je, pourquoi nous avions trouvé nos casiers vides et nos effets en tas par terre. On avait jeté les draps et les couvertures de Natrède à bas de son lit : à l'évidence, il ne l'avait pas fait avec tout le soin voulu. Nous aurions dû remplir notre lampe de pétrole, nettoyer le verre et tailler la mèche. On spécifiait jusqu'à l'ordre dans lequel nous devions placer nos livres sur nos étagères.

Nous nous attelâmes rapidement à nos tâches, et en partageâmes quelques-unes : je passai le balai, Nat la serpillière, Kort s'occupa de la fenêtre tandis que Spic se chargeait du pétrole. Une fois nos livres méticuleusement alignés selon l'ordre et à l'emplacement désignés, nous quittâmes ensemble notre chambre et nous nous mêlâmes aux autres qui sortaient des leurs en ronchonnant. Celle de Trist avait été tirée au sort pour le ménage de la salle commune, c'est-à-dire approvisionner la réserve de bois, balayer le sol, épousseter les meubles et disposer les chaises à intervalles réguliers autour des tables d'étude. Trinte avait dû descendre à deux reprises à l'entrepôt, les bras chargés de vêtements qu'il avait essayé de ranger sous son lit. Nous dévalâmes tous ensemble les escaliers mais, avant même que nous franchissions les portes du bâtiment, le caporal Dente nous cria de nous dépêcher, car devoir perdre son temps pour une bande d'incapables ne l'amusait pas du tout.

Nous pénétrâmes parmi les derniers dans le réfectoire. Derrière nous, la patrouille de fils de nouveaux nobles de Skeltzine paraissait aussi harassée que la nôtre. Comme nous nous assemblions autour de notre table, le caporal nous rappela une fois encore de faire attention à notre maintien, mais je crois que nul ne l'écouta : nous ne nous intéressions qu'aux épaisses tranches de rôti de porc, à la grande jatte de purée de navets, aux tortillons de lard grillé qui nageaient dans le jus des haricots réduit à la cuisson. Des tartines de pain, un gros pot de beurre et plusieurs carafes de café nous attendaient aussi. Je ne sais pas s'il y eut une conversation à ce repas, en dehors des formules de politesse obligées pour demander qu'on repasse un plat ou le café ; nous mangeâmes tous, ainsi que l'eût dit mon père, « comme soldats en campagne », sans laisser la plus petite miette de nourriture. Au sortir de cette orgie, alourdi par tout ce que j'avais ingurgité, je me sentis enclin à la sieste, mais déchantai vite : on nous raccompagna à vive allure à notre bâtiment, où l'on nous donna l'ordre de préparer nos affaires pour le cours de génie et dessin militaires.

Un seul professeur regroupait les deux domaines, et il devint aussitôt mon préféré : sans doute le doyen de ses confrères, de haute taille, émacié par l'âge, il n'était plus qu'os et tendons ; néanmoins, il conservait le port fier d'un excellent cavalier. Le capitaine Hure nous avertit d'entrée qu'il ne pensait pas possible d'apprendre dans les livres les sujets qu'il traitait, mais que l'application immédiate de leurs concepts permettait de les fixer dans l'esprit. La salle regorgeait d'un assortiment alléchant de maquettes de ponts, de digues, de sites de batailles célèbres, de balistes anciennes, de pontons, de fourgons et d'ouvrages de terrassement de toutes sortes. Au lieu de nous obliger à écouter sans bouger un long cours magistral, il nous invita à quitter nos places pour examiner sa collection et nous fixa pour tâche d'exécuter un dessin de trois objets avant la fin du cours. Je me réjouis pour Spic quand le capitaine nous encouragea à puiser dans sa réserve d'ustensiles de dessin, car il n'avait rien, ni compas, ni règle, ni même aucun choix de mines ; Hure les lui fournit comme si cela allait de soi, en disant que les anciens élèves qui les avaient oubliés n'y attachaient guère d'importance et ne remarqueraient sûrement pas leur disparition.

Planifiant soigneusement mon temps, je croquai trois catapultes et balistes, et m'estimai satisfait de mes ébauches ; j'avais toujours eu un bon coup de crayon et, à douze ans seulement, j'avais dessiné un projet de pont destiné à franchir une rivière aux berges escarpées près de chez nous. Spic, fasciné par les instruments de dessin comme un enfant par de nouveaux jouets, passa toute l'heure à exécuter une ambitieuse représentation d'un champ de bataille en modèle réduit ; toutefois, à la fin de la classe, quand nous rendîmes nos travaux, je notai que le capitaine Hure ne lui reprocha pas de ne lui remettre qu'un seul dessin et déclara seulement : « Je vois que vous manquez d'expérience, mais l'enthousiasme et l'application peuvent largement compenser ce défaut, jeune homme. Si vous avez besoin d'aide, venez me voir à mon bureau après les heures de classe. » Après son humiliation en mathématiques, je crois que cet encouragement venait à point nommé pour Spic ; pour ma part, j'en appréciai d'autant plus le capitaine Hure.

Je quittai le bâtiment, soulagé d'en avoir fini avec les cours pour la journée. Même le caporal Dente paraissait de meilleure humeur quand il nous mit en formation et nous reconduisit à Carnes ; néanmoins, il se porta à la hauteur de Gord, le critiqua de nouveau en l'appelant toujours « Gourde » et lui promit de l'affiner à la taille d'une barre de fer avant la fin de l'année. Sa victime s'évertuait à garder la cadence, mais, en vérité, il avait les jambes courtes et il roulait bord sur bord avec force embardées plus qu'il ne marchait. Dente le harcela jusqu'au dortoir, provoquant plus d'un sourire et d'un gloussement parmi les autres élèves ; le caporal avait l'esprit vif, ses commentaires acérés sur les bajoues de Gord qui tressautaient en rythme avec son ventre et sa façon de souffler par les naseaux comme un cheval fourbu faisaient mouche avec une terrible précision, et le ton qu'il employait, à la fois interrogateur et sarcastique, suscitait sur mes lèvres un irrépressible pli d'amusement.

Cependant, quand je lançai un coup d'œil discret à Gord pour voir comment il supportait ces piques, je sentis une honte insidieuse saper mon sourire intérieur : il marchait bravement, sa figure charnue déjà ruisselante de transpiration ; les plis de son cou débordaient, cramoisis, de son col serré ; il regardait droit devant lui, le visage inexpressif, comme s'il avait une longue habitude des moqueries. S'il avait eu l'air démonté ou gêné, je crois que j'eusse pu sourire sans vergogne ; mais sa façon d'accepter la situation avec dignité tout en s'efforçant stoïquement d'imposer sa volonté à ses membres donnait aux sarcasmes de Dente un relent cruel et infantile. Gord faisait son possible en sachant que rien ne satisferait Dente. Le tableau perdit tout son comique à mes yeux, et, pour la deuxième fois en cette première journée à l'Ecole de cavalla, je découvris une mince veine de lâcheté dans mon âme.

Le caporal nous quitta devant Carnes et nous laissa libres de monter à notre étage dans le plus grand vacarme – ou du moins le crûmes-nous : un beuglement outré du sergent Rufert nous arrêta net. Sous le coup de l'indignation, le vétéran quitta son bureau pour nous barrer la route, et nous pûmes constater, à la façon dont il nous réduisit à une meute de chiots apeurés en quelques dizaines de mots, qu'il restait à Dente encore beaucoup de travail avant d'acquérir la langue acerbe et le vocabulaire cinglant d'un vrai sous-officier. Quand il nous relâcha, nous montâmes l'escalier sans bruit, avec tout le flegme et le calme dont nous devrions un jour faire preuve en tant qu'officiers de la cavalla.

Notre répit fut de courte durée. On nous laissa le temps de ranger nos affaires de classe, d'ajuster nos uniformes, puis nous dûmes à nouveau nous assembler en formation sur le terrain de parade, cette fois pour pratiquer des exercices.

Je pensais que nous nous rendrions tout droit aux écuries, et, à la vérité, j'étais impatient de remonter à cheval et de voir quel genre de montures le nouveau commandant de l'Ecole nous avait procurées. Mais, hélas, nous passâmes le plus clair de cette fin d'après-midi à répéter des manœuvres de formation, patrouille par patrouille, en compagnie de Dente. Son manque d'expérience en matière de pédagogie nous handicapait autant que notre inhabileté à marcher au pas. Je connaissais les rudiments du déplacement en troupe, car le sergent Duril me les avait enseignés, tout comme il m'avait entraîné à la foulée réglementaire de vingt pouces ; mais je n'avais jamais pratiqué en groupe, où il faut surveiller ses voisins du coin de l'œil et régler son pas et son allure sur ceux de la patrouille.

Certains ignoraient même comment effectuer un demi-tour ; nous répétâmes cette figure jusqu'à l'écœurement, ceux d'entre nous qui savaient l'exécuter demeurant immobiles comme des bœufs à l'attelage tandis que Dente harcelait les autres et les faisait mettre alternativement au garde-à-vous et au repos pendant ce qui nous parut une éternité. Nous accueillîmes avec soulagement sa décision de passer aux manœuvres d'ensemble. Il nous fit aller et venir au pas cadencé, apparemment de plus en plus mécontent, voire angoissé, devant nos colonnes irrégulières et nos réactions approximatives aux ordres qu'il braillait. Ceux qui comprenaient la technique ne pouvaient rien pour ceux qui n'y parvenaient pas, et nous ne pouvions donner à notre patrouille meilleure allure que celle du moins doué d'entre nous. Gord supportait le gros des reproches de Dente, ainsi que Rory à cause de sa démarche chaloupée et de ses coudes toujours pliés. Kort avait une foulée plus longue que tout le monde, et, quand il s'efforçait de la réduire, on avait l'impression qu'il allait trébucher à tout instant, tandis que Lofert, tout en bras et en jambes, ne distinguait pas sa droite de sa gauche ; il répondait toujours aux commandements avec une seconde de retard, car il observait ses voisins pour savoir quelle direction prendre.

Dente nous vouait à tous les diables avec une belle énergie mais sans le talent du sergent Rufert. Je ne comprenais pas pourquoi il ne pouvait pas s'adresser à nous calmement, jusqu'au moment ou je remarquai l'élève capitaine Jaffeure et le colonel Stiet sur le côté du terrain de parade. Jaffeure tenait un cahier et semblait émettre des critiques sur chaque patrouille sous la surveillance attentive du commandant de l'Ecole. Caulder Stiet se trouvait à gauche de son père, légèrement en retrait, et nous observait. Faisait-il lui aussi des commentaires sur nous ? Je commençais à saisir pourquoi le gamin hérissait apparemment le sergent Rufert : j'éprouvais également de l'agacement à voir qu'il avait voix au chapitre sur toutes les questions concernant l'Ecole ; toutefois, à la place de son père, dans une position semblable, n'eussé-je pas essayé comme lui d'élever mon fils par l'exemple ? Mais, alors même que je tentais de justifier sa présence, je savais que mon propre père eût d'abord attendu de moi une plus grande humilité, ensuite ne m'eût jamais permis de porter l'uniforme des élèves avant que je l'eusse mérité.

Absorbé dans ces réflexions, j'effectuai un « par file à gauche » alors qu'on ordonnait « à gauche, gauche », ce qui désorganisa la cadence de la patrouille et me valut une punition à exécuter avant l'étude.

Je ne fus pas le seul ; quand Dente nous fit rompre les rangs après une dernière semonce, tous les élèves ou presque avaient écopé d'un à six blâmes, qui consistaient à faire le tour du terrain de parade au pas cadencé, en s'arrêtant à chaque angle pour saluer aux quatre points cardinaux. Je n'avais jamais subi la contrainte d'une discipline aussi inutile et fumais en songeant au temps que je perdais au lieu de me plonger dans l'étude de mes cours. Rory, Kort et Gord marchaient toujours quand j'achevai ma sanction, et je les quittai pour regagner Carnes.

J'espérais jouir d'un peu de calme en compagnie de mes livres. J'avais eu une enfance solitaire par bien des aspects, et la présence ainsi que le bruit constant des autres élèves commençaient à me peser. Mais je perdis vite mes illusions : les longues tables de notre salle commune avaient été prises d'assaut par mes condisciples et débordaient de cahiers, de feuilles de papier et d'encriers. Un caporal que je ne connaissais pas faisait office à la fois de surveillant et d'aide ; il tournait autour des tables comme un chien au dîner, émettait des commentaires, répondait aux questions et apportait son assistance à ceux qui en avaient besoin. J'allai promptement chercher mes affaires et trouvai une place à côté de Spic.

Je bénis l'instruction que mon père, prévoyant, m'avait fournie. Connaissant les sujets traités, je n'avais qu'à m'absorber dans leur mise au propre, tâche certes fastidieuse mais sans difficulté. Nombre de mes camarades n'avaient pas cette chance. La main crispée sur mon plumier, je terminai mes devoirs de langue et d'histoire puis m'attelai aux mathématiques ; les exercices imposés par le capitaine Rusque relevaient du calcul de base, sans la moindre complexité, ce qui les rendait encore plus ennuyeux. Mais au moins je n'avais eu droit qu'à une seule série en plus des révisions normales ; certains de mes camarades en avaient quatre à résoudre pour le lendemain. Trist finit son travail avant tout le monde et nous lança un « adieu » enjoué avant de retrouver le calme et le confort relatif de sa chambre. A côté de moi, Spic sua sang et eau sur sa traduction du varnien, avec force pâtés, puis composa sa lettre à sa mère.

J'allais refermer mon livre de mathématiques, mes exercices achevés, quand il saisit le sien et l'ouvrit d'un air malheureux à la première page. Il étudia les exemples donnés puis nota sur une feuille l'en-tête des premiers problèmes ; il prit une profonde inspiration, comme s'il s'apprêtait à plonger du haut d'un pont, et se mit à la tâche. Notre surveillant vint se placer derrière lui ; au milieu du deuxième exercice de Spic, il se pencha. « Six fois huit égalent quarante-huit ; voilà votre erreur dans ce problème-ci et le précédent. Révisez vos bases ou vous n'irez pas loin à l'Ecole ; je m'étonne d'ailleurs que vous ne les ayez pas encore acquises. »

Spic se mura dans un silence encore plus complet, si cela était possible et garda les yeux fixés sur sa feuille comme s'il craignait, en les levant, de voir un visage railleur.

Le surveillant le relança : « M'avez-vous entendu ? Corrigez votre premier exercice avant de poursuivre.

— Oui, caporal », répondit Spic à mi-voix, et il entreprit d'effacer soigneusement son erreur ; l'autre reprenait son tour de table quand l'arrivée de Rory et Kort retint son attention. Il venait de leur attribuer des places à la table lorsque Gord parvint à son tour sur le palier, rouge et soufflant. La sueur avait tracé le long de ses joues des dégoulinures humides qui se perdaient dans les bourrelets de son cou ; ses punitions lui laissaient une odeur de transpiration, non celle, saine, de quelqu'un de propre, mais le relent aigre du lard rance. « Pouah ! » fit quelqu'un à mi-voix lorsqu'il traversa la salle pour suspendre son manteau et prendre ses affaires.

« Je crois que j'ai fini », annonça Natrède d'un ton qui laissait entendre sans risque d'erreur qu'il fuyait en réalité la proximité du nouvel arrivant ; il rassembla son matériel et laissa une place libre à côté de Spic. Comme il sortait, Gord entra, ses livres sous le bras. D'un air soulagé, il se laissa tomber sur la chaise vacante et posa ses bouquins sur la table ; il m'adressa un large sourire par-dessus la tête de Spic, manifestement heureux de s'asseoir. « Quelle journée ! » s'exclama-t-il sans s'adresser à personne en particulier. Le surveillant le réprimanda aussitôt : « Nous sommes ici pour étudier, le gros, pas pour bavarder. Au travail. »

Le phénomène que j'avais déjà observé se reproduisit aussitôt : on eût cru que Gord plaquait un masque sur son visage. Ses traits se figèrent, son regard devint lointain, et, sans un mot, il ouvrit ses livres et se mit à l'œuvre. J'ignore ce qui me retint à ma place ; je n'aspirais qu'à la solitude, et pourtant je restai. Je vis Spic entamer son troisième problème ; il en copia minutieusement l'énoncé puis entreprit de le développer. Je lui effleurai la main. « Il y a une façon plus facile de s'y prendre. Tu permets que je te montre ? »

Il rougit légèrement. Il lança un coup d'œil en direction du surveillant dans l'attente d'une rebuffade puis, décidant de prendre les devants, il leva la main et dit : « Puis-je demander l'autorisation de me faire aider par M. Burvelle ? »

Intérieurement, je rentrai la tête dans les épaules, craignant une réponse cinglante ; mais l'interpellé hocha seulement la tête avec gravité. « Il peut vous aider, non faire le travail à votre place. Secourir un camarade appartient à la tradition de la cavalla ; allez-y. »

Nous nous mîmes donc à la tâche en parlant tout bas. Je lui montrai comment développer son problème, puis il le résolut peu à peu et parvint à la bonne réponse avec un seul coup de pouce de ma part, toujours à cause d'une erreur de calcul. Mais alors il déclara : « C'est beaucoup plus simple, mais je ne comprends pas pourquoi on peut exposer la démonstration de cette façon ; j'ai l'impression qu'on saute une étape.

— Eh bien, on peut, voilà. » Je restai perplexe : je savais ce que j'avais fait, et j'avais résolu cent fois des problèmes semblables, mais je n'avais jamais pensé à demander à mon précepteur pourquoi on pouvait emprunter ce chemin.

La main de Gord vint se poser doucement sur la feuille de Spic. Nous levâmes tous deux vers lui des yeux hostiles, convaincus qu'il allait se plaindre de nos chuchotements, mais il regarda mon voisin et murmura : « J'ai le sentiment que tu ne comprends pas exactement ce que sont les exposants ; ils servent de raccourcis et, une fois qu'on les maîtrise, on les utilise sans difficulté. Puis-je te montrer ? »

Spic se tourna vers moi, comme s'il pensait me voir contrarié. De la main, j'invitai Gord à poursuivre ; à mi-voix, ses livres devant lui, oubliés, il se lança dans ses explications. Je me rendis compte qu'il possédait un talent inné pour enseigner, qui le poussait à vouloir aider Spic, avant même de s'atteler à ses propres devoirs malgré son arrivée tardive. Il ne fit pas le travail de Spic à sa place, ne résolut même pas le problème à titre de démonstration : il expliqua la nature et le rôle des exposants d'une façon qui m'éclaira moi-même. J'étais doué en mathématiques, mais à la manière d'un perroquet, comme un enfant qui récite par cœur « neuf plus douze égalent vingt et un » bien avant de découvrir ce que sont les nombres et le fait qu'ils expriment des quantités. Je savais manipuler chiffres et symboles parce que je connaissais les règles de leur maniement ; Gord, lui, maîtrisait les principes qui les régissaient, et sa définition des exposants me fit comprendre que j'avais passé ma vie à observer une carte des mathématiques tandis que lui explorait le terrain. J'emploie une image bien inadéquate pour une prise de conscience aussi subtile, mais je n'en trouve pas de meilleure.

La science de Gord suscita chez moi une admiration équivoque – équivoque parce que sa condition physique restait à mes yeux inexcusable. Mon père m'avait toujours appris que mon corps était l'animal dans lequel le dieu de bonté avait logé mon âme ; tout comme j'éprouverais de la honte si je laissais mon cheval crotté ou malade, le respect que je me devais m'imposait de soigner mon hygiène et ma santé. Il suffisait de faire preuve de bon sens. Je ne comprenais pas comment Gord supportait de vivre dans une enveloppe charnelle aussi disgracieuse.

Poussé par la curiosité, je demeurai à la table d'étude pendant que, d'un exercice à l'autre, il détaillait à Spic comment et pourquoi on pouvait manipuler les nombres. Cela fait, il s'attaqua à ses propres devoirs. Il ne restait quasiment plus que nous trois dans la salle ; même le surveillant avait approché une chaise du feu et somnolait, un ouvrage d'histoire militaire étalé sur les genoux.

Spic apprenait vite. Il exécuta rapidement ses exercices en ne demandant de l'aide que de temps en temps, lorsqu'un problème présentait une variation, et encore, dans la majorité des cas, uniquement pour confirmer qu'il l'avait correctement résolu. Il souffrait d'une faiblesse dans sa maîtrise des bases, et, à plusieurs reprises, sans rien dire, je lui indiquai du doigt de petites erreurs. Ma grammaire ouverte devant moi, je feignais de revoir la lettre que j'avais écrite, par loyauté envers Spic, je suppose ; Gord et lui venaient d'achever leur travail quand le surveillant sortit de sa somnolence en sursaut et nous foudroya du regard, comme s'il nous rendait responsables de son assoupissement. « Vous devriez avoir terminé à l'heure qu'il est, dit-il sèchement. Je vous accorde encore dix minutes ; apprenez à gérer vos horaires intelligemment. »

Il ne nous fallut pas aussi longtemps pour rassembler nos affaires et les ranger ; nous ne disposâmes que de quelques instants de loisir avant de devoir nous mettre en formation pour nous rendre au réfectoire. Le menu différait considérablement de celui qu'on nous avait servi la veille pour nous accueillir ; il se composait cette fois d'une soupe suivie de pain et de fromage. Les statuts de l'Ecole prévoyaient que le dîner constituât notre repas principal de la journée. Nous mangeâmes tous de grand appétit ; j'eusse apprécié une chère plus substantielle, et d'autres, je pense, partageaient cet avis. « C'est tout ? » demanda Gord d'un ton pitoyable, à la fois inquiet et déçu de la modestie de l'ordinaire, ce qui lui valut quelques rires et plaisanteries moqueurs.

Nous retournâmes ensuite au terrain de parade. Après une brève cérémonie où une garde d'honneur composée d'élèves plus anciens que nous amena les couleurs, Dente nous libéra en nous avertissant que nous ferions mieux de nous occuper de nos uniformes, de nos bottes et de réviser nos leçons du lendemain plutôt que perdre notre temps en vains bavardages.

Nous fîmes les deux, naturellement. Dans tout l'étage, on brossait les bottes, on comparait avec ses voisins ses impressions de la journée, on faisait la queue devant les lavabos et on supputait ce que le lendemain réservait. Mais Dente avait raison : quand il vint nous prévenir qu'il restait seulement dix minutes avant l'extinction des feux, la moitié d'entre nous n'avaient pas achevé ces petites corvées quotidiennes. Nous mîmes à profit du mieux possible le temps imparti, puis Dente ordonna qu'on soufflât les lampes, sans égard pour ceux qui n'avaient pas terminé. Maugréant, trébuchant, nous gagnâmes à tâtons dans le noir nos chambres et nos lits ; je m'agenouillai au pied du mien pour dire mes prières, comme tous mes camarades, qui confièrent leurs pensées au dieu de bonté puis se glissèrent avec soulagement sous leurs couvertures. Je me rappelle avoir pensé que j'aurais du mal à trouver le sommeil, avant de me réveiller au son du tambour dans l'aube indistincte d'un nouveau jour à l'Ecole.

11

Initiation

Cette première journée à l'école fixa la trame immuable de toutes celles qui suivirent. Cinq jours de la semaine étaient consacrés aux cours et aux exercices ; le sixdi, nous avions office et catéchisme, puis distraction obligatoire sous forme de musique, sport, art ou poésie. Nous pouvions disposer du septdi comme nous l'entendions – du moins en théorie ; en réalité, il se passait en révisions, lavage de vêtements, coupe de cheveux et autres nécessités personnelles que notre emploi du temps surchargé ne nous permettait pas de satisfaire le reste de la semaine. Nous recevions aussi du courrier et, de temps en temps, la visite de parents ou d'amis. Les élèves de première année n'avaient le droit de se rendre en ville que pendant les vacances, sauf en cas de besoin impératif, blanchisserie, ajustage d'uniforme et autres ; mais, le temps passant, nous nous liâmes avec des seconde année qui acceptaient, en échange d'une somme modique, de nous rapporter tabac, friandises, saucisses épicées, journaux et petits luxes similaires.

Cette existence peut paraître rigide et contraignante,

mais, ainsi que mon père l'avait prédit, je formai des amitiés et découvris une vie à la fois exaltante et agréable. Natrède, Kort, Spic et moi nous entendions à merveille, et cette complicité faisait de notre chambre un plaisant refuge. Nous partagions les corvées sans chercher à tirer au flanc – ce qui ne veut pas dire que nous sortions indemnes des inspections, car les caporaux prenaient un malin plaisir à repérer les plus infimes infractions : poussière oubliée sur le haut de la porte, gouttes d'eau demeurées sur les bords de notre lavabo. Il était pratiquement impossible de réussir ces examens haut la main, mais nous nous y efforcions. Les tours de terrain de parade en guise de punition entrèrent peu à peu dans notre quotidien ; à ces blâmes ne s'associait nulle honte, seulement de l'agacement. Curieusement, toutes ces épreuves tendaient à nous souder, ce qui, j'en reste persuadé, répondait à leur objectif ; tous, nous nous plaignions de la qualité des repas, des nuits trop courtes, des inspections absurdement tatillonnes et de la stupidité des tours de terrain. Comme une vieille chaussure détourne l'attention de chiots débordant d'énergie au point qu'ils en oublient de se battre, les misères inutiles que nous infligeait l'Ecole empêchaient les disputes d'éclater entre nous ; notre patrouille se liait.

Néanmoins, à l'intérieur de notre groupe existaient des amitiés et des rivalités. De tous, j'étais sans doute le plus proche de Spic et, par lui, de Gord. La vie à l'Ecole ne s'améliorait pas pour notre bedonnant ami car, malgré les entraînements et les nombreux tours de terrain que lui valaient ses blâmes, il ne s'amincissait pas, quoiqu'il parût se muscler et acquérir de l'endurance, face à la fois aux exercices physiques et au harcèlement quotidien que lui attirait son embonpoint. Même dans sa propre chambrée, il apparaissait un peu comme un proscrit ; il venait parfois chercher refuge chez nous pour bavarder le soir, mais il restait aussi souvent assis tout seul dans un coin de la salle commune à lire des lettres de ses parents et à y répondre. Trist ne lui vouait que dédain, et Caleb imitait le jeune prince quand il était présent ; Rory se montrait aimable avec tout le monde, il se joignait souvent à nous pendant l'étude ou lors de nos conversations dans notre chambre, et Caleb l'accompagnait parfois. Girouettes l'un et l'autre, ils traitaient Gord avec courtoisie quand ils le rencontraient seuls, mais pouvaient s'esclaffer à gorge déployée quand Trist se moquait de lui et le tourmenter sans le moindre égard pour ses sentiments.

Trist se tenait toujours légèrement à l'écart de mes camarades et de moi-même, avec l'air de nous juger indignes de le côtoyer. Oron trottinait à sa suite comme un bon toutou, et, en son absence, Rory l'appelait ironiquement son « poil-de-carotte à tout faire ». Trist persistait à enfreindre les règles, autant pour provoquer Spic et son code de conduite inflexible que pour le plaisir de mal agir, je pense. Plus habitué aux choses du monde et mieux dégrossi que nous, il employait parfois ces avantages à son profit. Dès le début de l'année, il proposa que nous embauchions une blanchisseuse pour laver nos chemises ; chacun apporta sa contribution financière, et il se porta volontaire pour déposer notre linge et le récupérer. Se charger de son plein gré d'une

387

corvée aussi peu glorieuse ne lui ressemblait pas. La première semaine, la chemise bien pliée qu'il me rapporta ne me parut pas plus propre que quand je la lui avais remise ; la deuxième, devant une tache à la manchette, je m'interrogeai : l'avait-on seulement lavée ? Mais ce fut finalement Trinte, l'élégant de l'étage, qui émit tout haut des critiques à l'endroit de la blanchisseuse ; alors Trist éclata de rire et nous demanda si nous avions cru sérieusement qu'il se souciait de notre linge au point de prendre la peine de le porter chaque semaine en ville. Il se révéla que nous lui payions en réalité les services d'une prostituée. Dans la patrouille, les réactions allèrent de l'indignation de Spic à l'ardente curiosité de Caleb, lequel bombarda Trist de questions ; ce dernier y répondit avec tant d'esprit que nous finîmes tous par rire à perdre haleine. Nous lui pardonnâmes son stratagème, et ce fut Spic qui alla s'enquérir auprès du sergent Rufert d'une bonne blanchisseuse et s'occupa de faire nettoyer nos chemises. J'appris seulement plus tard que Rory, Trist, Trinte et Caleb continuaient à « porter leur linge » à tour de rôle chez la première « lavandière ».

Malgré le tour qu'il nous avait joué, Trist avait tant de fougue et de charme qu'en d'autres circonstances j'eusse certainement apprécié sa société, sa personnalité, et l'eusse fréquenté avec plaisir. Mais je m'étais lié d'amitié avec Spic d'abord, même s'il ne s'en fallait que de quelques heures, et je n'estimais pas possible de m'agréger au groupe de Trist sans offenser Spic ; je m'en abstenais donc.

Je regardais avec curiosité alliances et oppositions se

construire et je remerciais mon père et le sergent Duril de leurs mises en garde, car elles me permettaient de rester presque impartial devant les interactions de mes camarades. Je savais que l'antagonisme entre Trist et Spic provenait de leurs qualités naturelles de meneurs plus que d'un défaut chez l'un ou chez l'autre ; je voyais même que Spic, en tant que futur officier, risquait de devoir apprendre à s'assouplir pour s'adapter aux réalités de la vie, tandis que Trist serait peut-être contraint d'en rabattre un peu s'il ne voulait pas que sa suffisance le pousse à exposer ses hommes à des dangers inutiles. Je me demandais également s'il ne me manquait pas l'étincelle de l'autorité, car je ne me sentais obligé de défier aucun des deux ; à plus d'une reprise le soir, allongé dans mon lit, je réfléchis à la question. Mon père m'avait souvent répété que l'aptitude d'un officier à commander provenait non seulement de l'instinct inné qui l'y poussait, mais aussi de sa capacité à donner envie aux autres de le suivre. J'espérais avec impatience une occasion de démontrer mes talents, mais, au fond de moi, je savais que les hommes comme Trist n'attendent rien de tel : ils commandent, un point c'est tout.

Comme si le poids d'une existence nouvelle loin de chez soi, de cours magistraux et de longues heures d'étude ne suffisait pas, nous eûmes en outre à supporter six semaines d'initiation ; pendant cette période, nous dûmes nous plier à toutes les corvées et brimades qui passaient par la tête des élèves plus âgés. Certaines prirent la forme de farces, d'autres de simple harcèlement, d'ordres irréalistes et d'exigences stupides auxquels il nous fallait obéir. Ces méchantes taquineries émanaient le plus souvent des élèves des autres bâtiments, mais les deuxième et troisième années de Carnes ne levaient pas le petit doigt pour nous en protéger. Si quelques-unes de ces bernes se révélaient inoffensives, voire amusantes, surtout appliquées à d'autres que soi, elles confinaient parfois à la cruauté. Le pain de savon glissé dans notre cafetière un matin ne rendit malade que deux d'entre nous ; dès la première gorgée, les autres – dont moi – sentirent un goût bizarre et ne touchèrent plus à leur chope. J'ignore qui en fut le plus gêné, de ceux qui ne purent assister aux cours de toute la journée ou de ceux qui durent se passer de leur café matinal. Un après-midi, on plaça en équilibre sur les portes de notre salle d'étude des seaux d'eau sale qui trempèrent Nat et Rory à leur entrée ; des bûchettes de bois-puant mêlées à notre réserve de combustible nous chassèrent de notre chambre un autre soir ; en conséquence d'un fil tendu en travers de notre escalier auquel s'ajouta l'extinction des lampes du palier, Rory, Lofert et Caleb souffrirent de mauvaises contusions ; trois jours d'affilée, on sabota tout notre rangement, on vida nos placards par terre et on retourna nos lits juste avant l'heure de l'inspection. Un soir, nous trouvâmes notre literie abondamment arrosée d'un parfum très bon marché, mais très puissant. « Bordel en juin », le baptisa Rory, et il nous fallut en supporter l'odeur tenace pendant toute la semaine.

Les deuxième et troisième années qui occupaient les étages inférieurs de Carnes parurent nous considérer comme leur « propriété personnelle » durant cette période et prendre plaisir à nous reléguer au rôle de domestiques. Notre patrouille devait cirer leurs bottes, alimenter leur réserve de bûches et astiquer interminablement tout objet en bois ou en cuivre qu'ils nous désignaient. Ils cherchaient tous les moyens de nous dépouiller du peu de loisir dont nous disposions ; les élèves officiers de troisième année avaient le droit d'infliger des blâmes et ne s'en privaient pas.

Les innombrables tours de terrain que nous devions effectuer empiétaient durement sur notre temps d'étude et de sommeil. Je n'arrivais jamais à me détendre complètement et me levais souvent le matin aussi fatigué que je m'étais couché la veille. Quand je découvris un jour de la terre, des feuilles et un caillou dans mon lit, je pensai à une farce de plus ; je me demandais comment les plaisantins avaient réussi à ne pas me réveiller et pourquoi ils m'avaient choisi comme victime. Quelques nuits plus tard, j'eus la réponse à mes questions. J'émergeai en sursaut d'un rêve au contact de la main du sergent Rufert sur mon bras ; il parlait d'un ton apaisant qui ne lui ressemblait guère : « Du calme, du calme, tout va bien. Vous marchez en dormant, monsieur Burvelle, et il faut vous réveiller. »

Je pris une grande inspiration hachée puis promenai un regard stupéfait sur les alentours. Je me trouvais en chemise de nuit, non loin de l'étroite futaie qui bordait une extrémité du terrain de parade. Je tournai les yeux vers le sous-officier, qui m'adressa un sourire dans le maigre éclairage de l'espace désert. « Réveillé ? Tant mieux. C'est la troisième fois que je vous surprends à vous promener la nuit ; la première, j'ai cru que vous obéissiez à un ordre imbécile des grands et j'ai laissé courir. La deuxième, j'ai voulu vous arrêter, mais vous avez fait demi-tour et regagné votre lit, apparemment sans sortir de votre sommeil. Je ne serais pas intervenu cette fois si vous ne vous dirigiez pas vers la rivière ; elle passe juste derrière la ceinture d'arbres. Un élève qui se noie, ça la ficherait mal.

— Merci, sergent », fis-je d'un ton penaud. J'éprouvais un sentiment de désorientation qui tenait autant à la bienveillance du sous-officier ordinairement bourru qu'à la bizarrerie de mon réveil en plein air, loin de mon lit.

« De rien, mon garçon. J'assiste à ce genre de phénomène plus souvent que vous ne le croiriez, surtout en début d'année scolaire. Souffriez-vous de somnambulisme chez vous ? »

Je fis « non » de la tête, hébété, puis me rappelai mes manières. « Non, sergent, pas à ma connaissance. »

Il se gratta la tête. « Bon, eh bien, ça vous passera sans doute. Si ça devient trop gênant, prenez un cordon et attachez-vous par le poignet au pied de votre lit ; je n'ai connu qu'un seul élève qui a dû en arriver là, mais ça s'est révélé efficace : il se réveillait dès qu'il essayait de s'en aller avec son barda à la remorque.

— Oui, sergent ; merci. » Il me semblait que le songe qui m'avait englouti et mené à l'extérieur du dortoir flottait toujours aux limites de ma conscience, comme un banc de brouillard prêt à m'envelopper à nouveau à la première occasion. Il exerçait sur moi une étrange fascination, mais je ressentais aussi de la gêne à me retrouver dehors en chemise de nuit, d'autant plus que le sergent avait dû intervenir.

« Ne vous inquiétez pas, monsieur Burvelle, dit-il comme s'il lisait dans mes pensées. Il ne s'agit pas d'une affaire de discipline ; ça restera entre vous et moi. En outre, ça m'étonnerait que ça dure ; c'est la pression des premiers mois qui provoque ce genre de réaction chez certains. Une fois l'initiation terminée, je parie que vous dormirez toute la nuit sans bouger de votre lit, et on n'en parlera plus. »

Nous avions regagné le bâtiment Carnes dont nous gravissions les marches. J'avais la plante des pieds meurtrie par le gravier des allées et le bas de la chemise humide jusqu'aux genoux à cause des hautes herbes. Arrivé à mon étage, je me recouchai, heureux de retrouver la chaleur de mes couvertures, et pourtant étreint d'un étrange sentiment de regret à l'égard de mon rêve interrompu. Je ne m'en rappelais pas une seule image, mais une impression d'émerveillement et de plaisir subsistait dans mon esprit somnolent.

Nous savions tous que l'initiation prenait fin « officiellement » au bout des six premières semaines de cours, une fois les « survivants » jugés convenablement introduits dans la vie de l'Ecole. J'attendais avec impatience cette simplification de notre existence. Certains supportaient si mal les brimades qu'ils frôlaient la dépression et fondaient parfois en larmes, tel Oron ; Rory, Nat et Kort paraissaient y voir des défis personnels et s'efforçaient de remplir les tâches qu'on leur donnait avec la plus grande promptitude, comme si elles ne les dérangeaient nullement. Obligé d'avaler six

393

œufs durs à la file, Rory en mangea une douzaine. Pour ma part, je m'exaspérais du temps que ces corvées me faisaient perdre en heures d'étude et de sommeil ; toutefois, je m'employais à les affronter crânement, car je ne souhaitais pas passer pour un mauvais joueur.

Puis un incident modifia mon point de vue. Je rentrais seul à Carnes après mes tours de terrain ; la luminosité du ciel diminuait rapidement et l'air devenait froid en ce jour d'automne. J'anticipais le plaisir de m'installer au chaud pour faire mes devoirs. Aussi, quand je vis deux élèves de troisième année venir à ma rencontre, poussai-je un gémissement intérieur. Comme le protocole l'exigeait, je m'écartai du chemin, me mis au garde-à-vous et les saluai à leur passage en formant le vœu fervent qu'ils poursuivissent leur route, mais ils s'arrêtèrent et me toisèrent en souriant. Je gardai les yeux fixés devant moi et le visage impassible.

« Bel uniforme, dit l'un. Confectionné sur mesure, élève officier ?

— Oui, mon lieutenant, répondis-je promptement.

— Bottes de qualité aussi, remarqua l'autre. Demi-tour, élève officier. Oui, tout me paraît en ordre de dos également. Voici un élève soigné, dans l'ensemble ; mes compliments.

— Merci, mon lieutenant. »

Le premier reprit la parole, et je compris alors que j'avais affaire à un duo parfaitement rodé. « Toutefois, comment savoir s'il est vraiment soigné à fond ? Un livre peut avoir une couverture impeccable mais cacher des pages sales. Elève officier, portez-vous des sous-vêtements réglementaires ?

— Mon lieutenant, je ne comprends pas. » Je ne comprenais que trop bien, et l'accablement me saisissait.

« Otez votre manteau, votre pantalon et vos bottes, élève officier. Nous devons vérifier que, même sans uniforme, vous n'êtes pas sans uniforme. »

Je n'avais pas le choix : je devais me plier à leur ordre. Au milieu de l'allée, je quittai ma veste, défis mes bottes, les posai de côté, puis enlevai mon pantalon, le pliai proprement, le rangeai avec mes autres vêtements et enfin me remis au garde-à-vous.

« Votre chemise aussi, élève officier. N'en avais-je pas parlé, Miles ?

— Si, naturellement. Un blâme, élève officier, pour n'avoir pas obéi plus vite. Otez-moi cette chemise. »

J'espérais qu'un enseignant passant par là mettrait un terme à mes tourments, mais la chance ne me sourit pas. Par ordres successifs, ils réduisirent mes effets à mes seuls sous-vêtements. Pieds nus sur le gravier, je m'efforçais de rester au garde-à-vous sans frissonner de froid, et je remerciais ma bonne étoile que mon linge de corps fût neuf et sans trou. Rory ne s'en serait pas si bien tiré. Mes bourreaux, ayant entre-temps ajouté trois blâmes au premier, me suggérèrent charitablement d'effectuer mes punitions sans attendre, en marchant autour d'eux au pas cadencé tout en chantant l'hymne de mon bâtiment à tue-tête. Là encore, je ne pouvais pas refuser. Je bouillais intérieurement mais conservai un air bon enfant, comme si ces bêtises ne m'inspiraient qu'indulgence, et entamai mon circuit. Le gravier glacé me meurtrissait la plante des pieds, j'étais couvert de chair de poule et j'avais le lendemain deux interrogations pour lesquelles il me fallait absolument réviser ; mais je devais tourner au pas militaire autour de mes deux tortionnaires en braillant la chanson du bâtiment Carnes pendant qu'ils m'exhortaient : « Levez les genoux ! » « Plus vite ! » et « Plus fort, élève officier ! Auriez-vous honte de votre bâtiment ? »

Au centre de mon orbite, ils s'amusaient de mon inconfort et de ma gêne quand un autre élève arriva au pas de charge. Les chevrons de sa manche le désignaient comme de quatrième année, et je rassemblai mon courage en attendant qu'il rajoute quelque nouvelle ignominie à mes tourments. Toutefois, comme il approchait, je vis le visage des deux autres s'assombrir et prendre une expression hostile. Il parvint à notre hauteur et je dus interrompre ma course stupide, me placer au garde-à-vous et saluer le nouveau venu ; cependant son attention se portait, non sur moi, mais sur mes deux bourreaux.

« Je vous autorise à me saluer, messieurs », leur dit-il d'un ton glacé, et je reconnus l'accent de la frontière à sa façon d'allonger les syllabes et d'étouffer la fin des mots.

A contrecœur, ils se mirent en position et obéirent. L'autre les laissa ainsi pour se tourner vers moi. Il n'y avait guère de quatrième année à l'Ecole ; on ne restait pour ces douze mois supplémentaires que sur invitation, parce qu'on avait obtenu des résultats exceptionnels et qu'on présentait un potentiel impossible à réaliser complètement sur le terrain. Techniquement, mon sauveur avait déjà obtenu son diplôme et le grade de lieutenant, mais il conserverait l'uniforme d'élève jusqu'à la fin de ses études. Je remarquai l'emblème à motif d'engrenage sur son col, blason du régiment du Génie ; il entrerait dans ce corps à la fin de l'année et arborerait sans doute des galons de capitaine peu après. Il me parcourut des yeux de la tête aux pieds puis me demanda mon nom.

« Elève Jamère Burvelle, mon lieutenant. »

Il hocha la tête. « Bien sûr ; j'ai entendu parler de votre père. Rhabillez-vous, élève officier, et vaquez à vos occupations. »

Par honnêteté, je dus répondre : « J'ai encore trois blâmes à purger, mon lieutenant.

— Non ; je les annule, ainsi que tout autre ordre ridicule que ces deux-là ont pu vous donner et qui vous fait perdre votre temps stupidement.

— Nous ne faisions que nous amuser un peu, mon lieutenant. » Si les mots employés frôlaient l'irrespect, le ton y avait carrément pris pied. L'ingénieur foudroya du regard celui qui avait parlé.

« Et vous ne vous amusez "un peu" qu'aux dépens des fils de nouveaux nobles, ai-je noté. Pourquoi ne pas vous en prendre à vos semblables, monsieur Ordo ?

— Nous sommes en troisième année, mon lieutenant ; nous avons autorité sur tous les première année.

— Personne ne vous a demandé d'intervenir, monsieur Jarvis. Taisez-vous. » Il se tourna vers moi, dos à eux. Je me dépêchai de relacer mes bottes : j'avais été témoin de l'humiliation de mes tortionnaires, et le regard de haine glacée qu'ils portaient sur moi

397

m'incitait à prendre du champ le plus vite possible. « Elève Burvelle, avez-vous fini de vous vêtir ?

— Oui, mon lieutenant.

— Alors regagnez directement votre dortoir et attelez-vous à vos devoirs. » Il jeta un coup d'œil aux deux élèves toujours au garde-à-vous. « Si l'un ou l'autre de ces messieurs vous arrête à nouveau, informez-les respectueusement que vous obéissez déjà à un ordre de l'élève lieutenant Tibre – c'est moi – puis poursuivez votre chemin. Est-ce clair, élève officier ? Voici l'instruction que je vous donne : vous ne devez pas perdre votre temps à participer à cette "initiation" ridicule.

— Bien, mon lieutenant. »

Il reporta son attention sur mes bourreaux. « Et, vous deux, avez-vous bien saisi que vous ne devez pas brimer monsieur Burvelle ?

— Nous avons le droit, jusqu'à la sixième semaine, d'initier les première année. » Un silence, puis : « Mon lieutenant.

— Vraiment ? Eh bien, j'ai le droit, pour l'année entière, de commander aux troisième année comme bon me semble ; et je vous ordonne de ne plus participer à l'"initiation" d'aucun fils de nouveau noble. Me suis-je bien fait comprendre, élèves officiers ?

— Oui, mon lieutenant, répondirent-ils d'un ton maussade.

— Elève Burvelle, vous avez désormais le loisir de suivre mes ordres. Rompez. »

Tandis que je m'éloignais, le lieutenant Tibre obligea les deux autres à demeurer au garde-à-vous. Je me réjouissais qu'il eût mis un terme à mes tourments mais craignais aussi qu'il ne m'eût attiré la vindicte des troisième année.

Son intervention et les propos qu'il avait tenus m'avaient fourni matière à réflexion, mais je dus attendre la fin de la soirée pour en parler avec Rory. Cela se passa après l'extinction des feux et donc techniquement en dehors des règles, mais notre patrouille avait déjà entrepris de les adapter. Notre surveillant, selon son habitude, avait plongé notre étage dans l'obscurité à l'heure prévue, sans souci de ceux qu'une tâche retenait encore, et avait fermé la porte derrière lui en nous laissant regagner nos lits à tâtons. Mais nous nous étions réunis dans la salle d'étude, assis par terre à la lueur des braises mourantes de notre cheminée, et, à mi-voix, j'avais raconté ma mésaventure et l'interposition du lieutenant Tibre. Quand mes camarades eurent cessé de rire tout bas de ma gêne, je demandai à Rory : « Ton cousin a-t-il jamais fait mention d'une animosité entre fils d'anciens et de nouveaux nobles ? »

Dans l'ombre, il haussa les épaules avec désinvolture. « Il n'avait pas besoin de m'en dire beaucoup, Jamère ; ça chauffe toujours entre les aristos de souche et ceux de la nouvelle noblesse, c'est normal. Ils sont au sommet et nous tout en bas : non seulement première année mais aussi enfants de parvenus.

— Mais en quoi cela fait-il de nous des moins-que-rien ? » Spic s'exprimait d'un ton passionné.

Rory écarta les mains dans un geste d'impuissance. « C'est comme ça – parce que ça a toujours été comme ça. Les fils de l'ancienne aristocratie connaissent les ficelles, ils se fréquentent dans des bals, des dîners et autres mondanités ; du coup, ils savent reconnaître les première année qu'ils considèrent comme leurs pairs et ne leur en font pas trop baver. Mais, nous, ils ne nous ratent pas. On n'entend pas souvent parler d'un fils de la noblesse de souche qui se retrouve à l'infirmerie pendant l'initiation.

— En effet, dit Gord.

— Il y a eu un blessé ? » Je l'ignorais.

Natrède hocha la tête avec gravité. « Un des élèves de Skeltzine. Les troisième année du bâtiment les ont obligés à entrer dans la rivière tout habillés, au pas cadencé, jusqu'à ce que l'eau leur arrive à la poitrine, puis ils les ont laissés plantés là pendant une heure. Quand ils leur ont enfin donné l'ordre de sortir, un des bizuts a glissé, coulé et n'a pas réussi à remonter à la surface ; il avait froid, les cailloux étaient traîtres et son uniforme trempé l'entraînait au fond ; il avait sans doute du mal à reprendre son équilibre. J'ai surpris des anciens en train de rire de cette histoire, parce qu'il avait failli se noyer dans quatre pieds d'eau.

— Et on l'a transporté à l'infirmerie ?

— Non, pas lui ; un de ses amis a perdu son sang-froid, braillé qu'ils voulaient le tuer et s'est jeté sur le troisième année responsable de la brimade ; l'autre, avec des seconde année, lui est tombé dessus et lui a flanqué une méchante dérouillée. Et, maintenant, en plus de se retrouver couvert de plaies et de bosses, il risque l'expulsion pour insubordination.

— Et ça fera un fils de nouveau noble en moins, enchaîna tout bas Kort. Ils ne traitent pas leurs première année avec autant de brutalité ; ils les obligent à récurer les escaliers ou à chanter la même chanson pendant une heure, mais ils ne leur font pas avaler du savon ni trébucher dans les marches – et ils ne les noient pas à moitié.

— Mais c'est injuste ! s'exclama Spic, à la fois abasourdi et choqué. Nos frères aînés hériteront et deviendront seigneurs tout comme les leurs ; la parole du roi lui-même nous donne autant de droit qu'eux à une place dans ces bâtiments. Sans nos pères et leur vaillance, cette école n'existerait même pas ! Pourquoi nous accueillir si mal ? » Je sentais la colère monter dans sa voix.

Je perçus de la perplexité dans celle de Rory quand il répondit : « Hé, Spic, on n'est là que depuis six semaines ; encore deux à tenir et ce sera fini. En plus, j'ai l'impression que l'histoire de la rivière les a refroidis ; ils n'ont pas fait de mal à Jamère, ce soir : ils l'ont juste laissé se cailler un peu et obligé à chanter. Je ne comprends même pas pourquoi le lieutenant Tibre est intervenu. Eux, ils s'amusent, et, nous, ça nous permet de voir un peu de quelle étoffe on est faits, voilà tout. Il n'y a pas eu de bobo, hein, Jamère ?

— Non, rien de grave. Mais Tibre avait l'air de tenir à y mettre un terme.

— Bah, il est chatouilleux là-dessus », intervint Trist à mi-voix en se joignant à nous. Il s'était glissé derrière nous à la faveur de l'obscurité, déjà en tenue pour la nuit. Il s'assit au bord de la cheminée près de moi, dos au feu ; le ton assuré qu'il avait employé lui avait valu notre attention immédiate. Pourtant nul ne dit rien.

« Pourquoi ? demandai-je finalement.

— Il est comme ça. Je ne le connais pas bien, mais j'ai entendu des amis de mes frères parler de lui. Il descend de la nouvelle noblesse comme nous, mais il a un talent exceptionnel pour l'ingénierie qui lui permet de se tirer de ses mauvais pas. Avant même l'arrivée de Stiet, à l'époque où le colonel Rébine dirigeait l'Ecole, il a bien failli se faire expulser – or Rébine l'appréciait et connaissait bien ses parents ; mais Tibre adore donner des coups de pied dans les fourmilières. Il déclare à qui veut l'entendre qu'on traite les fils de nouveaux nobles de façon inique ici comme dans la cavalerie ; d'après lui, on nous refile toujours les affectations dont personne ne veut et on monte en grade moins vite que les anciens aristocrates. Bien dans sa manière, il a tracé un grand diagramme pour prouver ses dires et l'a présenté à Rébine l'année dernière dans le cadre de son projet sur les règlements militaires.

— C'est vrai ? fis-je.

— Je n'ai pas l'habitude de mentir ! répliqua Trist d'un ton furieux.

— Non, je ne parle pas de ça ; est-il vrai qu'on nous affecte aux garnisons les moins intéressantes et qu'on prend du galon moins vite que les autres ? » La disparité me touchait soudain personnellement : pour pouvoir épouser Carsina, je devais montrer à son père ma capacité à gravir rapidement les échelons.

« Oui, naturellement, pour la plupart d'entre nous. Il paraît même que, lorsque les parents de Roddé Nouelle ont voulu lui acheter un poste de capitaine, le régiment l'a refusé. Il y a tout le temps de ces petits arrangements politiques, Jamère. Tu ne dois pas en entendre parler souvent à la frontière, mais ceux qui habitent à Tharès sont au courant. » Il se pencha vers moi. « Tu n'as pas remarqué ? Notre caporal appartient à l'ancienne noblesse, comme tous les élèves officiers qui nous commandent. On ne nous mêle jamais à ceux de notre camp et nos ordres ne viennent jamais de nouveaux nobles de deuxième ni de troisième année ; tous ceux de Carnes descendent de l'aristocratie de souche. A la prochaine rentrée, où crois-tu qu'on nous logera ? Ici, ou dans un des jolis bâtiments qu'on vient de construire ? Non : on nous reléguera à l'autre bout de l'Ecole, à Charpe ; le local abritait autrefois une tannerie, et l'odeur persiste. C'est là qu'habitent les fils de nouveaux nobles de deuxième et troisième années.

— Mais comment peuvent-ils tous tenir là-dedans ? demanda Gord, étonné.

— Tous ? fit Trist, narquois. Ecoute, Gord, Rory nous a parlé des éliminations, tu te rappelles ; à quoi crois-tu qu'elles servent ? A ce qu'il y ait plus de diplômés chez les fils d'anciens nobles que chez les nouveaux. A la fin de l'année, pas mal d'entre nous auront plié bagage. Du temps du colonel Rébine, on serrait déjà les fesses, mais il paraît que Stiet rêve de trouver le moyen de nous exclure tous.

— Mais c'est injuste ! Il n'a pas le droit de nous éliminer ni de nous mettre à la porte de l'Ecole uniquement parce que nous ne descendons pas d'une lignée de souche ! » Le ton de Spic exprimait l'effarement et la colère.

Trist se leva, grand et mince, puis il s'étira avec aisance. « Tu n'arrêtes pas de répéter ça, mon petit

403

Spic, mais le fait demeure que, juste ou non, il en a le droit ; alors cherche plutôt le moyen que ça ne t'arrive pas. C'est ce que mon père m'a recommandé avant de partir : fréquenter les élèves bien placés, adopter l'attitude qu'il faut et ne pas faire de vagues – ou ne pas être vu avec ceux qui en font. Petit conseil gratuit : tu n'entreras pas dans les bonnes grâces du colonel Stiet en pleurnichant sur l'épaule de tout le monde sous prétexte que "c'est pas juste". » Il fit jouer ses articulations et j'entendis ses os craquer. « Bon, je vais me coucher, les petits », déclara-t-il d'un ton supérieur. J'aimais bien Trist, mais en cet instant ses manières hautaines m'agacèrent. « Demain, je dois me lever tôt.

— Comme nous tous », répondit Rory d'un ton lugubre.

Nous quittâmes la cheminée pour regagner nos chambres glacées. Je dis mes prières puis me couchai, mais ne trouvai pas le sommeil. Spic partageait apparemment mon insomnie car il murmura dans le noir : « Que nous arrive-t-il si on nous renvoie de l'Ecole ? »

Je m'étonnai qu'il l'ignorât. « En tant que fils militaire, on s'enrôle comme simple soldat et on essaie de gravir les échelons. »

Comme Spic gardait le silence, Nat enchaîna : « Ou, si on a de la chance, on se fait acheter un brevet par un oncle fortuné et on se retrouve quand même officier.

— Je n'ai pas d'oncle fortuné, fit enfin Spic. Aucun qui m'aime assez, en tout cas.

— Moi non plus, intervint Kort. Alors il vaudrait peut-être mieux dormir et travailler d'arrache-pied demain. L'idée de marcher au milieu de la piétaille ne me sourit pas. »

Et nous sombrâmes dans le sommeil sur ces pensées, mais je restai éveillé plus longtemps que les autres, je crois. La famille de Spic n'avait pas d'argent pour lui payer un diplôme s'il se faisait recaler ; mon père possédait peut-être une fortune suffisante pour m'en offrir un, mais le voudrait-il ? Je l'avais surpris en train d'exprimer ses doutes sur mon aptitude à commander et, par là, à devenir officier ; il ne me les aurait jamais dits en face, mais, de ce jour, un voile avait un peu terni mon avenir doré. Au fond de moi, je me consolais en songeant que ma scolarité m'assurait au moins le grade de lieutenant ; or mon père, appuyé par le sergent Duril, affirmait que le lieutenant même le plus stupide pouvait arriver à passer capitaine, à l'usure à défaut d'autre moyen. Mais, en cas d'exclusion, jugerait-il, après mon échec, que je valais le prix d'une bonne affectation ? Les postes dans les meilleurs régiments coûtaient les yeux de la tête, et, même dans les catégories inférieures, ils restaient chers. M'estimerait-il digne de cette dépense ou bien, considérant qu'il gaspillait son argent, m'enverrait-il m'enrôler comme simple soldat ? Depuis que j'avais l'âge de comprendre que ma place de deuxième fils me destinait au métier de militaire, selon la volonté du dieu de bonté, je croyais mon avenir certain, et, le jour de mon dix-huitième anniversaire, je pensais le tenir entre mes mains.

A présent, il me semblait que cet avenir scintillant risquait de s'évanouir, non par ma faute mais uniquement à cause de la politique du temps. Avant d'entrer à l'Ecole, je ne songeais guère aux préjugés auxquels mon statut de fils militaire d'un nouveau noble pouvait m'exposer ; pendant ma formation auprès du sergent Duril, j'avais le sentiment de pouvoir surmonter facilement cet obstacle à force de travail assidu et de bonnes intentions.

Je flottais aux frontières du sommeil, et je dus même m'assoupir avant d'éprouver une soudaine indignation semblable à un coup d'aiguillon. Je m'assis dans mon lit et je m'entendis déclarer comme de très loin : « Un vrai guerrier ne courbe pas le cou sous des humiliations continuelles ; un vrai guerrier trouve le moyen de riposter. »

Spic se retourna dans son lit. « Ça y est, Jamère recommence à parler en donnant, fit-il d'un ton las dans la chambre silencieuse.

— Ferme-la, Jamère », dirent en chœur Kort et Natrède d'une voix somnolente. Je me rallongeai et me rendormis.

Les deux semaines d'initiation restantes me parurent une éternité. Les brimades devinrent plus dures ; une nuit, on nous contraignit à quitter nos chambres et, sans nous permettre de nous habiller, à demeurer au garde-à-vous sous une pluie battante et glacée. Pour celle-là, les plaisantins avaient trouvé un prétexte pour éloigner le sergent Rufert ; il tomba sur nous lors d'une de ses rondes du bâtiment et, furieux, nous ordonna d'aller nous recoucher. Je ne me sentais plus capable d'imiter Rory et de prendre ces avanies comme des défis destinés à nous endurcir ; j'y voyais désormais une occasion offerte aux fils d'anciens nobles de manifester leurs véritables sentiments envers nous. Quand ils se moquaient de moi, m'obligeaient à des conduites ridicules ou me faisaient perdre mon temps à des corvées inutiles, je sentais brûler dans mon âme une petite source de rage qu'ils alimentaient goutte à goutte. J'avais toujours eu bon caractère, je savais apprécier une bonne blague et pardonner jusqu'aux pires mauvais tours ; mais ces six semaines m'enseignèrent pourquoi certains ont la rancune tenace.

J'entrepris, par une réaction peut-être puérile, de me venger discrètement : en cirant les bottes des deuxième année, je pris soin d'appliquer du cirage sur les lacets afin qu'ils se salissent les mains. Ils s'en rendirent compte, naturellement, et, furieux, m'avertirent que j'avais intérêt à faire plus attention la prochaine fois. J'astiquai donc soigneusement à nouveau leurs chaussures, mais j'enfonçai une noisette de goudron de pin dans les sculptures des semelles de plusieurs d'entre elles prises au hasard. Le lendemain matin, en quittant leur dortoir, ils laissèrent des traces collantes dans tout leur étage et récoltèrent la punition prévue pour un plancher sale lors de l'inspection du midi. Ils rejetèrent le blâme les uns sur les autres et durent effectuer plusieurs tours de terrain, ce qui me réjouit fort ; donner à croire que leurs malheurs relevaient de l'accident se révélait beaucoup plus payant.

Quelques nuits plus tard, croyant mes camarades endormis, je descendis de mon lit et traversai à pas de loup la salle d'étude ; alors que j'arrivais à la porte, Rory demanda, « Où tu vas, Jamère ? »

Nat et lui s'étaient assis dans un coin pour bavarder à mi-voix ; dans le noir, je ne les avais pas remarqués.

« Je sors une minute.

— Qu'est-ce que tu as dans la main ? Encore de la résine ? »

Je ne répondis pas, et Rory étouffa un petit rire. « Je t'ai vu en récolter l'autre jour. Bien joué, Jamère – ou plutôt, bien collé. Je n'aurais pas cru ça de toi. Tu manigances quoi, maintenant ? »

En moi, la réticence le disputait à la fierté que m'inspirait mon ingéniosité. Je m'approchai du foyer, soufflai sur les charbons pour éveiller une flammèche puis leur montrai ce que je tenais.

« Des copeaux de bois ? Tu comptes en faire quoi ?

— Les coincer dans le chambranle d'une porte. »

Nat écarquilla les yeux. « Mais ça ne te ressemble pas du tout, Jamère ! Ou est-ce que je me trompe ? »

Je secouai la tête, un peu surpris par sa question et un instant interdit. En effet, ces mauvais tours ne me ressemblaient pas ; j'y reconnaissais plutôt la manière de Dewara. Ces revanches subreptices étaient une tactique de Nomade, sans doute indigne d'un gentil-homme. Toutefois, malgré que j'en eusse, cela me laissait indifférent ; j'avais l'impression d'avoir découvert en moi une deuxième personnalité, capable, elle, de ces manœuvres obscures.

Rory se pencha pour examiner les copeaux. « Ils sont trop petits ; ils ne tiendront pas.

— Tu paries ? répliquai-je.

— Je t'accompagne ; je veux voir ça. »

Suivi de mes deux camarades, je descendis les

marches à pas de loup. La salle d'étude des seconde année donnait sur le palier par une porte qui s'ouvrait vers l'extérieur ; ils la fermaient la nuit pour conserver la chaleur dans leurs chambres. Je m'accroupis. Eclairé par la faible lueur de la lampe de l'escalier, j'enfonçai soigneusement les petits morceaux de bois en forme de coin sous le battant. « Mets-en sur les côtés aussi », me souffla Rory.

J'acquiesçai de la tête avec un sourire espiègle et les fourrai au-dessus des gonds, en appuyant fermement afin qu'ils ne dépassent pas de la fente.

Le lendemain matin, nous pressâmes nos condisciples de quitter leur chambre et de se rendre sur le terrain de parade sans prêter attention aux cris et aux coups dans la porte qui résonnaient à l'étage inférieur. Nous nous mîmes en formation, et nous attendions le caporal Dente, mine de rien, quand les troisième année arrivèrent avec les élèves officiers. Tous les seconde année se présentèrent en retard et reçurent chacun un blâme en conséquence. Pour la plupart d'entre nous, prendre l'air innocent ne posa pas de problème, car Nat, Rory et moi avions gardé le secret sur notre escapade. Toutefois, j'ignore si l'un de mes complices parla de l'affaire, mais à midi tous mes compagnons d'étage m'avaient fait part, d'une façon ou d'une autre, de leurs compliments. Notre caporal porta ses soupçons sur nous et s'échina toute la journée à nous rendre la vie infernale ; mais ses efforts ne parvinrent guère à entamer notre gaieté, ce qui, je pense, le mit au comble de l'exaspération.

J'aurais mieux fait de m'abstenir de ce mauvais tour

car j'aurais dû me douter que Rory ne pourrait que renchérir sur moi en malice. C'est lui, je pense, qui urina dans le broc d'eau des seconde année et le plaça près de leur lavabo, mais je ne puis en avoir la certitude. Chaque jour, nos adversaires nous malmenaient, et, chaque jour, nous imaginions une petite représaille ; nous nous montrions beaucoup plus doués qu'eux pour les subterfuges, et plus inventifs aussi. Grâce à un mélange de farine et de sucre appliqué dans leurs draps, ils se réveillèrent un matin collants comme de la pâte à beignets ; une bûche évidée, remplie de crin de cheval prélevé dans les écuries puis placée dans leur réserve de bois, les contraignit un soir à fuir leur salle d'étude. Ils nous injuriaient, nous accusaient, mais ne pouvaient rien prouver. Nous effectuions les tours de terrain qu'ils nous infligeaient, les yeux baissés, apparemment soumis, mais, la nuit, après l'extinction des feux, nous nous réunissions souvent pour nous réjouir tout bas de nos provocations. L'esprit de tolérance bon enfant avec lequel nous nous efforcions jusque-là de prendre notre « initiation » avait disparu ; nous menions désormais une guerre de résistance pour démontrer que nous n'abandonnerions jamais le combat.

Les six semaines de bizutage s'achevèrent par une grande mêlée sur le terrain de parade. Par tradition, il s'agissait d'une espèce de bataille feinte, concours de corps à corps, lutte à la jarretière ou autre compétition sportive entre bâtiments, destinée en principe à dissiper les rancunes accumulées pendant l'initiation ; tous devaient en sortir pairs et égaux, élèves de l'Ecole les uns et les autres. Mais cette année-là, le rassemblement tourna mal, et, aujourd'hui encore, je pense que le hasard n'explique pas tout. Quels naïfs nous étions ! On nous avait menés au bord de l'explosion à force de mauvais traitements et de vexations, et nous aurions dû apprendre à nous méfier des dires d'un seconde année ; pourtant, quand le caporal Dente grimpa notre escalier à grand vacarme et nous cria de descendre en vitesse parce que ceux de Brigame avaient volé le drapeau de Carnes et nous mettaient au défi de le reprendre, nous refermâmes nos livres et abandonnâmes notre étude du septdi pour nous précipiter sur le terrain sans même un manteau.

A notre immense fureur, nous vîmes pendre au mât de Brigame, à l'autre bout de l'esplanade, notre cheval brun chéri la tête en bas, attaché nettement plus bas que la bannière des larrons. Leurs élèves de première année gardaient le pied du mât. En nous voyant jaillir de notre dortoir comme des abeilles d'une ruche bousculée, ils nous hurlèrent de venir leur montrer quel bâtiment était le meilleur ; leurs seconde année, sur les marches, les encourageaient de la voix.

A mon avis, les anciens avaient mal jugé le tempérament des nouveaux de Carnes – ou bien peut-être espéraient-ils ce qui s'ensuivit. Nous fonçâmes dans le tas, Rory en tête beuglant comme un taureau. J'entendis crier derrière moi : « Des champions ! Vous devez désigner des champions pour s'affronter au nom de chaque bâtiment ! » Mais, si cela avait été prévu, on ne nous en avait pas avertis et l'interpellation arrivait trop tard. Les première année de Carnes se ruèrent à mains nues sur les rangs de ceux de Brigame. Nous

411

croyions nous battre pour l'honneur de nos bâtiments alors qu'en réalité les seconde année des deux dortoirs nous avaient manipulés pour que nous leur fournissions un divertissement gratuit. A l'écart, ils braillaient, nous acclamaient et nous conspuaient, mais nous en avions à peine conscience. Tout d'abord, nous ne fîmes que bousculer nos adversaires, avec force cris et empoignades, dans l'espoir de parvenir jusqu'au pied du mât pour récupérer notre drapeau, mais bientôt les horions fleurirent. J'ignore qui porta le premier coup ; par la suite, Brigame accusa nos élèves, et nous le leur rendîmes. Pour ma part, je crois que l'exaspération de tous les élèves de première année, due aux vexations subies et à la pression imposée par nos emplois du temps, déborda soudain comme du lait porté à ébullition.

Nous étions une douzaine venus de Carnes face à seulement huit élèves de Brigame ; mais, quand leurs seconde année constatèrent que nous l'emportions, ils se lancèrent dans la bagarre en nombre plus que suffisant pour équilibrer les chances. Néanmoins, la victoire nous revint : nous étions pour la plupart issus de la frontière, secs et coriaces, tandis que ceux de Brigame n'avaient jamais quitté la ville. Gord, malgré son embonpoint, se trouvait au plus fort de la mêlée, empourpré, poussant de grands cris et frappant à tour de bras. Je vis trois adversaires tenter de le jeter à terre, mais il rentra seulement la tête dans les épaules et continua d'avancer vers le mât. Comme d'habitude, Trist se montrait le meilleur, car il se battait comme au milieu d'une arène officielle, décochait ses coups, se baissait ou esquivait avec grâce les violents moulinets de son opposant. Nous étions à peu près vingt-cinq à nous empoigner au pied du mât, mais sur le moment on nous eût crus des centaines. Je me bagarrais sans le raffinement ni l'économie de mouvement de Trist ; j'écartai l'un d'une bourrade, fauchai les pieds de l'autre qui se ruait sur moi, en jetai à terre un troisième qui avait sauté sur mes épaules. Il tomba mal et je m'en fichai éperdument ; je l'enjambai pour me rapprocher du drapeau.

Je ne sais même pas qui parvint enfin à saisir les cordons et amena notre bannière a notre portée. Celle de nos adversaires descendit en même temps et nous nous en emparâmes avec jubilation. En possession des deux pavillons, nous reculions sur le terrain de parade en direction de notre dortoir quand des troisième année à cheval, conduits par les sergents des quatre bâtiments, venus à pied, pénétrèrent à grand bruit sur l'esplanade. Les sous-officiers s'enfoncèrent dans notre masse comme un coin, en repoussant violemment de côté les élèves comme s'ils ne pesaient pas plus que des enfants. Une fois qu'ils nous eurent séparés sans ménagement, les cavaliers passèrent entre nous. Hors d'haleine, nous restions hébétés, à la fois surpris par cette intervention inattendue et pleins du bonheur de la victoire, lorsque le colonel Stiet en personne arriva et nous commanda d'une voix de stentor de nous mettre en formation.

L'exultation d'avoir dérobé les couleurs de Brigame se dissipa aussitôt. Nous nous alignâmes en deux rangées approximatives l'une face à l'autre. Je saignais du nez, j'avais les jointures à vif et une manche de ma chemise pendait lamentablement, à demi arrachée ; Trinte tenait un bras replié contre sa poitrine, et les traits de Jarède disparaissaient sous un masque de sang qui ruisselait d'une entaille au cuir chevelu. Seule consolation, les élèves de Brigame devant nous étaient en bien pire état encore ; l'un, soutenu par deux camarades, avait le regard vitreux et la mâchoire pendante ; un autre avait perdu sa chemise dans le pugilat, et les fleurs rouges de futures ecchymoses s'épanouissaient sur son torse et ses bras. Au milieu du terrain, le drapeau de leur bâtiment s'agitait dans la poussière au gré d'une brise légère.

Je n'eus pas le temps d'en voir davantage. Une troupe de troisième année remontaient notre rangée à pied et, sans douceur, nous obligeaient à nous aligner correctement. Le sergent Rufert, derrière eux, nous examinait rapidement pour voir lesquels d'entre nous souffraient de blessures graves. Trinte et Jarède furent emmenés à l'infirmerie, chacun escorté par deux élèves de troisième année comme des criminels. Malgré la colère et la peur tapies au fond des yeux de ceux qui nous jaugeaient du regard, Rory ne se montrait nullement ébranlé ; il conservait toute sa pugnacité en dépit d'une éraflure sanguinolente à la pommette. Il flanqua un coup de coude enjoué dans mes côtes déjà endolories et me désigna cinq élèves de Brigame qui partaient pour l'infirmerie, dont l'un soutenu par deux accompagnateurs. Ceux qui restaient, dont moi, furent jugés aptes à tenir debout et à endosser leur punition.

Stiet n'épargna personne. Il nous déclara tous responsables, nous, les élèves qui nous étions battus, mais aussi les seconde année qui nous y avaient incités, les troisième année qui n'y avaient pas mis le holà et les sergents des bâtiments qui n'avaient pas prêté attention au mauvais tour qui se mijotait. Il nous promit des suites sévères avant de nous renvoyer dans nos dortoirs respectifs avec interdiction de quitter nos quartiers jusqu'à nouvel ordre.

Sans rompre les rangs, nous retournâmes au pas cadencé jusqu'à Carnes, où le caporal Dente, furieux, nous ordonna de regagner nos chambres. Dès que le bruit de ses pas s'éloigna, nous nous agglutinâmes tous à nos portes pour échanger à mi-voix nos impressions d'un bout à l'autre du couloir qui nous séparait.

« On leur a flanqué une belle trempe ! s'exclama Rory dans un murmure rauque.

— Vous croyez qu'on va nous expulser ? demanda Oron d'un ton beaucoup moins enthousiaste.

— Mais non ! répondit Rory avec assurance. C'est une espèce de tradition : chaque année, les nouveaux élèves se décoiffent un peu sur l'esplanade. Je m'étonne seulement qu'il n'y ait eu que deux bâtiments au lieu des quatre. On va nous coller pas mal de tours de terrain et de corvées supplémentaires ; préparez-vous à manier la fourche à fumier, les gars ! Mais ensuite tout redeviendra normal et on reprendra le collier pour le reste de l'année. » Délicatement, il se toucha la joue, fit une grimace de douleur puis observa d'un air philosophe le sang qui maculait le bout de ses doigts. « Vous verrez.

— Je ne serais pas aussi affirmatif, intervint Trist à voix basse. Un des gars de Brigame a l'air salement amoché ; si ça se confirme, quelqu'un devra payer. Aucune famille de l'ancienne noblesse n'acceptera sans rien dire de voir son gosse revenir invalide de l'Ecole. On risque de passer un mauvais quart d'heure.

— C'est évident, fit Gord ; évident. Mais qu'est-ce qui nous a pris ? Jamais je n'avais participé à une bagarre jusqu'ici ; j'aurais dû me méfier, me douter qu'on nous tendait un piège.

— Nous aurions dû tous nous méfier », déclara Spic d'un ton grave. Je ne l'avais pas vu dans la mêlée, mais un de ses yeux commençait à enfler et du sang séché cerclait ses narines.

Trist leva les yeux au ciel. « Ben voyons ! La cavalla ne rêve que d'avoir de petits saints à son service. Allons, ça se reproduit chaque année ! A mon avis, il s'agissait de voir de quelle étoffe on est faits. Si on avait tous dit : "Ah non ! se battre ne résout rien, qu'ils gardent notre drapeau, ce n'est qu'un bout de chiffon, après tout", vous croyez que quelqu'un nous respecterait encore ?

— A propos, où a-t-il disparu, ce fameux pavillon ? » demanda Natrède avec un sourire. Une pellicule de sang lui rougissait les dents.

Nous échangeâmes des regards interrogateurs ; et puis Nat lui-même tira notre cheval brun de sous sa chemise et le brandit d'un air espiègle. « Vous ne pensiez pas que j'allais laisser nos couleurs traîner par terre, quand même ? »

Rory traversa le couloir, pour lui donner une claque amicale dans le dos puis il leva la bannière et l'agita fièrement devant nous. Malgré l'épouvante dans

416

laquelle me plongeait la sanction que nous encourions, je ne pus m'empêcher de sourire jusqu'aux oreilles : notre premier affrontement se soldait par la victoire de notre patrouille, le sauvetage de notre drapeau et à peine deux blessés. J'y vis un bon signe pour l'avenir. Mais je me demandai aussitôt quelle sentence on nous infligerait pour les cinq élèves que nous avions mis à mal. Nous bavardâmes encore quelque temps dans le couloir avant de rentrer dans nos chambres.

Là, nous restâmes assis sur nos lits ou nous occupâmes à de petites tâches. Je nettoyai à l'eau froide le sang qui maculait ma chemise puis entrepris de raccommoder ma manche. Natrède s'allongea et s'assoupit. J'en fis autant mais me contentai de contempler le plafond. Spic et Gord parlaient à mi-voix de leurs familles respectives et de leur réaction à l'éventuelle réception d'un rapport négatif de l'Ecole ; pour ma part, je ne voulais même pas imaginer ce que mon père dirait.

L'heure du dîner vint puis passa, et l'éclat du jour s'éteignit aux fenêtres. On nous ramena Jarède et Trinte, bourrés de laudanum au point de les empêcher de finir leurs phrases ; mais les points de suture nettement alignés sur le front du premier et l'attelle au bras du second parlaient pour eux. Ils se couchèrent et fermèrent les yeux. La soirée continua, interminable. Je me rendis à la table d'étude pour en rapporter mes livres ; nous nous assîmes par terre et, abattus, achevâmes les devoirs que la bataille avait interrompus. Une humeur lugubre s'insinuait peu à peu en nous. On ne nous avait rien dit, et ce silence lourd de

417

menace nous effrayait bien plus qu'aucune déclaration. Quand le sergent Rufert brailla : « Extinction des feux ! » dans l'escalier, nous obéîmes promptement et nous mîmes au lit sans échanger un mot.

Je dormis mal, à l'instar, sans doute, de tous mes camarades. Je tombais sans cesse d'un rêve agité, incompréhensible, au suivant, aussi inquiétant. Dans l'un, j'étais une femme ; j'arpentais les terrains de l'Ecole et m'exclamais : « Mais où sont les arbres ? Qu'est-il advenu de l'ancienne forêt de l'ouest ? Ces gens ont-ils perdu toute sagesse et sombré dans la folle ? Que peut-on faire pour eux ? Qu'espérer opposer à leur démence s'ils ont ainsi détruit leur propre forêt ? »

Je me réveillai alors que je me tournais et me retournais dans mon lit puis demeurai immobile avec ces interrogations fichées dans mon esprit. Je ne les comprenais pas, mais une partie de moi-même exigeait instamment des réponses. En quoi la cité valait-elle mieux que les futaies qui se dressaient autrefois à sa place ? Voilà ce que je voulais savoir, alors que la question même n'avait aucun sens pour moi.

Je replongeai dans le sommeil comme dans un lac de bitume, et je rêvai cette fois que je marchais sur le versant déboisé qui surplombait le fleuve, une présence avec moi. Quand j'essayais de la regarder, je la trouvais toujours quelques pas derrière moi, toujours à la limite de mon champ de vision. Je distinguais son ombre sur le sol : les épaules larges et, sur la tête, des andouillers. Nous grimpions le long de la pente brûlée, balafrée ; partout des hommes aux tenues de travail grossières maniaient la hache et la scie sans prendre garde à nous ; ils échangeaient des plaisanteries et frappaient, cognaient, transpiraient dans l'air glacé. Au son d'une trompe, ils descendirent tous déjeuner d'une soupe et d'un coin de pain. Pour finir, je me tournai vers mon compagnon et répondis à la question qu'il n'avait pas posée.

« Tu ne trouveras nulle réponse ici. Ils ignorent pourquoi ils agissent ainsi ; ils obéissent aux ordres d'autres qui leur donnent de l'argent en contrepartie de leur travail. Ils n'ont jamais vécu ici, chassé ici ; ils viennent d'ailleurs uniquement pour accomplir cette tâche, et, quand ils auront fini, ils s'en iront sans un regard en arrière. Ces terres ne leur ont jamais appartenu, aussi leur destruction ne leur cause-t-elle aucune souffrance. »

Je vis l'ombre de la tête cornue acquiescer lentement. La présence ne dit rien, mais j'entendis une voix de femme voilée de douleur. « Ce qu'ils font ici, ils le feront partout où ils iront. C'est pire que je ne le craignais. Tu vois que j'ai raison : il faut les chasser. »

Et je me réveillai à nouveau, en nage comme si la fièvre m'avait saisi. Un sentiment d'accablement s'abattit sur moi lorsque je revis les souches blêmes semblables à des dents brisées, et la cicatrice au sommet de mon crâne m'élança sourdement. Une peine qui n'était pas la mienne me mettait le cœur au bord des lèvres, et il me fallut quelques instants pour retrouver mes inquiétudes propres, celles que m'inspirait le pugilat général du terrain de parade. Elles me parurent lointaines et mesquines. Je m'efforçai de les rappeler au

419

premier plan de mes pensées, mais je sombrai dans un sommeil agité.

En uniforme, je me tenais au garde-à-vous devant un tribunal. Je n'avais pas le droit de parler. La lumière d'une haute fenêtre tombait sur moi et m'aveuglait ; le reste de la salle demeurait dans l'ombre. Je sentais un pavage de pierre sous mes bottes. Envahi d'une angoisse glacée, j'attendais sans bouger que s'achève le débat sur mon sort. Un écho distordait tant les voix que je ne comprenais pas ce qu'elles disaient, mais je savais qu'elles me jugeaient. La peur s'insinuait en moi.

Soudain des mots me parvinrent clairement : « Fils de soldat ! »

Le timbre m'avait semblé féminin ; ma perplexité grandit. « Oui, madame. »

D'un ton grave et solennel, mon interlocutrice reprit : « Fils de soldat, tu avais mission de les refouler. L'as-tu fait ? »

Je levai les yeux vers mes juges et m'efforçai de les distinguer dans la pénombre, mais en vain. « Je n'ai pas réfléchi, mon commandant. Quand on nous a appelés, j'ai dévalé l'escalier avec les autres et je me suis jeté dans la bagarre, Je regrette, mon commandant ; je n'ai pas gardé la tête froide. Je n'ai montré aucun sens des responsabilités. » Et une grande honte me submergea.

Alors que je m'évertuais à me défendre, un tambour se mit à battre au loin. Je tournai la tête pour voir d'où venait le son, tombai et me réveillai sur les lattes glacées du plancher de ma chambre. J'entendais le roulement qui appelait au rassemblement de l'aube. Je me relevai avec l'impression de n'avoir pas fermé l'œil et des élancements dans tous les membres, souvenir douloureux de ma stupidité de la veille.

Mon rêve m'avait laissé la tête pleine de noirs pressentiments. Mes voisins se levaient avec aussi peu d'énergie que moi. J'ignorais ce qui nous attendait ; nous confinerait-on encore dans nos quartiers ? Mon estomac me trahit d'un grondement bruyant ; déshonoré ou non, je mourais de faim. Je m'habillai puis me rasai malgré les ecchymoses enflées qui me défiguraient. Finalement, ce fut Spic qui posa tout haut la question qui nous tenaillait : « A votre avis, on descend prendre le petit déjeuner comme si de rien n'était ou on attend qu'on nous appelle ? »

La réponse ne tarda pas. L'air d'avoir dormi tout habillé, le caporal Dente arriva d'un pas sonore et nous ordonna de nous rassembler aussitôt sur l'esplanade. Malgré l'heure inhabituellement précoce, nous réussîmes dans l'ensemble à nous rendre présentables, y compris Jarède et Trinte ; ce dernier dut boutonner son manteau par-dessus son attelle tandis que le premier paraissait encore à demi hébété, mais, par un effort commun, nous parvînmes à mener tout le monde sur le terrain de parade.

Il faisait noir et il soufflait une brise glacée. Nous nous alignâmes dans l'obscurité qui précède l'aube et ne bougeâmes plus. La trompe retentit mais nous restâmes en rangs. J'avais froid, faim et surtout peur. Quand le colonel Stiet se présenta enfin, je ne sus si je devais éprouver du soulagement ou m'abîmer dans la terreur. Pendant une heure, voire plus, il nous infligea d'un ton cinglant un sermon sur les traditions de la cavalla, la réputation de l'Ecole, la responsabilité qui incombe à chaque soldat de porter haut l'honneur de son régiment et l'échec pitoyable qui était le nôtre. Il réitéra sa promesse qu'il y aurait des suites sévères à notre conduite inqualifiable de la veille et que les meneurs quitteraient l'Ecole couverts d'un opprobre indélébile. Quand il nous fit enfin rompre les rangs, j'avais perdu tout espoir et tout appétit.

Nous nous rendîmes au réfectoire d'un pas accablé et c'est dans une salle plongée dans un silence inhabituel que nous pénétrâmes. Le petit déjeuner ressemblait à tous les petits déjeuners que nous avions pris jusque-là ; je lui trouvai encore moins de goût que d'ordinaire et, malgré mon jeûne de la veille, j'arrivai vite à satiété. Nous ne parlâmes guère entre nous, mais nous échangeâmes de nombreux regards en coin. Lesquels d'entre nous désignerait-on comme « meneurs » et chasserait-on ?

A notre retour à notre dortoir pour prendre nos affaires de classe, nous eûmes la réponse. Trois malles déjà remplies s'alignaient dans la salle d'étude. Je n'y vis pas la mienne et j'eus honte du soulagement qui m'envahit. Jarède regardait la sienne d'un œil éteint ; on lui avait sans doute administré son sédatif à dose de cheval et il était incapable de mesurer l'ampleur de son malheur. Trinte, lui, alla s'asseoir sur son coffre et, sans un mot, enfouit son visage dans ses mains. Lofert, grand garçon dégingandé, un peu lent d'esprit et qui parlait rarement, s'exprima soudain. « Ce n'est pas juste », fit-il d'un ton désespéré. Il nous regarda tour à tour comme en quête d'une confirmation. « Ce n'est pas juste ! répéta-t-il plus fort. Qu'est-ce que j'ai fait de plus que vous ? Pourquoi moi ? »

Nous l'ignorions. Rory avait l'air abasourdi, et je pense que nous nous demandions tous secrètement pourquoi on ne l'avait pas renvoyé lui aussi. Le caporal Dente monta l'escalier d'un pas furieux pour nous faire descendre ; il annonça sans douceur à Jarède, Trinte et Lofert qu'on les transférait dans une maison de garnis en ville ; des messages étaient déjà partis, expliquant à leurs pères les détails de leur infamie. Ce fut affreux pour nous qui restions de former les rangs à neuf alors que nous nous trouvions douze la veille. Dente nous mena au pas de gymnastique jusqu'à notre première classe et nous laissa devant la porte. Comme nous entrions dans la salle, Trist murmura : « J'ai l'impression qu'on vient de vivre notre première élimination.

— Ouais, répondit Rory, stoïque. Et je suis drôlement content de ne pas faire partie du lot, voilà tout ce que je peux dire. »

A ma grande honte, je partageais son sentiment.

qu'aucun d'entre eux n'avait subi le déshonneur d'un renvoi ; en revanche, sous des prétextes encore moins consistants que dans le cas de nos trois camarades, quatre nouveaux aristocrates, élèves de première année du bâtiment Skeltzine, avaient été définitivement expulsés. Tous ceux de Brigame ainsi qu'un certain nombre d'élèves de deuxième année reçurent des blâmes ; notre caporal, Dente, afficha des cernes noirs pendant un mois, car il dut se lever chaque jour une heure plus tôt pour effectuer ses tours de terrain. Mais ils n'encoururent pas de sanction plus grave, et, le temps passant, j'en vins à partager l'opinion de Rory, qu'il exprima un soir d'un ton accablé : « Ces renvois étaient arrangés depuis le début. On nous a manipulés et, nous, on a marché comme des imbéciles, les gars ; des imbéciles. »

Le plus étrange de l'affaire fut que, lorsque les expulsions s'effacèrent un peu de notre esprit, je commençai à prendre vraiment plaisir à ma vie à l'Ecole ; exigeante et surchargée, elle n'avait néanmoins rien de compliqué. Les journées se décomposaient en événements prédéterminés : je me levais quand on m'en donnait l'ordre, me rendais en cours, faisais mes devoirs, mangeais ce qu'on versait dans mon assiette et m'endormais à l'extinction des lumières. Comme mon père l'avait prédit, mes amitiés prirent de la profondeur. Je me sentais toujours déchiré entre Spic et Trist ; je les appréciais tous les deux, le premier pour son sens moral et son application au travail, le second pour son élégance et son raffinement. Si je l'avais pu, je me serais lié avec les deux, mais ni l'un ni l'autre ne paraissait vouloir me laisser cette liberté.

Ce qui les distinguait apparaissait le plus, je pense, dans leur façon de traiter le petit Caulder (ainsi que nous l'appelions tous), car le fils du commandant devenait peu à peu partie intégrante de notre existence. Je me rappelle la première fois où il entra dans notre salle commune sans crier gare. Cela se passait à la fin de notre deuxième mois à l'Ecole ; ce septdi-là, notre surveillant avait quitté notre dortoir pour s'offrir une sortie en ville. Jamais encore on ne nous avait laissés un soir sans garde-chiourme, et nous appréciions ce répit bienvenu. Dans une atmosphère plus détendue que d'habitude, nous repassions nos leçons du lendemain ; Spic, lui, travaillait d'arrache-pied, le fidèle Gord à ses côtés, à résoudre des pages entières d'exercices de mathématiques, matière qui lui restait la plus difficile. J'avais fini mes devoirs écrits mais ma grammaire varnienne demeurait ouverte devant moi et je révisais quelques formes verbales irrégulières ; ainsi que mon père le voulait, j'étais premier de la classe dans la plupart des disciplines et j'entendais conserver cette place.

Les autres occupants de notre étage étaient assis à la table d'étude ou couchés à plat ventre devant la cheminée, livres et cahiers étalés devant eux ; le murmure de leurs conversations emplissait l'air. La longue journée de cours et d'exercices militaires avait sapé chez nous toute envie de chahut.

Rory, qui possédait un répertoire apparemment illimité d'histoires paillardes et de blagues grivoises, se tenait nonchalamment affalé sur une chaise et racontait celle de la putain à l'œil de verre, tandis que Caleb, dans son coin avec sa dernière revue à deux sous, lisait tout haut à Nat et Oron les exploits horrifiques d'un assassin qui tuait à la hache les femmes de mauvaise vie. Tout à coup, une voix jeune s'exclama d'un ton réprobateur : « Je croyais que vous deviez étudier ! Où est votre surveillant ? »

Rory resta la bouche entrouverte au milieu d'une phrase, et nous tournâmes tous notre attention sur l'enfant qui s'encadrait dans le chambranle de la porte. Hormis son timbre, j'aurais pu prendre son intervention pour celle d'un officier de haut rang tant on y sentait d'assurance. Nous restâmes un instant muets à échanger des regards entre nous. Un témoin de la scène aurait pu trouver comique de voir une salle pleine de jeunes gaillards robustes réduits au silence par la réprimande d'un gamin. Mais une question avait jailli aussitôt dans mon esprit et, j'en suis sûr, dans celui de mes camarades : venait-il de son propre chef ou sur ordre de son père ?

Nat se ressaisit le premier. « Notre surveillant est absent pour l'instant. Avez-vous un message à lui transmettre ? »

A cette réponse prudente, je compris qu'il protégeait notre maître d'étude. Se pouvait-il que ce dernier nous eût laissés à nous-mêmes sans autorisation ? Tout en admirant le courage et la loyauté de Nat, je me demandai s'il ne jouait pas avec le feu.

Caulder s'avança dans la salle comme un rat qui découvre que le chat n'est pas là. « Oui, j'ai un message pour lui. Il faudrait l'avertir qu'il risque d'attraper la brûle-bite s'il fréquente les filles de l'Anne-Jarretière. »

Rory partit d'un grand éclat de rire à cette déclaration inattendue, et nous nous joignîmes tous à lui. L'Anne-Jarretière était un lupanar de bas étage à la périphérie de la ville, non loin de l'Ecole ; on nous avait sévèrement mis en garde contre lui et les établissements semblables lors du premier office du sixdi auquel nous avions assisté, et, depuis, il ne se passait pas un jour sans que les anciens de l'Ecole nous rapportent quelque histoire sur Anne et ses pensionnaires à la cuisse légère. Caulder souriait largement, les joues un peu roses, très content de son effet. Je devais m'apercevoir par la suite qu'il employait toujours la même méthode : il jouait d'abord de l'autorité de son père pour voir qui s'en laissait imposer, puis, si on ne l'acceptait toujours pas, il s'abaissait à quelque plaisanterie crue et repérait ceux dont il suscitait l'intérêt. Plus âgé, j'aurais sans doute reconnu dans cette approche maladroite une volonté puérile d'obtenir par tous les moyens les bonnes grâces des personnes visées ; mais à l'époque, pris au dépourvu, je ris à l'unisson de mes camarades, bien que le vocabulaire de Caulder m'eût laissé confondu. Chez moi, à son âge, l'usage de pareils termes m'aurait valu le fouet de la part de mon père ou de mon précepteur. L'enfant, lui, ayant ouvert l'accès à notre groupe, pénétra plus avant dans notre salle.

« Eh bien, je constate qu'on travaille dur ici ! » fit-il d'un ton qui disait exactement le contraire. Les yeux brillants, il se mit à déambuler parmi nous comme s'il avait le droit de se trouver là ; la plupart des élèves l'observaient avec curiosité. Kort posa une feuille vierge sur la lettre qu'il écrivait ; Caleb ouvrit un livre pour dissimuler sa revue. En face de moi, Spic continua de gratter, absorbé dans une série d'exercices. Comme attiré par cette absence d'attention sur lui, Caulder s'arrêta près de lui et, sans gêne, jeta un regard sur son travail par-dessus son épaule.

« Huit fois six, ça fait quarante-huit, pas quarante-six ! Même moi, je le sais ! » Il voulut tendre la main pour indiquer l'erreur, mais Spic leva le bras sans tourner la tête et interrompit son geste. Les yeux toujours sur sa feuille, il demanda : « Et savez-vous aussi que vous vous trouvez dans la salle d'étude des première année du bâtiment Carnes, non dans une salle de jeu pour les enfants ? »

Le sourire narquois de Caulder s'évanouit. « Je ne suis pas un enfant ! s'exclama-t-il, furieux. J'ai onze ans et je suis le fils du commandant de l'Ecole. Vous n'avez pas l'air de vous rendre compte que le colonel Stiet est mon père ! »

Spic se tourna enfin vers le jeune garçon et le regarda en face. « Mon père était le seigneur Kellon Espirek Kester ; mais, avant cela, il avait grade de capitaine. Je suis son fils militaire. Votre père, fils militaire lui aussi, n'appartient pas à la noblesse ; tous ses fils entreront donc dans l'armée. Cela ferait de vous et moi des égaux à condition que vous ayez l'âge d'être élève dans cet établissement, et que, en tant que fils de militaire mais non de noble, vous bénéficiiez d'une inscription garantie à l'Ecole de cavalla.

— Je... je n'en reste pas moins fils aîné, même si je dois devenir soldat ; et j'entrerai à l'Ecole : quand mon père a pris ses fonctions, il l'a demandé aux seigneurs du Conseil et ils le lui ont accordé. Mon père m'a promis de m'acheter une bonne affectation ! Et vous… vous n'êtes que… que le second fils d'un second fils, le rejeton d'un parvenu de seigneur des batailles, d'un arriviste anobli ! » Caulder avait perdu non seulement tout son charme mais aussi son vernis de maturité. Ses insultes dévoilaient l'enfant qu'il était, en même temps que sa réponse cinglante révélait ce qu'il pensait vraiment de nous. Les mots avaient à peine franchi ses lèvres qu'il se rendit compte de son erreur ; il nous parcourut du regard, indécis : devait-il tenter de réparer son faux pas ou continuer à nous remettre crânement à notre place ?

Il s'apprêtait à parler quand Trist le tira d'affaire. A l'arrivée du nouveau venu, il lisait un livre, sa chaise inclinée en arrière, le dossier appuyé contre le mur de la cheminée ; il la redressa soudain et les deux pieds de devant heurtèrent le plancher avec bruit. « Je sors mâcher une chique », annonça-t-il à la cantonade. Caulder tourna les yeux vers lui, étonné. Je crus tout d'abord que Trist essayait d'agacer Spic ; il avait récemment découvert que, si le règlement interdisait de fumer du tabac « roulé dans du papier, bourré dans une pipe, un tuyau ou tout autre récipient idoine », il ne mentionnait pas l'usage de la chique. D'aucuns affirmaient qu'il s'agissait d'une omission ; pour d'autres, on savait bien que mâcher du tabac pouvait éviter certaines maladies qui s'épanouissent dans la promiscuité, aussi tolérait-on cette pratique, bien qu'il fût défendu de cracher dans les chambres. Selon l'interprétation de Trist, tout ce qui n'était pas expressément prohibé était autorisé, et il s'adonnait ouvertement à son vice. Cela irritait Spic qui voyait dans cette attitude un manquement grossier à la bienséance, il avait grandi dans une région où l'usage du tabac n'avait guère cours et paraissait juger son emploi, qu'on le fume ou le mâche, répugnant. Prévisible comme le lever du soleil, il déclara : « Dégoûtante habitude.

— Indéniablement, répondit Trist sans s'offusquer. Comme la plupart des plaisirs masculins. » Cette repartie lui valut un éclat de rire général, et je perçus son véritable objectif quand il se tourna, souriant, vers Caulder. « Ainsi qu'il sied aux "nobles parvenus", n'est-ce pas, Caulder ? Mais peut-être n'avez-vous jamais goûté à la chique ? » Sans laisser le temps à l'enfant d'ouvrir la bouche, il poursuivit : « Non, vous êtes sans doute trop bien né pour avoir seulement entendu parler des bonheurs simples qu'un homme de la cavalla cache dans sa poche, délices un peu trop frustes pour un jeune homme élevé avec autant de raffinement que vous. » D'un geste désinvolte, il tira une carotte de tabac de sa veste, retroussa l'emballage criard puis le papier paraffiné pour laisser voir le pain brun sombre de tabac séché. Malgré la distance, l'odeur âcre parvint jusqu'à moi ; c'était du chiquot bon marché, âpre, de celui que mâchent les bergers.

Le regard de Caulder monta jusqu'au visage souriant de Trist puis revint à la chique. Je sentais moi-même la puissance charismatique de mon camarade de patrouille. L'enfant ne voulait pas passer pour ignorant ni « trop bien élevé » pour savourer les plaisirs virils d'un cavalier : de « trop bien élevé » à « mauviette », il n'y avait qu'un pas. Je ne lui enviais pas le dilemme où il se débattait ; à sa place et à son âge, brûlant de me distinguer devant une salle pleine d'étudiants, j'aurais sans doute mordu à l'hameçon moi aussi.

« J'en ai déjà vu, fit-il avec dédain.

— Vraiment ? » Trist laissa sa question nonchalante flotter un instant dans le silence de la salle avant de reprendre : « Vous y avez déjà goûté ? »

L'enfant le regarda sans répondre.

« Tenez, une démonstration, proposa Trist d'un ton affable. Voici comment on fait, jeune homme. » Et, en décomposant le geste, il porta la chique à sa bouche et en trancha un bout d'un coup de dents. « Attention, on ne la garde pas sur la langue ; on la coince dans la lèvre inférieure, comme ceci. » Bien en place, le petit bloc formait une bosse à peine visible au-dessus de son menton. Il hocha la tête d'un air entendu. « Plaisir typiquement masculin. Rory ?

— Je n'ai rien contre », répondit l'intéressé avec enthousiasme. Je savais qu'il chiquait, et aussi qu'il n'avait pas l'argent nécessaire pour acheter du tabac en ville par l'entremise d'un seconde année. Il s'avança, prit la carotte, en coupa un morceau et le fourra dans sa bouche. « Ah, c'est de la bonne ! s'exclama-t-il quand il l'eut mis en place du bout de la langue.

— Caulder ? » fit Trist en tendant à l'enfant la barre de tabac.

Tous les regards étaient tournés vers lui, sauf celui de Spic, naturellement. Il n'avait pas cessé d'écrire, et, par son application, il réprouvait notre conduite ; pourtant, même Gord paraissait fasciné devant la séduction qu'exerçait Trist sur l'enfant par sa blondeur dorée, sa pose détendue, appuyé d'un coude sur le manteau de la cheminée. Il faisait partie de ces rares personnes sur qui un uniforme semble une pièce unique. Chacun de nous portait la même veste et le même pantalon verts, la même chemise blanche, mais, en voyant Trist, on avait l'impression qu'il avait choisi sa tenue, non qu'on la lui imposait. Il avait les épaules larges, la taille étroite, et ses bottes d'un noir luisant épousaient ses mollets fuselés. Notre coupe de cheveux sévère nous donnait l'air de moutons après la tonte, ou, selon la judicieuse expression de Rory, de « cochons ébouillantés ». Mais les denses boucles blondes de Trist lui faisaient une coiffe d'or, alors que mes propres cheveux se dressaient sur mon crâne, raides comme des soies de sanglier. Si un jeune homme incarnait l'idéal de l'élève de la cavalla, c'était Trist ; aussi, comment un gamin qui n'aspirait qu'à se distinguer pouvait-il refuser son geste d'amitié ?

Caulder ne le pouvait pas. Tous se turent tandis qu'il s'avançait en disant d'un ton résolu : « Je veux bien essayer.

— Bravo, petit ! » s'exclama Trist. Il cassa un morceau démesuré de la carotte et le lui tendit. Caulder le fourra tout entier entre la gencive et la lèvre inférieure, et s'efforça de sourire bravement malgré la bosse qui lui déformait la bouche et lui donnait l'air d'une grenouille.

« Et maintenant, allons prendre l'air avant le couvre-feu, d'accord ? » L'invitation de Trist s'adressait à Caulder et Rory. Déjà, les yeux de l'enfant commençaient à larmoyer quand ils sortirent. Les deux élèves qui l'accompagnaient, accoutumés à la chique, parlaient de la journée écoulée en descendant l'escalier, leurs talons claquant sur les marches. Le silence régna un moment dans la salle après leur départ puis Oron et quelques autres se levèrent et suivirent le trio à pas de loup, en réprimant difficilement leur gaieté.

« Tout ce que vous voulez qu'il ne tient pas jusqu'au premier étage », murmura Nat. Kort haussa les sourcils d'un air sceptique, puis se rendit sur la pointe des pieds jusqu'au palier pour mieux observer la suite des événements.

Quelqu'un étouffa un petit rire puis le silence retomba. Nous écoutions le bruit régulier des bottes dans les marches quand tout à coup nous entendîmes des pas précipités en direction de la sortie du bâtiment, suivi du râle monumental de quelqu'un qui vomit tripes et boyaux, auquel fit écho presque instantanément une exclamation indignée du sergent Rufert, le tout noyé par les éclats de rire et les applaudissements cruels de l'assistance. Kort réapparut et déclara d'un ton solennel : « Il a dégobillé sur deux étages. Je n'ai jamais vu une chique voler aussi loin. » Notre hilarité redoubla. Spic leva les yeux de son livre, nous regarda et secoua lentement la tête. « S'en prendre à un mioche ! fit-il gravement.

— Ah, parce que tu l'as traité avec douceur, peut-être, tout à l'heure ? » répliqua Gord avec bonne humeur.

Un léger sourire tira un coin de la bouche de Spic, « Je ne me suis pas montré aussi méchant ; je lui ai parlé comme j'aurais parlé à mon frère cadet – non, plus gentiment, même. Si Devlin s'était pointé ici comme Caulder, en faisant des simagrées et en jouant les petits durs pour attirer notre attention, je lui aurais dévissé la tête d'un cran sur les épaules. C'est le devoir d'un aîné d'enseigner l'humilité à son cadet. » Il se permit un sourire plus large. « Et comme mes grands frères m'en ont appris très long sur l'humilité, je possède un vaste savoir à transmettre sur la question.

— Aux bruits qu'il a faits, j'ai l'impression qu'il a reçu une sacrée leçon. Quelle idée, aussi, à son âge, d'aller mâcher du chiquot ! »

Rory revint sur ces entrefaites. « Le sergent Rufert a dit à Caulder de nettoyer ses saletés ; le môme a refusé et il a quitté le bâtiment en pleurant comme un veau. Rufert, pas si mauvais bougre qu'il en a l'air, a envoyé Trist s'occuper de lui, et il a donné des seaux et des serpillières aux autres. Moi, en arrière, j'ai joué les innocents. » Il arborait un sourire espiègle, très content du bon tour auquel il avait participé sans en subir la sanction.

« C'est Trist qui aurait dû nettoyer », dit Spic à mi-voix, et, en mon for intérieur, je me trouvai d'accord avec lui. Il me semblait que notre camarade avait poussé le bouchon un peu loin, et, même si je jugeais Caulder insupportable, j'éprouvais néanmoins pour lui une certaine compassion : à sept ans, j'avais moi aussi goûté de la chique, et je gardais de cette expérience un souvenir indélébile. Caulder s'était peut-être enfui de Carnes, mais je doutais qu'il fût retourné chez lui ; sans doute avait-il cherché quelque coin discret en attendant que passent ses épouvantables haut-le-cœur.

Plusieurs heures s'écoulèrent avant le retour de Trist. La plupart des autres élèves avaient regagné leur chambre, mais Spic achevait ses exercices de mathématiques en compagnie de Gord tandis que Rory et moi, confortablement adossés sur nos chaises, parlions de chez nous et des jeunes filles qui nous attendaient. Trist arriva en sifflotant juste avant l'extinction des feux, l'air si satisfait de lui-même que je ne pus m'empêcher de lui demander ce qu'il avait manigancé.

« J'ai été invité à dîner chez le commandant, répondit-il, radieux.

— Quoi ? s'exclama Rory, scandalisé mais en même temps admiratif. Comment as-tu réussi ce coup-là après avoir empoisonné son fils avec une barre de chique ?

— Moi, empoisonner Caulder ? » Trist prit une pose offensée, la main sur la poitrine. Puis il se laissa tomber sur une chaise et, les jambes tendues, croisa les pieds ; il nous adressa un sourire malicieux. « Qui a couru après ce pauvre petit, lui a essuyé la bouche et l'a nettoyé ? Qui, stupéfait de sa réaction au tabac, lui a dit qu'il devait y être allergique car il n'avait jamais vu personne vomir après avoir mâché une chique ? Qui a pris son parti contre les propres à rien qui s'esclaffaient et se moquaient de lui pendant qu'il rendait son repas ? Et qui lui a donné des pastilles de menthe pour lui calmer l'estomac et faire passer le mauvais goût, puis l'a ramené jusqu'à la porte de son papa ? Trist Vissomme, voilà qui ! Et c'est Trist Vissomme que monsieur Caulder a invité à la table de son père septdi prochain. » Il se leva et s'étira, très content de lui.

« Et tu ne crois pas qu'il découvrira un jour que tout le monde vomit à la première chique ? Tu ne crois pas qu'il comprendra alors la responsabilité que tu as dans son humiliation et qu'il t'en voudra à mort ? » Spic s'exprimait d'une voix glacée.

« Auprès de qui chercherait-il des renseignements ? Et qui les lui fournirait ? répliqua Trist avec le plus grand calme. Bonne nuit, messieurs. Faites de beaux rêves ! » Et il quitta la salle d'un pas enjoué.

« Un jour, ça lui retombera sur le nez, vous verrez ! » fit Spic avec colère.

Mais, comme pour tous les autres risques qu'il prenait, jamais apparemment Trist n'en paya le prix. Il demeura le préféré de l'enfant pendant les premiers mois de notre scolarité ; il l'invitait souvent à notre étage et passait du temps avec lui bien que nul ne pût supporter le gamin. J'en vins à partager l'opinion du sergent Rufert : je trouvais Caulder exaspérant et outrecuidant. Il se voyait apparemment comme une extension de son père, car, chaque fois qu'il croisait un première année, il ne se gênait pas pour lui dire ce qu'il pensait de lui. Même quand le caporal Dente nous conduisait en formation à nos cours, si nous rencontrions le petit Caulder en chemin, l'enfant s'autorisait à donner l'ordre à Rory de mieux rentrer sa chemise ou à critiquer le lustre des bottes de Caleb. Spic, avec son uniforme mal coupé, servait souvent de cible à ses tracasseries insidieuses ; notre camarade supportait difficilement ces remontrances et, outré, fulminait

438

souvent contre Dente qui eût dû ordonner au mioche de s'occuper de ses affaires et de nous laisser tranquilles. Caulder saluait toujours Trist d'un mot amical et enjoué, comme pour bien nous faire comprendre que le grand élève blond avait sa préférence.

Pire encore, il envahissait notre espace personnel, souvent sous prétexte de nous délivrer un message ou de nous rappeler un point de règlement que nous connaissions par cœur. J'appris bientôt que notre bâtiment n'était pas le seul auquel il infligeait ses visites, et qu'il imposait ses airs supérieurs à tous les élèves, nouveaux comme anciens nobles. Certains murmuraient qu'il espionnait pour le compte de son père en quête d'indices prouvant que nous nous livrions à des beuveries, à des jeux de hasard, ou que nous amenions des femmes dans nos quartiers ; d'autres, plus près de la vérité, à mon avis, s'apitoyaient sur lui en disant qu'il cherchait auprès de nous l'affection que son père lui refusait, car nous n'avions jamais vu le colonel le traiter autrement que comme un petit soldat. On prétendait qu'il avait une mère et deux sœurs cadettes, mais nul ne les avait aperçues. Nous ne l'observions jamais en compagnie d'amis de son âge ; il habitait chez son père, dans son appartement de fonction à l'Ecole, et un précepteur lui donnait des cours le matin. L'après-midi, il avait quartier libre, semble-t-il, et il traînait souvent sur les terrains de l'Ecole jusqu'en début de soirée.

On l'eût dit, en effet, en quête de quelque chose. Il chercha d'abord la compagnie de Trist et s'introduisit souvent dans le refuge de notre salle commune ; notre camarade partageait avec lui des friandises, s'il en avait, et, dans le cas contraire, d'invraisemblables histoires de rencontres avec des Nomades et leurs ravissantes femmes. Cette tactique parut payer car, comme il s'en était vanté, il fut parmi les premiers élèves invités à la table du commandant, dans ses propres quartiers, honneur rare que le colonel Stiet réservait uniquement aux élèves qu'il regardait comme les plus prometteurs. Il n'échappa point à mon attention que Trist était le seul fils de nouveau noble ainsi distingué, bien que le colonel lançât ses invitations à intervalles réguliers. Par sens de la compétition, je me sentais flétri de ne pas profiter moi aussi de ce privilège, mais je refusais résolument de compromettre mon amour-propre ou mon amitié avec Spic en courtisant l'enfant.

En grande partie grâce à la préparation prévoyante que m'avait donnée mon père, j'obtenais d'excellentes notes et maintenais ma moyenne à mesure que nous approchions de l'hiver. Tous mes camarades ne s'en tiraient pas si bien : Spic avait toujours du mal en mathématiques ; ses bases défectueuses en arithmétique ajoutaient à sa difficulté, car, même quand il eut maîtrisé les concepts de l'algèbre, ses réponses dépendaient encore de l'exactitude de ses calculs. Rory avait des problèmes en dessin, Caleb en langues. Nous nous entraidions en faisant profiter les autres de nos points forts et apprenions qu'il n'y a pas de honte à laisser voir ses faiblesses à ses amis. Malgré les frictions entre Spic et Trist, nous formions dans l'ensemble un groupe uni, comme le souhaitaient nos officiers.

Pour ma part, j'appréciais particulièrement les cours de dessin et de génie, qui avaient lieu l'après-midi. Le capitaine Hure, en professeur impartial, se montrait indifférent aux origines des uns et des autres ; il paraissait porter une affection sincère à Spic qui faisait de grands efforts, mais je devins bientôt son chouchou, si l'on peut dire. Grâce à mes travaux dans la propriété de mon père, j'avais acquis une solide expérience pratique dans le domaine de la construction, et je rayonnai d'orgueil le jour où il déclara que, comme lui, j'étais « un ingénieur aux bottes crottées », c'est-à-dire que je tenais mon savoir du terrain et non des livres. Il aimait souvent à nous soumettre des problèmes qui exigeaient des solutions inhabituelles, et il nous répétait qu'un jour viendrait peut-être où nous devrions élever des remparts de terre sans pelles ou bâtir un pont sans bois ni pierre taillée.

Je me distinguai un après-midi en fabriquant un radeau miniature uniquement à l'aide de « troncs » et de ficelle. Avec un seau d'eau qu'il versa sur un pan incliné, le capitaine Hure créa un torrent tumultueux, et seul mon assemblage parvint à négocier les rapides et à mener sains et saufs les soldats de plomb qu'il transportait jusqu'à un point de débarquement en fin de course. J'obtins une excellente note ce jour-là et je rougissais encore de fierté quand il me demanda de rester après la classe afin de parler un moment avec lui.

Après le départ de mes camarades, nous demeurâmes seuls tous les deux pour ranger radeaux, soldats et seaux ; alors, d'un ton grave, il me posa une question qui me laissa pantois : « Jamère, avez-vous jamais songé à devenir éclaireur de la cavalla ?

— Non, mon capitaine ! » m'écriai-je aussitôt avec horreur.

Mon dédain le fit sourire. « Et pourquoi donc, monsieur Burvelle ?

— Parce que je… eh bien, je veux être officier, m'illustrer au service de mon roi, faire honneur à ma famille et… »

Il m'interrompit d'un ton posé « Tout cela, vous y parviendriez aussi bien en tant qu'éclaireur qu'en uniforme de lieutenant. » Il s'éclaircit la gorge puis poursuivit à mi-voix, comme s'il me confiait un secret : « Je connais pas mal d'officiers compétents dans les forts frontaliers ; une recommandation de ma part vous permettrait d'aller loin sous leurs ordres, et vous ne seriez pas obligé de rester à l'Ecole, le nez dans les bouquins à longueur de journée. Dans six semaines d'ici, vous pourriez retrouver votre liberté, servir votre roi en plein air.

— Mais, mon capitaine… ! » Je me tus en me rappelant que je n'avais pas à discuter les propos d'un officier ni même à donner mon avis tant qu'il ne me le demandait pas.

« Parlez sans contrainte », me dit-il. Il retourna derrière son bureau, s'assit et se mit à jouer avec une maquette de catapulte pendant que je répondais.

« Mon capitaine, un éclaireur n'a pas le statut d'un officier régulier. Il ne commande nul autre que lui-même, il opère seul, il sort souvent du rang ou d'une famille qui l'a renié. Il doit connaître intimement les peuples conquis, leur langue, leurs coutumes… Parfois, les éclaireurs vont jusqu'à épouser des femmes nomades, avoir des enfants avec elles, et ils ne retournent dans les forts que de façon sporadique, pour y faire le compte rendu de leurs missions. Ce ne sont pas... ce ne sont pas des gens fréquentables, mon capitaine. Mon père n'a jamais voulu d'une telle carrière pour moi, j'en suis sûr.

— Peut-être, concéda-t-il après un moment de silence. Mais je vais vous parler franchement, jeune homme : vous avez un grand talent, celui d'innover et de réfléchir par vous-même ; or on voit d'un mauvais œil ces qualités chez un lieutenant. Votre supérieur hiérarchique s'efforcera de les étouffer, car un officier libre de sa pensée présente un risque pour le bon fonctionnement de la chaîne de commandement. Monsieur Burvelle, vous n'avez pas le tempérament d'une pièce d'engrenage ni d'un maillon ; vous ne serez pas heureux dans ce monde, et en conséquence vous causerez l'insatisfaction de vos chefs et de vos subordonnés. Je pense que le dieu de bonté vous a créé pour que vous agissiez par vous-même ; vous êtes peut-être fils militaire et votre père aristocrate par la volonté du roi, mais – ne le prenez pas comme un affront – je ne vois pas un officier quand je vous regarde. Je ne cherche pas à vous insulter ; je vous donne seulement mon sentiment sincère. Je vous crois brillant, capable de retomber sur vos pieds quelques mauvais tours que la vie vous réserve, mais je ne vous imagine pas en officier de ligne. » Il m'adressa un sourire bienveillant qui m'évoqua davantage un oncle affectueux qu'un professeur de l'Ecole et me demanda : « En toute franchise, vous représentez-vous en officier dans cinq ans ? »

Je redressai les épaules et répondis, non sans mal à cause de la déception qui me nouait la gorge : « Oui, mon capitaine. De tout mon cœur, c'est le but auquel j'aspire. »

Il cessa de jouer avec la catapulte et se laissa aller contre le dossier de sa chaise, puis il haussa ses sourcils broussailleux et poussa un soupir de résignation. « Dans ce cas, je suppose que vous ferez tout pour l'atteindre. J'espère que vous trouverez votre carrière à votre goût, monsieur Burvelle, et j'espère que la cavalla ne vous perdra pas quand vous découvrirez à votre fonction des limites plus contraignantes que vous ne vous y attendiez.

— J'appartiens à la cavalla, mon capitaine, corps et âme. »

Il hocha gravement la tête. « Sans doute. Mais faites-moi plaisir : n'oubliez pas que votre radeau a franchi les rapides, avec son chargement parce que vous avez eu l'intelligence de donner de la souplesse à votre structure. Faites de même avec vos ambitions ; laissez-leur la possibilité de plier sans vous briser. Vous pouvez disposer. »

Et je me retrouvai dans l'après-midi finissant, la tête pleine de sa proposition. Devais-je la prendre comme un compliment ou comme une mise en garde contre une ambition excessive ? Je l'ignorais. Je n'en parlai à aucun de mes condisciples.

Au bout de deux mois de cours, ceux qui présentaient de bons résultats se virent accorder un septdi de loisir, à semaine passée, pour rendre visite à leur famille. Ce fut une amélioration bienvenue par rapport au précédent « jour de congé » que la direction de l'Ecole nous avait offert : tous les première année avaient eu droit à un septdi de liberté – mais de fausse liberté. Nous avions reçu l'ordre d'assister à un spectacle musical donné par la Société historique de dame Midonne ; une vingtaine de nobles matrones et leurs filles chantèrent des compositions originales qui racontaient certains événements importants de l'histoire gernienne. La représentation, interminable, souffrait en outre de décors et de costumes extravagants et de chanteuses médiocres dont la voix parvenait à peine à nos oreilles. A la fin, nous applaudîmes consciencieusement et apprîmes alors seulement que les élèves de première année n'avaient pas le droit de participer au thé qui suivait ni donc de côtoyer les demoiselles ; on nous renvoya dans nos dortoirs pour « profiter du reste de notre jour de congé ».

Privilégié parmi les fils de nouveaux nobles, j'avais de la famille à proximité, prête à me recevoir lors de mes après-midi de liberté. Trist, Gord et moi étions les seuls à pouvoir espérer une invitation à dîner ; les autres restaient en général au dortoir. Mon oncle envoyait toujours une voiture me prendre et me régalait d'un repas copieux chez lui ; j'en vins ainsi à mieux connaître ma tante et mes cousins, Hotorne et Purissa. Ma tante Daraline ne se départissait pas de son attitude guindée en ma présence mais je sentais, comme mon père l'avait observé, qu'elle ne m'en voulait pas personnellement ; tant que je ne me prévalais pas de notre parenté, elle ne me considérait pas comme une menace. J'aimais les longues discussions avec mon

445

oncle, dans son bureau, pendant lesquelles il s'enqué-
rait souvent de mes progrès en classe et m'entraînait
dans des échanges de vues sur le langage et l'histoire
militaires. Parfois son fils héritier, Hotorne, se joignait
à nous ; il avait quatre ans de plus que moi et il allait
à l'université ; quand il parlait de ses études, j'avoue
que je lui enviais ses cours de littérature, de musique
et d'art. Ma cousine Purissa, la plus jeune, s'était enti-
chée de moi et, avec l'aide de sa gouvernante, elle
confectionnait de petits gâteaux et d'autres friandises
qu'elle me remettait dans un panier afin que j'en fisse
profiter mes amis de l'Ecole. Mais je ne voyais jamais
Epinie, son aînée, toujours absente lors de mes visites –
et, d'un certain côté, j'en éprouvais plutôt du soulagement, car notre première rencontre m'avait laissé d'elle
une impression étrange.

Un jour, par politesse, je dis à ma tante : « Je regrette
qu'Epinie soit toujours occupée ailleurs quand je viens
chez vous. »

Elle m'adressa un regard encore plus glacé que son
air pincé habituel et répliqua : « Vous regrettez ? Je ne
vous suis pas. Qu'y a-t-il de regrettable là-dedans ? »

Je me sentis aussitôt perdre toute assurance, comme
sur un cheval en terrain instable. « Je… je veux seulement dire que je le regrette pour moi, naturellement.
J'aimerais avoir l'occasion de mieux la connaître ;
je suis sûr que j'apprécierais sa société. » Je croyais
l'apaiser, mais je me trompais.

Elle remua un moment sa cuiller dans son thé puis
répondit avec un sourire dépourvu de chaleur : « Vous
vous faites des illusions, je crois, Jamère. Ma fille et

vous n'avez absolument rien en commun, et vous ne vous entendriez nullement. Epinie est une jeune femme très sensible et raffinée ; je ne vois vraiment pas de quoi vous pourriez parler. Vous vous sentiriez très mal à l'aise l'un en face de l'autre. »

Je baissai les yeux sur mon assiette et murmurai : « Vous avez sûrement raison. » J'eusse tout donné pour effacer le rouge que son élégante nasarde avait fait monter à mes joues. A l'évidence, elle jugeait présomptueux que j'émisse seulement l'idée de rencontrer sa fille, et, tout aussi évidemment, l'absence d'Epinie lors de mes visites chez son père n'avait rien de fortuit : ma tante la tenait délibérément loin de ma présence. Je me rendis compte alors, bien tardivement, que, lors de mes séjours, j'étais toujours le seul invité ; aussitôt l'idée me submergea que mon oncle aussi, peut-être, me regardait comme trop fruste pour me présenter à ses amis, et je me rappelai soudain la façon dont mon père avait tenu ma mère et mes sœurs à l'écart du capitaine Vaxviel quand il avait reçu le vieil éclaireur aux manières bourrues. Ma tante me voyait-elle ainsi ? Et mon oncle ?

Comme s'il lisait dans mes pensées, celui-ci s'efforça de détendre l'atmosphère. « Dans un certain sens, je suis d'accord avec mon épouse, Jamère, mais non pour les raisons que tu pourrais imaginer. Bien que quasiment adulte par son âge, Epinie se conduit de manière si puérile que je n'espère pas encore la voir se charger des responsabilités qui incombent à une jeune femme. »

Profitant de ce qu'il reprenait son souffle, ma tante

447

s'interposa, indignée : « Puérile ! Puérile ? Elle est intuitive, Sefert ! Le guide Porilet, le médium de la reine lui-même, a détecté chez elle un grand potentiel. Mais il faut lui laisser le temps de s'épanouir, comme une fleur qui s'offre au soleil ou un papillon qui ouvre ses ailes encore humides des eaux de sa naissance. Si on lui impose trop tôt les charges mondaines d'une femme, on risque de la transformer précisément en une mondaine, superficielle et entravée, obligée de supporter le joug d'hommes dénués de sensibilité ! Ses dons resteront lettre morte, non seulement pour elle mais pour nous tous. Puérile ! Vous ne faites pas la différence entre innocence, éveil spirituel et infantilisme. » Sa voix devenait de plus en plus stridente.

Mon oncle recula brusquement sa chaise. « En effet, je ne vois pas la différence entre sa "sensibilité" et la conduite d'une enfant capricieuse, et je pense que Jamère ne la voit pas non plus ; je préfère donc éviter de l'y exposer. Jamère, veux-tu me suivre dans mon bureau ? »

J'étais consterné : par mes propos, j'avais précipité cette querelle qui couvait entre eux. Je me levai aussi élégamment que possible et m'inclinai devant dame Burvelle en quittant sa table ; elle détourna le regard et lâcha un « humpf ! » dédaigneux alors que je sortais de la salle à manger. De toute ma jeune vie, je n'avais jamais vécu de situation plus gênante.

Une fois dans le bureau, je présentai, bredouillant, des excuses embarrassées à mon oncle, mais il haussa les épaules en prenant un cigare. « Si tu ne l'avais pas offusquée par tes paroles, elle aurait trouvé à redire à mon attitude. Epinie m'a supplié de la laisser te voir, et je persiste à penser que cela peut s'arranger malgré l'emploi du temps chargé que sa mère s'ingénie à lui inventer. Mais je te préviens, j'ai fait d'elle une description exacte : celle d'une jeune fille aux manières d'enfant. Parfois, Purissa me paraît plus mûre que sa sœur aînée. »

Je ne pouvais guère lui avouer que j'avais exprimé le souhait de voir ma cousine par politesse plus que par réelle envie ; à dire le vrai, Epinie m'avait laissé l'impression d'une écervelée avec laquelle je n'avais nul désir de perdre mon temps. Je me contentai d'assurer à mon oncle, avec un sourire, que j'attendrais cette rencontre avec impatience, pendant qu'en mon for intérieur je formais le vœu ardent qu'elle n'eût jamais lieu afin de m'éviter tout conflit avec ma tante.

Après cet intermède, c'est avec un sentiment proche du soulagement que je retrouvai l'Ecole et mes camarades. La semaine suivante, à mon grand bonheur, les exercices à cheval remplacèrent les manœuvres à pied ; les bêtes qu'on nous fournit étaient calmes, toutes marron, et si semblables de tempérament et d'aspect qu'on les distinguait à peine les unes des autres. Au lieu de noms, elles portaient des numéros ; la mienne s'appelait 17 C – le C désignant le bâtiment Carnes. On nous confia aussi la responsabilité de leur entretien, tâche qui vint s'ajouter à notre emploi du temps déjà lourd. Nos montures n'avaient rien de chevaux d'armes ni de combat, mais elles devaient joliment présenter quand nous répétions nos mouvements d'ensemble. Créatures sans exigence, d'une docilité absolue, elles n'avaient aucune qualité d'endurance ni de vitesse. Nous les enfourchions et elles exécutaient les déplacements prévus avec précision mais sans aucun allant. Quand il se produisait des erreurs, elles incombaient en général à l'élève, non à la monture. Gord se révéla un cavalier doué, à ma grande surprise, tandis qu'Oron montait avachi sur sa selle et que Rory, trop empressé de « dominer » son cheval, jouait durement des rênes et le talonnait trop violemment, si bien que la bête s'agitait et se dérobait sans cesse.

Malgré tout, notre petite troupe faisait meilleure figure en selle que les autres patrouilles de première année. Nous descendions tous non seulement de militaires mais d'officiers de la cavalla, et nous avions tous l'expérience de la monte. A l'évidence, ce n'était pas le cas des fils de l'ancienne noblesse. Pendant les pauses, nous les regardions s'exercer, et Rory exprima bien notre sentiment « Voilà pourquoi on se retrouve avec des chevaux de bois qui ont autant de caractère qu'un sac de farine. Qu'on mette de vraies montures entre les jambes de ces gars-là, et la moitié feront dans leur froc. »

Quelques-uns montaient comme de vrais cavaliers mais, pour la plupart, ils souffraient d'une absence flagrante de pratique. Les plus ignorants ruinaient les efforts des plus aguerris : l'un tirait alternativement sur ses rênes les coudes écartés, si bien que sa bête virait de gauche et de droite en heurtant parfois les chevaux voisins ; un autre s'agrippait d'une main au pommeau de sa selle ; au trot, on l'eût cru toujours sur le point de se faire désarçonner. Ce spectacle nous procura un certain plaisir, hélas de trop courte durée. Notre instructeur, le lieutenant Vurtame, appartenait à l'aristocratie de souche et ne supportait pas que nous nous moquions ainsi ; il nous infligea des blâmes que nous dûmes purger en nettoyant les écuries. Avant cela, il nous sermonna longuement, disant que, lorsque nous raillions les hommes des autres troupes, nous raillions la cavalla elle-même et salissions sa coutume séculaire d'entraide. Sa diatribe nous fit grincer des dents, car nous savions parfaitement la différence entre des plaisanteries bon enfant et la non-assistance à un camarade dans le besoin, et la punition qui suivit enfonça un peu plus le coin dans la fracture que les officiers de l'Ecole semblaient s'efforcer d'ouvrir entre élèves de l'ancienne et de la nouvelle noblesse.

Je songeais souvent à Siraltier avec nostalgie, tout en me consolant de le savoir bien soigné dans l'écurie de mon oncle. Ma part adolescente attendait ma troisième année d'école avec impatience : le travail de terrain prendrait alors le pas sur les études purement scolaires ; je pourrais avoir ma propre monture à l'Ecole et faire étalage des qualités auxquelles j'étais habitué en ce qui concernait tant le cheval que le cavalier.

Deux mois après la rentrée, je vis ces espoirs s'évanouir quand le colonel Stiet annonça que tous les chevaux privés retourneraient chez leurs propriétaires et qu'on leur substituerait des montures appartenant à l'Ecole. Dans le long discours qu'il nous tint à ce sujet, il mentionna les avantages financiers dus à l'uniformité de la sellerie, au regroupement des soins vétérinaires, à l'usage d'une même bête par plusieurs élèves, et insista particulièrement sur le fait que tous monteraient des animaux d'égale qualité. Pour moi, ces propos prouvèrent une fois pour toutes que Stiet n'avait aucune appréhension de la mentalité d'un cavalier ; sa décision sapait le moral de ses élèves d'une façon que seul, peut-être, un véritable membre de la cavalla pouvait comprendre : à moitié cheval, il n'est plus qu'un fantassin inexpérimenté si on le prive de sa monture. Nous fournir des bêtes toutes semblables mais médiocres revenait à nous donner des armes de qualité inférieure ou des uniformes défraîchis.

Tel fut le sujet d'une des lettres que j'envoyai à Carsina. J'en jugeai le ton assez neutre pour ne pas encourir la réprobation de ses parents, voire intéresser son père, car le plus jeune frère de ma fiancée entrerait un jour lui aussi à l'Ecole. Deux fois par mois, je lui adressais des missives d'une correction absolue, aux bons soins de ses parents ; je les écrivais en sachant qu'elles subiraient un examen paternel avant de parvenir à leur destinataire. J'éprouvais de la frustration à ne pas pouvoir lui ouvrir mon cœur complètement, mais il fallait que son père me vît comme un élève appliqué et un homme déterminé si je voulais la conquérir ; or les phrases fleuries et l'évocation du petit mouchoir de dentelle que je chérissais n'emporteraient pas son respect. Les brèves lettres que je recevais en retour me laissaient aussi sur ma faim ; Carsina commençait par s'enquérir de ma santé puis me disait son espoir que mes études se déroulaient bien ; parfois, elle me faisait part de quelque passe-temps utile auquel elle s'adonnait, l'apprentissage d'un nouveau point de broderie ou la surveillance de la mise en conserve des fruits par les filles de cuisine en prévision de l'hiver. Je ne me souciais guère de la broderie ni des conserves, mais je n'avais rien d'autre à me mettre sous la dent que ces petits billets empesés.

Je gardais toujours sur moi son gage d'amour, soigneusement plié et enveloppé dans une feuille de papier fin pour en préserver le parfum. Tout d'abord, j'avais évité de parler à mes camarades de mon affection pour Carsina par crainte des taquineries ; puis un soir je tombai sur Kort et Natrède qui évoquaient leur mal du pays, leur solitude et leur penchant chacun pour la sœur de l'autre. Kort tenait un petit carré de tissu brodé d'une herbe d'amour ; Natrède, lui, avait reçu de la sœur de son ami un marque-page figurant au point de croix les couleurs de l'Académie. Je ne l'avais jamais vu le placer dans un livre et supposai qu'il y accordait trop de valeur pour l'employer de façon aussi prosaïque.

C'est avec un curieux mélange de soulagement et de fierté que je leur présentai le gage de ma dame et leur narrai les circonstances dans lesquelles elle me l'avait remis. Je leur confiai que l'élue de mon cœur me manquait plus qu'il n'était convenable alors que nous avions seulement échangé une promesse, non pris un engagement officiel. Comme je leur expliquais qu'il me fallait procéder avec délicatesse, vu la situation, mes deux amis, l'air embarrassé, sortirent chacun un petit paquet de lettres ; un ruban lavande entourait celui de Kort, un parfum de violette émanait de celui de Natrède. D'accord entre elles, leurs sœurs recevaient des missives de leurs frères puis les échangeaient ; ainsi, non seulement Kort et Natrède pouvaient écrire ce qu'ils avaient vraiment sur le cœur mais encore ils jouissaient du privilège de recevoir des nouvelles de leurs amoureuses sans subir de censure parentale.

Je vis aussitôt la solution à mon problème, mais je tergiversai plusieurs semaines. Yaril n'irait-elle pas rapporter ma proposition à ma mère ? Ne me déconsidérerais-je pas aux yeux de Carsina en tentant de contourner son père et l'examen de ma correspondance ? Et surtout, avais-je moralement le droit d'entraîner ma sœur dans mon stratagème ? Je me tordais encore dans les affres de l'indécision quand me parvint une lettre insolite de Yaril. Les membres de ma famille se relayaient pour me donner des nouvelles, si bien que j'avais de bonnes chances de recevoir au moins un courrier par semaine ; jusque-là, ma sœur m'écrivait par devoir et de façon assez superficielle, mais le pli qui arriva cette semaine-là était plus épais que d'habitude. Je le soupesai puis l'ouvris et perçus un parfum à la fois inattendu et délicieusement familier : celui du gardénia, qui me ramena aussitôt à ma dernière soirée chez moi et à ma promenade dans le parc en compagnie de Carsina.

Je trouvai dans l'enveloppe la lettre habituelle de ma sœur ; mais j'en découvris une seconde, pliée à l'intérieur. Les marges du papier avaient été minutieusement décorées de papillons et de petites fleurs ; Carsina avait employé une encre violette, et son écriture ronde ornée de fioritures avait un aspect presque enfantin. En toute autre circonstance, j'aurais ri de ses fautes d'orthographe, mais, je ne sais pourquoi, elles ajoutaient en réalité du charme à son message, comme lorsqu'elle disait : « Chaque moman qui passe me semble une éternité que je dois enduré avant de revoir votre visage. » Au vu de la complexité de ses illustrations, elle avait dû passer des heures sur les deux pages qu'elle m'envoyait, et j'en étudiai la plus petite image ; elle avait un œil si exceptionnel pour les détails que je reconnaissais chaque fleur qu'elle avait méticuleusement reproduite.

Dans sa lettre, Yaril ne trahissait rien de son envoi ; aussi, quand je lui répondis, ce que je fis aussitôt, n'en parlai-je pas non plus directement. Je lui dis que les première année avaient droit, à ce qu'on m'avait raconté, à une journée de liberté en ville à la fin du semestre, et que je me ferais un plaisir de lui acheter de la dentelle ou d'autres babioles à condition qu'elle me fît part de ses désirs, car j'étais toujours ravi de rendre service à une sœur si prévenante à mon égard. Songeant que, même si le père de Carsina ne lisait pas ma lettre, il restait possible que Yaril cédât à la tentation d'y jeter un coup d'œil avant de la transmettre à Carsina, je passai deux jours à suer sang et eau à composer ma première missive à ma bien-aimée.

Je m'efforçai de trouver l'équilibre entre fermeté virile et tendresse, respect et ardeur, passion et prosaïsme. Je lui parlai de notre vie future, des enfants que nous aurions, du foyer que nous bâtirions ensemble, et finis par m'arrêter en m'apercevant que j'avais rempli cinq pages d'écriture serrée. Je les pliai, les scellai puis les dissimulai dans l'enveloppe destinée à ma sœur en espérant que mes parents ne remarqueraient ni la longueur inhabituelle ni la promptitude de ma réponse. Etreint d'un sentiment d'extrême culpabilité, je rédigeai à l'adresse de mon père une lettre, aussi longue et détaillée, sur mes cours et la décision de l'Ecole à propos de nos montures, en formant le vœu qu'elle détourne son attention de celle que j'envoyais à Yaril.

Je n'aurais jamais cru que recevoir un mot de Carsina et y répondre accaparerait tant mes pensées. Après que je l'eus postée, je ne pus m'empêcher d'y songer, de me demander combien de temps il lui faudrait pour arriver à destination et si elle resterait longtemps aux bons soins de ma sœur avant qu'une visite ne lui permît de la transmettre. Le soir, dans mon lit, j'imaginais Carsina recevant mon pli et s'interrogeant : devait-elle l'ouvrir devant Yaril ou attendre de se trouver seule ? J'aspirais aux deux à la fois car, si elle écrivait une réponse sur-le-champ, Yaril pourrait me l'envoyer aussitôt, mais j'espérais aussi qu'elle la lirait en privé afin d'en conserver le contenu pour elle seule. Je subissais avec délices ce déchirement qui m'écartait de façon inquiétante de mes études. Le rite devint quotidien : je faisais mes ablutions du soir, disais mes prières puis restais allongé, les yeux ouverts dans le noir, à écouter la respiration profonde de mes camarades endormis et à penser à Carsina. Je rêvais souvent d'elle ; une nuit, alors que je me hâtais vers le sommeil, la tête pleine de sa pensée, je fis un songe où une lettre d'elle me parvenait. La précision des détails était extraordinaire.

Le sergent Rufert s'occupait de nous distribuer le courrier ; souvent, quand nous rentrions de nos cours de la matinée, nous trouvions ce qu'avait apporté la poste posé au centre géométrique de notre lit. Dans mon rêve, je découvris une lettre adressée à moi de la main de ma sœur Yaril, mais dont je compris aussitôt qu'elle renfermait des nouvelles de Carsina. Je la glissai dans ma veste d'uniforme en décidant de l'ouvrir une fois seul, à l'abri des regards curieux, afin de mieux en savourer le contenu. Dans la lumière d'or de l'après-midi finissant, je quittai discrètement le dortoir pour m'enfoncer dans un bosquet paisible qui ornait la pelouse à l'est du bâtiment Carnes ; là, je m'adossai à un arbre et ouvris la lettre tant attendue. La lumière tombait en rais de la voûte automnale, une fine couche de feuilles mortes s'agitait doucement au souffle de la brise du soir venue de la rivière.

Je sortis les pages de l'enveloppe. La lettre de ma sœur se présentait sous la forme d'une grande feuille dorée ; entre mes mains, elle brunit, et les lignes écrites s'effacèrent à mesure que la couleur virait ; les bords s'enroulèrent jusqu'à former une sorte de chrysalide desséchée. Je voulus la dérouler, mais elle s'effrita en petites parcelles marron qui s'envolèrent au vent.

Carsina, elle, avait rédigé son mot sur du papier. J'essayai de le lire, mais son écriture, auparavant large et tout en boucles rondes, avait pris l'aspect de pattes de mouche, avec des lettres si surchargées de fioritures que l'œil ne s'y reconnaissait plus. Toutefois, je trouvai, en ouvrant la feuille pliée, trois violettes séchées, soigneusement enveloppées dans du papier fin ; je les tirai de leur protection, les posai au creux de ma main et sentis alors soudain leur parfum, aussi fort que si on venait de les cueillir. J'approchai le nez pour mieux le savourer, certain, j'ignore comment, que Carsina avait porté ce minuscule bouquet sur sa robe pendant une journée avant de le presser puis de me l'envoyer. Je souris car, dans la fragrance des fleurs, je sentais son amour pour moi. Quel bonheur, quel privilège que la femme destinée à devenir mon épouse me regarde et m'attende avec affection ! Tous les mariages arrangés ne se présentaient pas aussi bien. Mon avenir s'ouvrait devant moi, assuré, scintillant : je deviendrais officier, je commanderais mes hommes et accomplirais de hauts faits d'armes ; ma dame viendrait à moi pour s'unir à moi devant le dieu de bonté et emplir d'enfants notre foyer. Quand mon temps d'officier de la cavalla s'achèverait, nous nous retirerions à Grandval pour y finir nos jours dans une élégante résidence sur les terres de mon frère.

Tandis que je me perdais dans ces rêveries, les violettes commencèrent à grandir dans ma main ; des boutons se formèrent et de nouvelles fleurs apparurent. Les trois premières donnèrent de minuscules graines qui tombèrent dans ma paume ; là, elles germèrent, d'infimes racines s'insinuèrent sous ma peau et de petites feuilles vertes s'ouvrirent au soleil. Des fleurs à visage d'enfants commencèrent à s'épanouir. Appuyé contre le tronc d'un grand chêne, je les contemplais avec amour.

J'ignore ce qui me fit lever les yeux, car je n'avais entendu aucun bruit. Elle se tenait devant moi, immobile comme un arbre, et posait sur moi un regard empreint d'une grande résolution. Des fleurs minuscules poussaient dans ses cheveux, et la robe qui la couvrait avait la teinte dorée des feuilles de bouleau en automne. Majestueuse, la femme-arbre secoua lentement la tête en signe de dénégation. « Non », dit-elle. Elle s'exprimait dans un murmure où perçait de la bienveillance et que j'entendais avec une clarté absolue. « Ce n'est pas pour toi. Cet avenir convient peut-être à d'autres, mais tu as un destin différent. Il y a une tâche à accomplir, tu as été choisi pour cela, et elle t'attend en ce moment même. Rien ni personne ne t'en détournera ; tu iras à sa rencontre, même si tu dois y aller comme un chien qui fuit les pierres qu'on lui jette. Il t'incombe de chasser l'envahisseur. Toi seul peux le faire, fils de soldat. Rien d'autre ne doit compter tant que tu n'as pas achevé cette mission. »

Ces propos m'épouvantèrent. Non, cela ne se pouvait pas ! Je baissai les yeux sur l'avenir que je tenais bien à l'abri au creux de ma main : le feuillage des petits rejetons de notre amour verdoya brièvement puis, à ma grande horreur, jaunit et se fana. Les minuscules visages fermèrent leurs paupières, pâlirent et se flétrirent. Les pétales s'amollirent, pendirent et soudain se décomposèrent.

« Non ! » criai-je, et je me rendis compte alors seulement que le chêne m'emprisonnait. Son écorce avait poussé par-dessus mes épaules et envahi mon torse. Des années plus tôt, mon frère et moi avions laissé une corde de balançoire attachée à la branche d'un saule ravinier ; avec le temps, le bois avait grossi, formé un bourrelet de part et d'autre du point de constriction et fini par l'effacer complètement. De même, le grand arbre m'engloutissait, croissait autour de moi et m'absorbait ; il était trop tard pour m'en extirper : fasciné par les fleurs au creux de ma main, j'avais baissé ma garde.

Je levai la tête et ouvris la bouche pour hurler, mais il n'en jaillit qu'un flot de filaments verts ; ils s'enfoncèrent dans la terre à mes pieds puis en ressortirent sous forme d'arbustes. Sur la pelouse devant moi, une forêt s'éleva, et je la sentis qui se nourrissait de moi. Jamère se réduisit à rien et je devins une conscience verte ; les arbres qui étaient moi grandirent, empiétèrent sur les bâtiments de l'Ecole et les engouffrèrent ; mes racines soulevèrent les couloirs, rompirent les fondations, mes branches s'enfoncèrent par les fenêtres aux vitres brisées, j'envoyai des lianes jaunes explorer le plancher poussiéreux des salles de classe vides. L'Ecole s'effondra devant moi et devint futaie, qui se mit à escalader lentement les murs d'enceinte avant de s'étendre sur les rues et avenues de Tharès-la-Vieille.

Je restais indifférent à ce spectacle. J'étais verdure, vie et croissance, et donc tout allait bien. J'avais assuré la protection et la sécurité de tous. Soudain je sentis des pas me fouler lentement ; quelqu'un marchait dans la forêt en laquelle je m'étais transformé. Peu à peu, j'acquis la conscience de son identité ; alors, je tournai mon attention vers elle avec un profond amour.

L'immense femme-arbre de mon voyage onirique leva le visage vers les traits de soleil qui fusaient à travers les feuilles de mes innombrables branches ; sa chevelure gris-vert tombait en cascade dans son dos. Elle me sourit, et la chair qui auréolait ses traits fit écho à son sourire. « Tu y es arrivé : tu les as arrêtés. Cette victoire t'appartient. » Une bouffée de fierté m'envahit. Je comprenais : la guérison de la terre que j'opérais dans mon monde réparerait aussi son univers.

Et soudain l'orgueil fit place à un sentiment d'horreur : mon ennemie m'avait corrompu ! Je n'éprouvais nulle affection pour elle ni sa forêt ; je n'avais d'amour que pour ma patrie, de loyauté qu'envers mon roi. Je la vis telle qu'en réalité : obèse, répugnante, tressautant de ses nombreux mentons comme une grenouille prête à coasser. Vouer ma vie à pareille créature ? Jamais !

J'ouvris brusquement les yeux : Spic me secouait rudement par les épaules. « Réveille-toi, Jamère ! Tu fais un cauchemar ! » cria-t-il tandis que je prenais conscience de l'obscurité du dortoir. Je me laissai retomber avec soulagement dans mes draps froissés.

« Un rêve ! Grâces soient rendues au dieu de bonté, rien qu'un rêve. Un rêve.

— Rendors-toi ! gémit Natrède d'un ton somnolent. Il reste encore quelques heures avant le tambour ; j'ai besoin de roupiller, moi ! »

En quelques instants, le silence régna de nouveau dans la chambre, troublé seulement par la respiration profonde de mes voisins. Le sommeil représentait une denrée précieuse et toujours insuffisante pour les élèves ; pourtant, cette nuit-là, il se déroba. Le regard perdu dans les ténèbres de mon coin, je me répétai que j'avais fait un rêve, un simple cauchemar ; je me frottai les mains pour chasser le picotement qu'avaient laissé les racines dans mes paumes. Mais je souffrais surtout d'une brûlure à l'âme : si je me tracassais parce que je ne possédais pas l'instinct de commandement que Spic et Trist manifestaient, je n'avais jamais douté de mon courage ; pourtant, dans mon rêve, j'avais clairement choisi de m'allier à la femme-arbre ; devais-je y voir la vérité qui gisait au fond de moi ? La couardise se tapissait-elle quelque part en moi ? Se pouvait-il que je fusse un traître ? Je n'imaginais nulle autre raison qui pût me détourner de ma fidélité à mon roi et à ma famille.

Je vécus le lendemain une matinée de torture ; j'avais du mal à garder les yeux ouverts, et je récoltai des blâmes en varnien et en mathématiques. Quand, à midi, nous regagnâmes notre dortoir, je mourais à la fois de faim et d'envie de dormir, et je balançais entre me rendre au réfectoire et faire une sieste quand je remarquai l'enveloppe qui m'attendait sur mon lit. Spic et Natrède aussi avaient reçu du courrier, sur lequel ils se précipitèrent avec enthousiasme ; pour ma part, je restai planté au milieu de la chambre, les yeux fixés sur l'enveloppe, et il fallut que Kort me donnât une bourrade pour me tirer de mon hébétude. « Tu n'attendais pas quelque chose de ce genre ? » Il m'adressa un sourire à la fois espiègle et chaleureux.

« Peut-être », répondis-je avec circonspection. Comme il me regardait, les sourcils levés, je pris la lettre. Elle portait mon nom, écrit de la main de ma sœur, mais elle pesait plus que ses brefs messages habituels. Kort m'observait avec avidité. Je ne pouvais guère lui demander de s'éloigner, car, je m'en aperçus un peu tardivement, j'avais posé sur lui des yeux tout aussi envieux quand il avait reçu du courrier. En toute autre circonstance, son indiscrétion m'eût hérissé, mais

462

je me rendis compte qu'en réalité sa présence me rassurait : le cauchemar de la nuit précédente me hantait toujours, et sentir Kort près de moi m'ancrait dans la réalité. L'enveloppe que je tenais renfermait peut-être un mot de Carsina, de ma future épouse, de la femme qui donnerait le jour à mes enfants. Je l'ouvris.

Une lettre de ma sœur, beaucoup plus longue que d'ordinaire, en dissimulait une autre, rédigée sur du papier pelure. Je pris sur moi pour lire d'abord celle de Yaril ; puisque je le lui proposais, il y avait en effet plusieurs articles que je pouvais lui acheter à Tharès-la-Vieille si j'avais l'occasion de me rendre en ville ; suivait une liste très précise qui occupait deux pleines pages : des perles de certaines teintes, tailles et quantités, de la dentelle, qui ne devait pas dépasser un pouce de large, en blanc, écru, et du bleu le plus clair que je pusse trouver, des boutons en forme de baie, de cerise, de pomme, de gland ou d'oiseau, mais surtout pas de chien ni de chat, au moins douze de chaque, et, s'ils existaient en deux tailles, quatre de plus du plus petit format. Après le matériel de couture venait un inventaire des crayons à dessin et des plumes qu'elle désirait. Malgré moi, je souris devant sa joyeuse cupidité : elle savait parfaitement que je m'efforcerais de lui rapporter tout ce qu'elle demandait, ou du moins le plus possible.

En secouant la tête, je refermai sa lettre et m'intéressai au pli de papier fin qui l'accompagnait. Un goutte de cire rouge le scellait, orné, par manque d'une bague, de l'empreinte délicate d'un petit index. Je tâchai de garder le cachet intact en l'ouvrant, mais hélas il s'effrita en menus morceaux écarlates. Comme je dépliais les feuilles, une pluie de fins flocons bruns s'en échappa et tomba sur mon lit.

« Hé, regardez ça ! Sa bonne amie lui a envoyé du tabac à priser ! » s'exclama Kort, stupéfait, et plusieurs têtes se tournèrent vers nous. Je m'avançais déjà dans le dédale de l'écriture convolutée de Carsina ; les particules ressemblaient effectivement à du tabac à priser, mais je ne concevais pas qu'elle m'eût fait un tel présent.

Avant de trouver la clé du mystère, je lus deux pages remplies de mots tendres, où elle me disait en termes fleuris qu'elle se sentait bien seule et mourait d'impatience de me revoir. « Et je vous joint quelque pensées ceuilli dans mon jardin. Ce son les plus grande et les plus éclatante que j'ai jamai vu, et je les ai soinieusement mise à séché entre des feuille de papier pour qu'elles garde leurs couleurs. Certain voient un petit visage dans le cœur des pensées ; si c'est vrai, chacune de celle-ci renferme un béser pour vous, car je l'y ai placer moi-même ! »

Je souris. « Elle m'envoie des fleurs séchées, expliquai-je à Kort.

— Un bouquet pour son amoureux ! Comme c'est charmant ! » fit-il d'un ton moqueur ; mais, sous la taquinerie, je perçus la reconnaissance d'une émotion partagée ; il savait qu'une jeune fille m'attendait et je m'en sentis affermi dans ma virilité. Je fendis l'envers de l'enveloppe et l'ouvris avec précaution pour découvrir mon trésor ; mais seule une poussière brune en tomba, flottant dans l'air avant de se déposer. Avec consternation, je regardai mon lit constellé de minuscules débris.

« Les fleurs ont dû se dessécher et se réduire en poudre. »

Kort haussa les sourcils. « Quand te les a-t-elle envoyées ? Sa lettre a-t-elle mis longtemps à te parvenir ? »

Je vérifiai la date. « Non, et même elle a voyagé assez vite : il ne lui a fallu que dix jours pour arriver. »

Il secoua la tête avec un petit sourire. « Alors je crois que ta belle t'a joué un tour, Jamère ; rien ne se décompose aussi vite. Maintenant, te voici avec un problème sur les bras : vas-tu la remercier pour ses jolies fleurs ou lui demander pourquoi elle t'a fait cadeau d'un dé à coudre de compost pulvérisé ? »

Certains de nos camarades avaient entendu notre conversation. Rory était entré dans notre chambre, et il s'esclaffa : « A mon avis, elle met ta franchise à l'épreuve, mon gars ! »

J'époussetai mon lit, mais la poussière de pétales resta collée à ma paume, où naquit un étrange picotement. Je résistai à l'envie de l'examiner et parvins à plaquer un pâle sourire sur mes lèvres. « On va rater le déjeuner si on ne descend pas tout de suite.

— Et on va rater l'inspection si tu ne balaies pas tes "fleurs" du plancher ! » enchaîna Spic, sans pitié.

Je suivis son conseil puis me lavai rapidement les mains pendant que mes compagnons m'attendaient. Le soir venu, j'avais réussi à me persuader que voir dans mon rêve une prémonition de cet incident ou même y attacher quelque importance relevait de la pure

465

bêtise. J'éprouverais quelque gêne à écrire à Carsina que j'avais reçu son présent sous forme de poussière, mais j'avais pris la résolution de ne jamais lui mentir. Je relus sa lettre à plusieurs reprises avant de dormir, en gravai chaque phrase dans ma mémoire et baisai subrepticement les fioritures de sa signature avant de glisser les feuilles sous mon oreiller. Je me laissai aller au sommeil bien décidé à rêver de ma future épouse mais, si je la vis en songe, je n'en gardai nul souvenir.

Table

Composition et mise en pages réalisées
par IND - 39100 Brevans

Achevé d'imprimer par GGP Media GmbH, Pößneck
en Janvier 2008
pour le compte de France Loisirs,
Paris

N° d'éditeur: 50571
Dépôt légal: Février 2008

Imprimé en Allemagne